JN001598

図解で速習 ディープラーニングの基礎

「ノード」がネットワークを構成して、出力値を決める

●ノードの構造 ➡ 4章（4-2節）

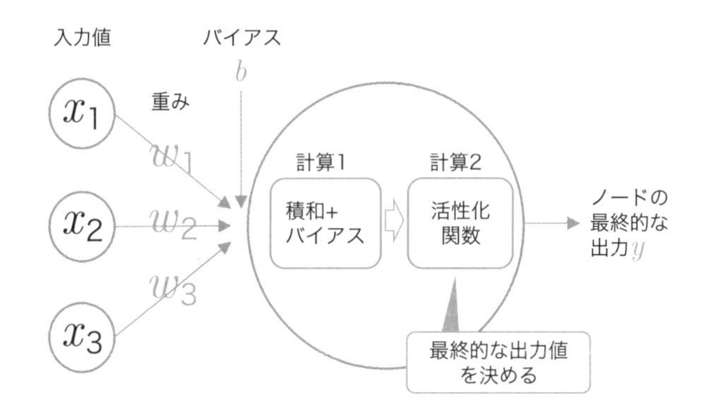

計算 1
$y = w_1 \times x_1 + w_2 \times x_2 + w_3 \times x_3 + b$

計算 2
[計算1] の計算結果から、最終的な出力値を決める

●単純なニューラルネットワーク ➡ 4章（4-4節）

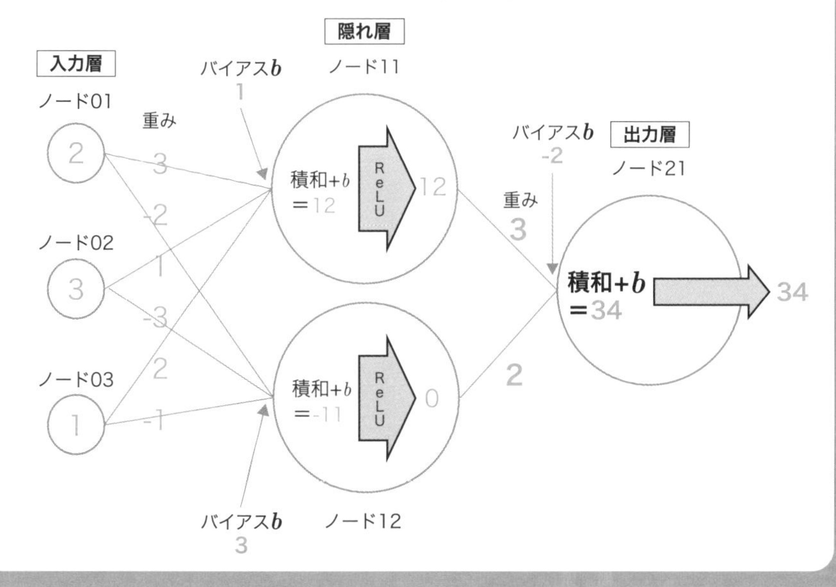

「損失」の値が最も小さくなるように、「重み」と「バイアス」の値を求める行為が「学習」

● グラフの縦軸と横軸を変更し、「谷底」(「損失」の値が最も小さい箇所)を見つける ➡ 5章(5-3節)

横軸を「x」、縦軸を「『重みw × x + バイアスb』の推論の結果」とするグラフ(左下のグラフ)

⬇

横軸を「重みw」、縦軸を「損失の値」とするグラフ(右のグラフ)

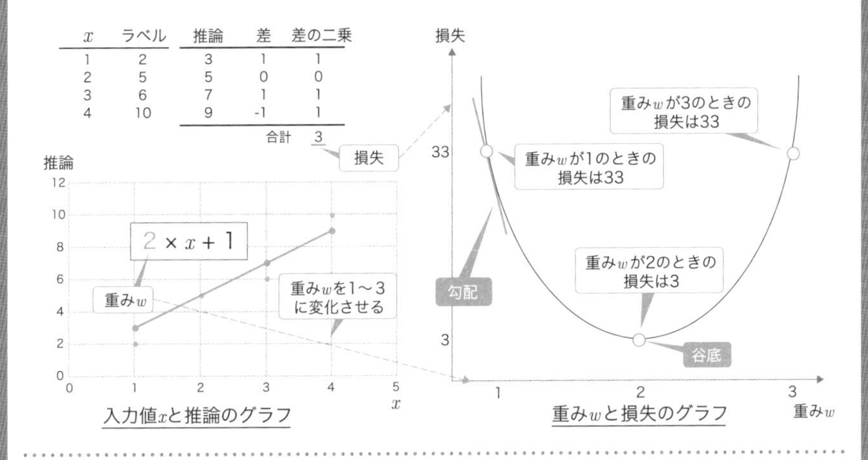

x	ラベル	推論	差	差の二乗
1	2	3	1	1
2	5	5	0	0
3	6	7	1	1
4	10	9	-1	1
			合計	3

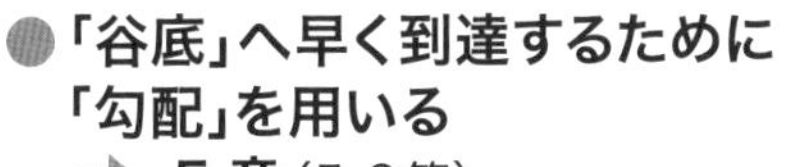

● 「谷底」へ早く到達するために「勾配」を用いる ➡ 5章(5-3節)

損失

谷底から遠いと大きく移動

谷底から近いと小さく移動

勾配の値が小さくなっていく

重みw

更新量 = 学習率 × 勾配

● 「局所解」に注意 ➡ 5章(5-3節)

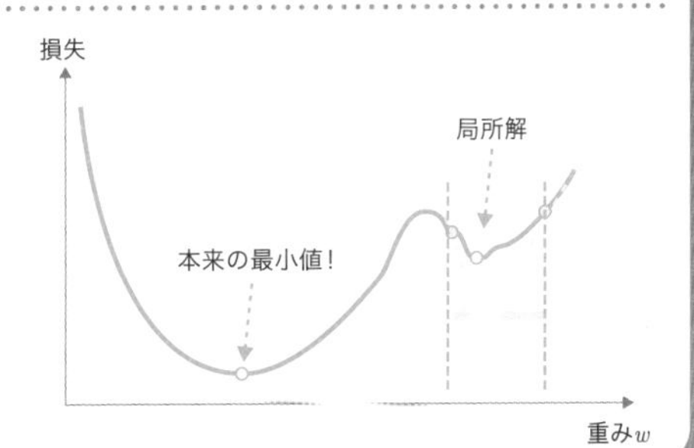

局所解とは、本来の谷底とは別の谷底

何度も学習して「重み」や「バイアス」を更新し、推論の精度を高めていく

「損失」の値などからグラフの「勾配」を求め、「学習率 × 勾配」で「重み」と「バイアス」を更新して学習を行う ➡ 5章（5-4節）

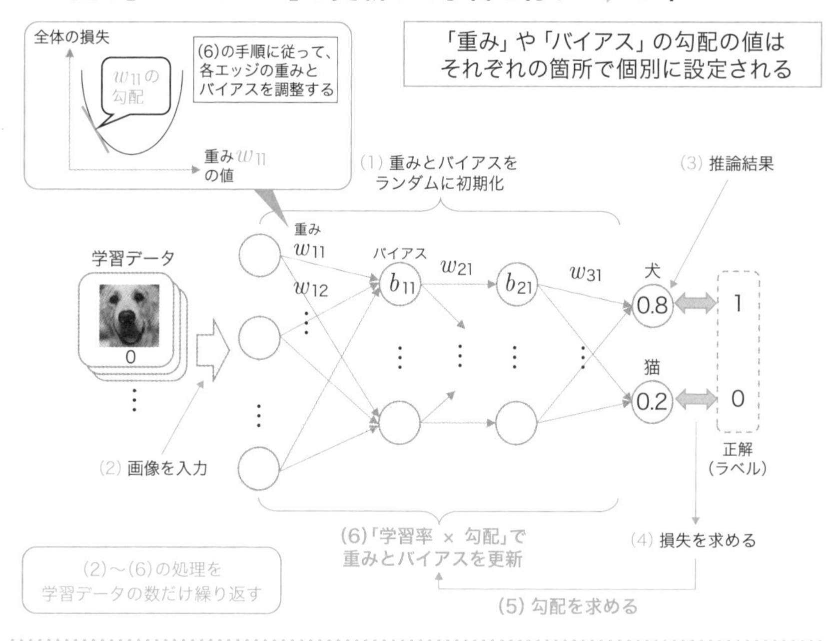

学習データは小分けにされて、何度もニューラルネットワークに入力される ➡ 5章（5-5節）

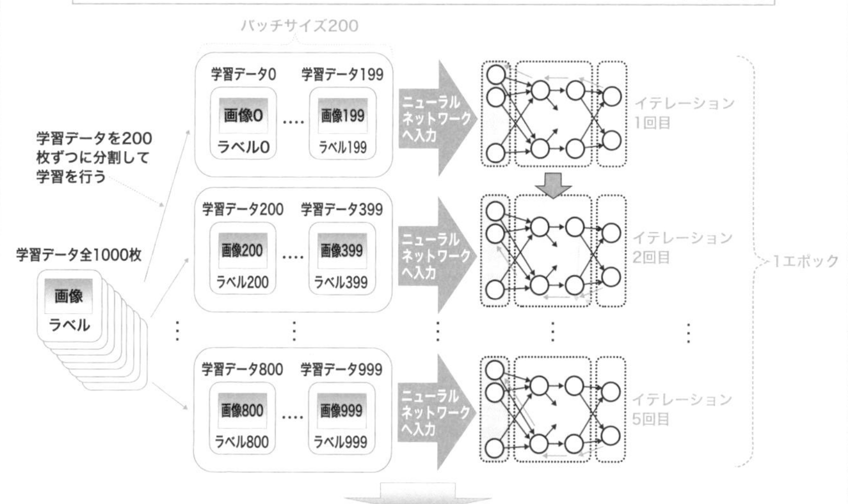

ディープラーニングAIはどのように学習し、推論しているのか

How Deep Learning AI Works

立山 秀利
Hidetoshi Tateyama

日経ソフトウエア 編

日経BP

まえがき

AI（Artificial Intelligence、人工知能）は現在、私たちの身の周りであたりまえのように活用されています。AI開発の歴史は数十年前からと古く、実用化の道のりは険しかったのですが、近年、特に画像認識や自然言語処理（翻訳など）の分野で目覚ましい発展を遂げ、実用化が一気に進みました。

その立役者が「ディープラーニング」という手法です。ディープラーニングの登場によって、AIの“賢さ”が飛躍的に増し、普及が進んだのです。

本書は、ディープラーニングの仕組みを基礎から解説した書籍です。本書のタイトルにある「ディープラーニングAI」とは、ディープラーニングという手法を用いたAIを指します。

「ディープラーニングは一体どんな仕組みなのか？」「なぜそんなに賢いのか？」「今までのAIの手法と何が違うのか？」…そうした疑問に、本書は丁寧に答えようと企画されました。

エンジニアを目指す学生のみならず、一般社会人にとっても、「ディープラーニングの“はじめの一歩”」となる内容となっています。

「近い将来、ディープラーニングの仕組みは一般常識の1つになる」と言っても、決して大げさな話ではないでしょう。

本書はディープラーニングの仕組みについて、可能なかぎりかみ砕いて解説しています。そして、画像認識と自然言語処理といったディープラーニングの応用について、より詳しく解説しています。

これまでにAIやディープラーニングの仕組みを学んだ経験がある人の中には、「どうせこの本も、難しい数学や数式が出てくるんでしょ？」と思っている方もいるかもしれません。でも、大丈夫です。本書では、高度な数学の知識や難解な数式は一切登場しません。中学生レベルの数学の知識範囲だけで、ディープラーニングの仕組みを極力具体的に解説しています。無論、実際のディープラーニングには中学生レベル以上の数学が使われていますが、本書ではそういった箇所はポイントのみを解説し、一般の方にも理解できるようにしました。

さらに本書では、画像認識と自然言語処理のちょっとしたプログラミング体験も行います。本書で学んだディープラーニングの仕組みがどのようなプログラム（コード）に落とし込まれているのか、全体像を把握したうえで実行結果を体感できます。本書で使うプログラムの開発環境は、誰でも無料で簡単に短時間で用意できます。プログラミング言語には人気の「Python」（パイソン）を使います。気軽にチャレンジしてみてください。

また、プログラミング未経験の方でも、コードをおおまかに把握をして処理のポイントが理解できるよう、基本的なPythonの文法の解説を巻末の講座に用意しました。

それでは、ディープラーニングの仕組みを学んでいきましょう！

本書の後半の章では、まずはディープラーニングAIが行う「処理」について解説し、次にその「処理」がどういったコードで記述されているかという「実装」を説明する、という順番で解説を行います。具体的な構成は、以下のようになっています。

AIの基礎からディープラーニングの仕組みまで	画像認識編	自然言語処理編
1～5章	・6章「処理」の解説 ・7章「実装」の解説	・8章「処理」の解説 ・9章「実装」の解説

本書の活用にあたって

本書のサポートサイトから、本書の後半で利用するプログラム（コード）をダウンロードできます。こちらを使いながら、本書の内容の理解を深めるとよいでしょう。

またサポートサイトにて、訂正・補足情報も更新してまいります。

サポートサイト
https://nkbp.jp/nsoft_books

・本書の内容は、2021年10月時点のものです。その後のソフトウエアのバージョンアップなどにより、想定した動作をしない可能性があります。また、すべてのパソコンでの動作を保証するものではありません。
・日経BPおよび著者は、コードなどのデータを使用することによって生じるいかなる損害にも責任を負いません。ご了承ください。
・その他の注意事項は、巻末の奥付もご覧ください。

CONTENTS

1章

AIとは?
ディープラーニングとは?

1章 AIとは？ディープラーニングとは？

近年、様々な分野で実用化が進むAI（Artificial Intelligence、人工知能）。その立役者がAIの手法の1つである「ディープラーニング」です。本章では、AIの歴史、「機械学習」をはじめとする各種用語の意味や関係性など、AIおよびディープラーニングの基礎的な知識を解説します。

1-1 幅広い分野で活躍するAI

生活や社会の一部と化したAI

今やすっかり身近な存在となったAI。スマートフォンの顔認証、ショッピングサイトやオススメ商品（レコメンド機能）、航空券や宿泊施設などの予約サイトのユーザーサポート用チャットボットをはじめ、生活のさまざまなシーンで利用されています。また、AIが囲碁や将棋の名人を破ったニュースをおぼえている人も多いことでしょう。

さらにはクルマの自動運転、レントゲンやCTの画像診断、機械類の故障予測など、近い将来に本格的な実用化を迎えるものも含め、社会のあらゆる分野や場所での活用が期待されています。

AIのこれまでを振り返る

ここでAIの歴史を簡単に振り返ってみましょう。最近でこそ“いろいろ便利なモノ”と重宝されていますが、かつては“何だかすごそうだけど、今ひとつ役に立たないモノ”といったように見なされていた時期がありました。

AIはこれまでに計3回のブームを迎えています。1回目は1950年代後半～1960年代です。当時のAIでは、ルールがシンプルなゲームなど、単純なことなら扱えました。しかし、現実の生活や社会の複雑なことは扱えず、実用性はありませんでした。

2回目のブームは1980年代です。その火付け役となったのが「エキスパートシステム」です。専門家（エキスパート）の知識をコンピューターにたくさん入力して持たせておき、その知識をベースに、与えられる質問に答えるといった機能が中心のAIです。たとえば、医療分野でちょっとした問診を行うなどのかたちで、実社会で活用されました。

しかし、当初は順調だったものの、知識の量や規則性の複雑さが増すにしたがい、対応できないことが増え、結局用途はごく限られた範囲だけになるなど、限界を迎えてしまいました。そうなってしまった原因は、専門家の知識を人間が集めて、人間が入力する必要があることでした。人力でそういった作業を行うのは手間がかかりすぎます。いわば、人間の能力の限界が当時のAIの限界であり、すぐに実用性が頭打ちになってしまったのです。

3回目のブームは2000年代に始まり、現在も続いています。実用性が飛躍的に増したブレイクスルーは、「機械学習」という手法によってもたらされました。現在の主流となる手法です。そして、機械学習をベースに、さらに発展させた手法が「ディープラーニング」です。ディープラーニングの登場によって、画像認識や機械翻訳（コンピューターによる自動翻訳）などに、飛躍的な精度向上がもたらされました。

1-2 機械学習からディープラーニングへ

機械学習以前のAIと何が違う

一般的なAIの機能を改めて述べると、「与えられたデータから、ルールをもとに予測する」です（図1-2-01）。ここでいう「ルール」とは、単に規則という意味だけでなく、傾向や法則性なども含めた広い意味です。

たとえば、あるイベント会場で当日の予想最高気温からビールの販売数を予測する、といったことにAIは使えます。また、画像認識もAIの得意とするところです。たとえば、犬または猫のいずれかが写っている写真を、犬の写真と猫の写真に分類する、といったことにも使えます。これは言い換えると、写真に写っているのが犬なのか猫なのかをAIが予測しているということになります。

「データ」を入力すると、「予測結果」を出力する

▼例1：当日の予想最高気温からビールの販売数を予測

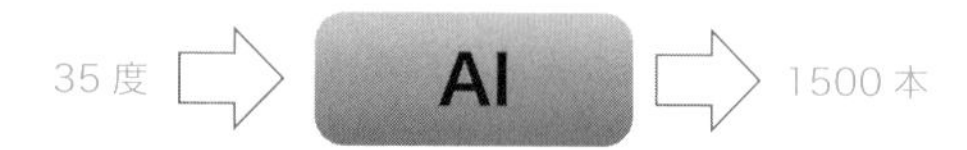

▼例2：写真を犬または猫に分類

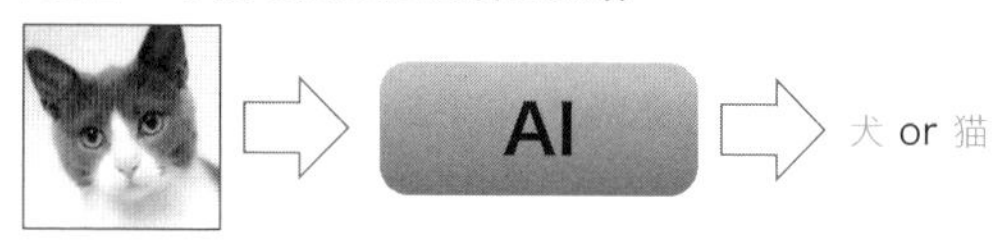

図1-2-01　データから、ルールをもとに予測

以上のことは、機械学習以前のAIでも、それ以降のAIでも同じです。それらのAIの違いは、「ルールの決め方」にあります。

機械学習以前のAIでは、ルールはすべて人間が決めて、AIに与えていました。

機械学習では、ルールはAI自身が決めます。これが大きな違いです。

機械学習をさらに発展させた「ディープラーニング」という仕組みでは、より高度な方法でAI自身がルールを決めます。どのように高度なのかは、のちの章で解説します。

AI自身がルールを決める方法とは、大まかに言えば、「大量のデータからルールを導き出す」ということです（図1-2-02）。

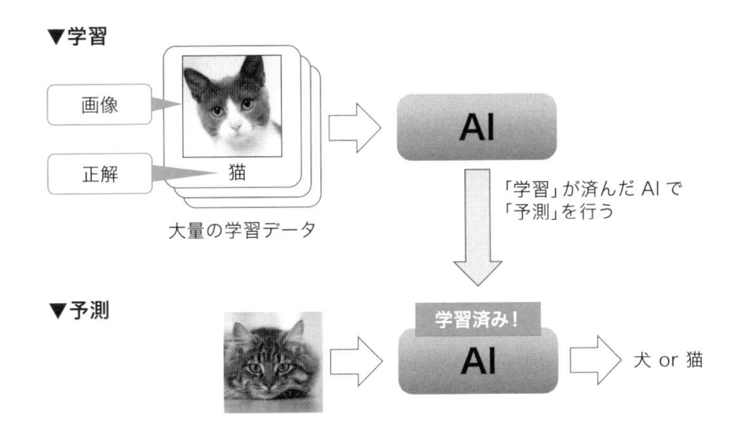

図 1-2-02　大量の学習データで、AI にルールを学習させる

たとえば、犬猫画像の分類なら、事前に犬または猫が写っている画像を大量に用意します。同時に、「この画像は犬、この画像は猫」といったように、写っているのが犬か猫かという“正解”の情報を各画像に付与します。画像と“正解”の情報をセットで用意するのです。それら大量のデータを AI に与えて、どんなルールに着目すれば犬と猫を正しく分類できるのかを AI に学ばせます。AI に学ばせるために使うデータを「学習データ」と呼びます。

また、その日の予想最高気温からビールの販売数を予測する AI なら、過去の最高気温と販売数の実績データから、それらの傾向を統計的に導き出します。「○○度の暑い日は、×× 本売れる」といった傾向です。

このように、AI が判断基準となるルールを自ら学んで決める行為を、専門用語で「学習」と呼びます。

なお、学習は「訓練」と呼ばれたりもします。学習データは「訓練データ」や「教師データ」と呼ばれたりもします。また、学習データがひとまとまりになったものを、「データセット」と呼びます。

1-3 あわせて押さえておきたいAIの基礎知識

予測は「分類」と「回帰」の2種類

前節で、AIと機械学習、ディープラーニングの基礎知識と専門用語を解説しました。本節では、他にも押さえておきたいAIの基礎知識を解説します。

まずはAIが出力する、「予測」の種類です。大きく分けて2種類あります。前節に挙げた犬猫画像の例のように、入力したデータを分類することは専門用語でそのまま「分類」と呼びます。一方、「その日の予想最高気温からビールの販売数を予測する」の例のように、数値を予測することは「回帰」と呼びます（図1-3-01）。

▼画像を犬または猫に分類

▼その日の予想最高気温からビールの販売数を予測

図1-3-01　分類と回帰

教師あり／なし学習と強化学習

さらに押さえておきたい基礎知識は、機械学習での学習のやり方です。機械学習の学習方法は、「教師あり学習」「教師なし学習」「強化学習」の3種類に分けられます。1つずつ説明していきましょう。

「教師あり学習」は“正解”の情報が与えられた状態で行う学習です（図1-3-02）。前節の図1-2-02で例に挙げた犬猫画像の分類における学習が、この教師あり学習に該当します。この場合、正解とは、画像とセットで用意する、「犬」なのか「猫」なのか、の情報です。この正解の情報が“教師”のデータであり、専門用語で「ラベル」と呼びます。また、回帰も教師あり学習に該当します。「その日の予想最高気温からビールの販売数を予測する」には、過去に記録した「最高気温」と「ビールの販売数」をもとに、その関係性を調べます。つまり、過去に記録したデータを「“教師”のデータ」（学習データ）として使うのです。

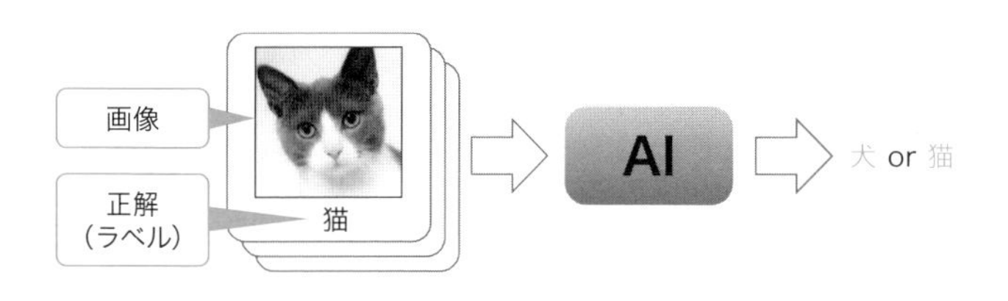

図 1-3-02　教師あり学習

「教師なし学習」は“正解”の情報（ラベル）が与えられない状態で行う学習です（図 1-3-03）。大量の画像を見て、そこに写っているものを複数のグループに分ける、などの用途に利用されます。グループ分けは専門用語で「クラスタリング」と呼びます。たとえば、何種類もの動物が写っている画像を 3 つのグループに分ける、といったことに使います。その場合、写っている動物が 5 種類だとしても、「3 つのグループに分ける」という指示を与えられた AI は 3 つに分けます。その際、「この画像は猫」のように、写っている動物を特定して分類するのではなく、耳の形状、尻尾の形状といった特徴を AI 自身が見つけ出し、それに応じて 3 つのグループに分けるのです。犬猫画像の分類に似ていますが、クラスタリングは分類とは異なります。“分ける”という処理が似ていますが、教師データ（学習データ）のあり / なしも含め、両者は異なる概念です。注意しましょう。

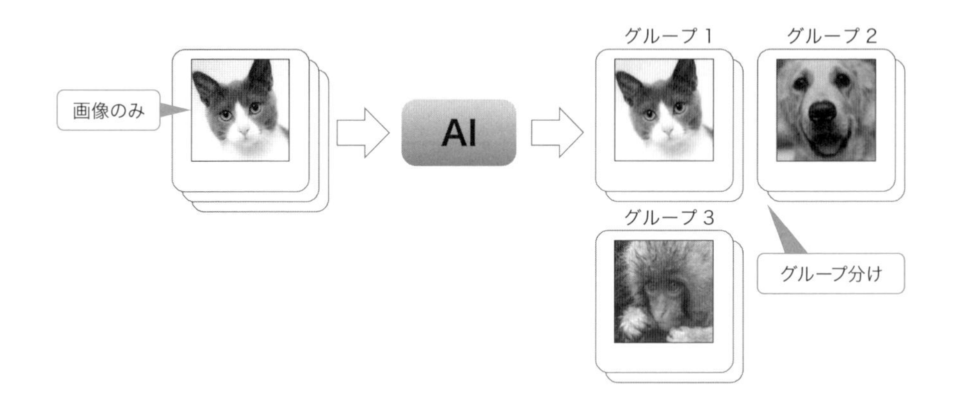

図 1-3-03　教師なし学習

「強化学習」も、“正解”の情報（ラベル）は与えられません。つまり、何が正解なのかがわからない状態で学習を行います。強化学習がユニークな点は、“報酬”という仕組みを取り入れている点です（図 1-3-04）。報酬とは、AI への“ご褒美”のことです。AI はこのご褒美ほしさに、自分で試行錯誤しながら学習を進めます。学習した結果、よりよい予測ができると、AI にはご褒美（報酬）を与えます。すると AI は「報酬がもらえたということは、この予測結果はよかったのだな」と理解する、というものです。ちょうど、人間の赤ちゃんが自分で様々な試行錯誤をしながら学習していくような感じです。強化学習の典型例は、囲碁・将棋やブロック崩しなどのゲームを自動でプレイする AI の学習です。ゲームの点数を報酬と定め、その報酬をなるべく多く得られるよう、学習を進めていきます。

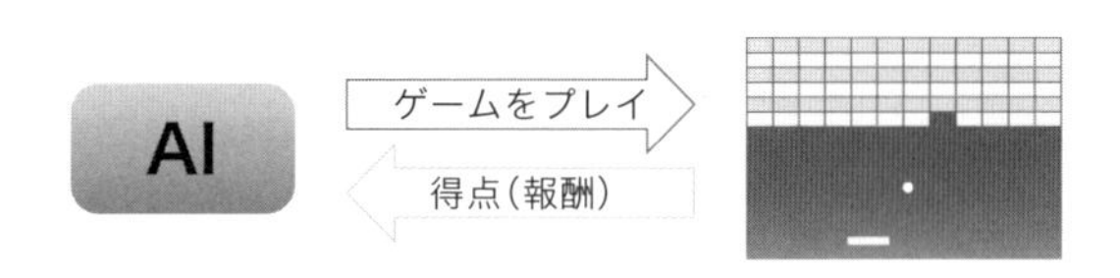

図 1-3-04　強化学習

本書のテーマであるディープラーニングは、主に教師あり学習で用いられます。本書では教師あり学習の基礎の解説から行い、それがディープラーニングへどのように活用されていくのか、丁寧に解説していきます。

本章のまとめ

● 近年の AI は「機械学習」という手法で性能が飛躍的に向上。機械学習をさらに発展させた手法が「ディープラーニング」。

● AI の機能は「与えられたデータから、ルールをもとに予測する」こと。ルールは「機械学習以前の AI」では人間が決めていたが、「機械学習の AI」では AI 自身が決める。

● 機械学習では、AI は大量のデータからルールを導き出す。ルールを決める行為を「学習」と呼び、学習に使うデータを「学習データ」と呼ぶ。

● AI で行う「予測」は大きく分けて以下の 2 種類がある。

・分類

・回帰

● 機械学習の方法は以下の 3 種類。

・教師あり学習

・教師なし学習

・強化学習

● 教師あり学習における“ 正解 ”のデータを「ラベル」と呼ぶ。

2章

Pythonで AI開発環境を構築

2章 PythonでAI開発環境を構築

現在、AIの開発で事実上の標準と言えるプログラミング言語が「Python」(パイソン)です。本書では、7章と9章にてPythonを使い、ディープラーニングAIのプログラミングを体験します。本章では、その開発環境を構築します。あわせて、PythonがAI開発に適している理由なども解説します。

2-1 なぜPythonでAIを作るのか?

AIの開発で使われるPython

当たりまえと思われる読者の方も多いかと思いますが、AIはコンピューター上で動作するプログラムです。プログラマーがプログラミング言語を使ってコードを記述することで、AIを開発します。現在、AIの開発に最も多く使われているプログラミング言語がPythonです。事実上の標準と言っても過言ではないほど、AIの世界では長年広く使われています。

本書では、AIのプログラミングの典型的な例として、7章にて画像認識、9章にて自然言語処理のプログラムを体験しますが、そこでもプログラミング言語にPythonを用います。

なぜ、AIの開発にPythonが使われているのでしょうか。その理由は主に2つです。

ライブラリやフレームワークが充実

1つ目の理由は、AI用ライブラリの充実です。ライブラリとは一言で表せば、プログラムの“部品”のようなものです。AI用ライブラリには、AIでよく用いられる汎用的な機能が部品となって含まれているのです。つまり、AIに必要な機能をゼロから自分で作らなくても、ライブラリにある機能を選んで組み込むだけで、目的のAIを容易に短時間で作り上げることができます。プログラマーが自分でゼロから作らなければならないのは、その AI 特有の機能の部分だけです。

Python は他のプログラミング言語に比べて、AI 向けのライブラリが格段に充実しています。高度な AI の機能でも、ライブラリを活用することで、場合によってはほんの数行程度のコードだけで作れてしまいます。

その上、Python は AI 用の「フレームワーク」も充実しています。フレームワークとは、プログラムの“枠組み”のようなものです。ライブラリは“部品”ですが、フレームワークはその考え方を一歩推し進めており、AI を作る際に必要な“枠組み”を提供します。プログラマーは作りたい AI に応じて、必要な機能の“部品”を選び、“枠組み”に当てはめていくだけで、目的の AI のプログラムを効率よく開発できます。

他言語より簡潔なコードで記述できる

２つ目の理由は、プログラミング言語としての使い勝手の良さです。Python は、文法がシンプルでわかりやすく、初心者に優しいプログラミング言語です。そのうえ、数値計算をはじめとする AI に必要な処理のコードを柔軟に記述できます。同じ内容の処理でも、他の言語に比べて、より簡潔なコードで書けます。

もし、読者の皆さんがこれから AI のプログラミングを本格的に学びたいのであれば、プログラミング言語は迷わず Python を選ぶことを強くオススメします。

2-2 Google Colaboratoryで実習環境を構築

面倒で難しい準備は一切不要！

本書７章および９章での AI のプログラミング体験には、Python のコードを記述・実行するツールとして、「Google Colaboratory」（以下、Colab）を使います。Google が提供する Web ブラウザーベースの Python 開発環境です（図 2-2-01）。Web ブラウザーで Colab の Web サイトにアクセスし、そのサイト上でプログラミングします。Google アカウントさえあれば、誰でも無料で利用可能です（Google アカウント自体も無料で取得できます）。

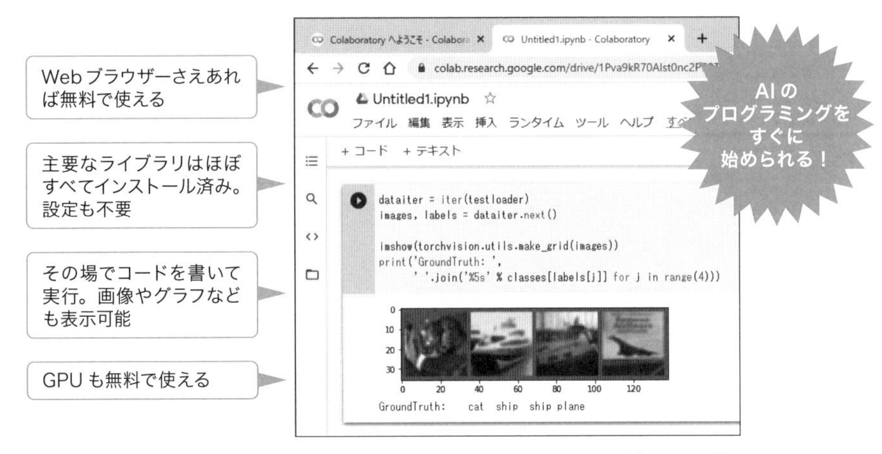

図2-2-01　Google ColaboratoryでAIプログラミング

Pythonの開発環境は他にも無料で使えるものが何種類かありますが、特にAIのプログラミングではColabをオススメします。その理由は、準備の簡単さです。Webブラウザーとインターネット接続環境があれば、他にソフトウエアをダウンロード、インストールして各種設定を行うなどといった、面倒で難しい準備を自分で行う必要はありません。手軽にすぐさまAIのプログラミングを始められます。

さらにColabには、AIの主要なライブラリなどが、ほぼすべて最初からインストールされています。一般的なAI開発環境では、画像認識や自然言語処理など、開発したいAIの種類に応じて使用するライブラリを事前にそろえておく（インストールする）必要があります。Colabはその必要が少ないのが利点です。

加えて、GPUを無料で使える点もColabの大きな魅力です。GPUとは、Graphics Processing Unitの略で、パソコンでは一般に、グラフィックス処理に用いられるプロセッサーです。このGPU、実はディープラーニングの計算処理を行うのにも適しているのです。一般のパソコンのCPUでディープラーニングの計算処理を行うよりも、大幅に処理時間を短縮できます。Colabでのプログラミングでは、クラウド（GoogleのインターネットのITインフラサービス）にあるGPUを使えるのです。ColabでGPUを使う設定は、デフォルトでは無効になっていますが、簡単な操作ですぐに有効化できます。GPUを使う方法は、7章で説明します。

Google Colaboratoryを準備しよう

AIのプログラミング体験は7章からですが、先にここでColabの準備をしておきましょう。なお、本書で解説するColabやライブラリ等は今後、画面や操作手順、機能が予告なく変更される可能性があります。あらかじめご了承ください。

Colabを利用するには先述のとおり、無料のGoogleアカウントが必要です。もし持っていなければ、事前に取得しましょう。

```
https://accounts.google.com/signin
```

にアクセスし、[アカウントを作成]からアカウントを作成します(図2-2-02)。

図2-2-02 Googleアカウントの新規作成画面

アカウントができたら、自分のGoogleアカウントでログインした状態で、そのままWebブラウザーでColabのWebサイトを開きます。

```
https://colab.research.google.com/
```

ポップアップで、「例」「最近」などの一覧表(図2-2-03)が表示されるので、

［キャンセル］をクリックして閉じます。

図 2-2-03　［キャンセル］をクリックして一覧表を閉じる

すると「Colaboratory へようこそ」画面が表示されます。メニューバーの［ファイル］→［ノートブックを新規作成］をクリックしてください（図 2-2-04）。Colab では、この「ノートブック」という単位でコードを記述・実行・管理します。

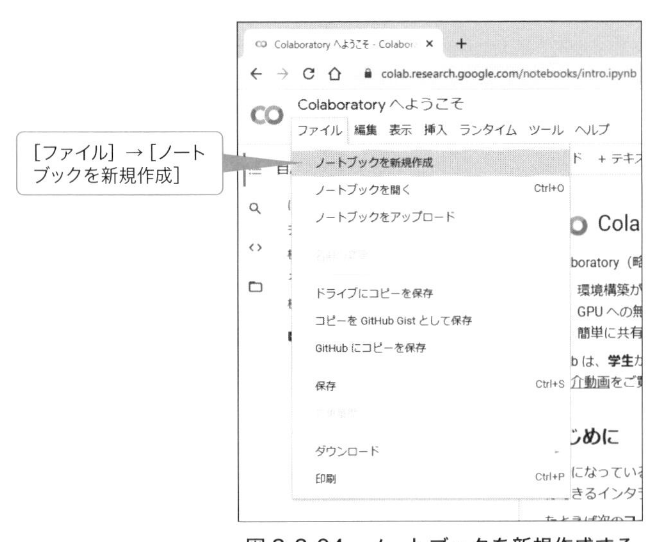

図 2-2-04　ノートブックを新規作成する

新規ノートブックが作成され、別のタブに表示されます（図2-2-05）。これでPythonのコードを書いて実行できる状態になりました。

図2-2-05 新規ノートブックが作成された

画面上部に表示される「Untitled ～ .ipynb」がノートブックの名前です。「～」は連番です。初めて作成した場合は1が入ります。

以降、Colabを一度終了して再び起動した際、メニューバーの［ファイル］→［開く］から、目的のノートブックの名前を指定すれば、再び開くことができます。

Googleドライブをマウント

Colabでは、コードなどのデータはGoogleドライブに保存されます。Googleドライブは、Googleのクラウド上にファイルを保存するためのストレージサービスです。ここで、Googleドライブ内のディレクトリをColabにマウントしておきましょう。

まずはノートブックの画面左側にあるフォルダーのアイコン（［ファイル］）をクリックしてください。サイドバーのメニューが展開され、「ファイル」が表示されるので、［ドライブをマウント］をクリックしてください（図2-2-06）。

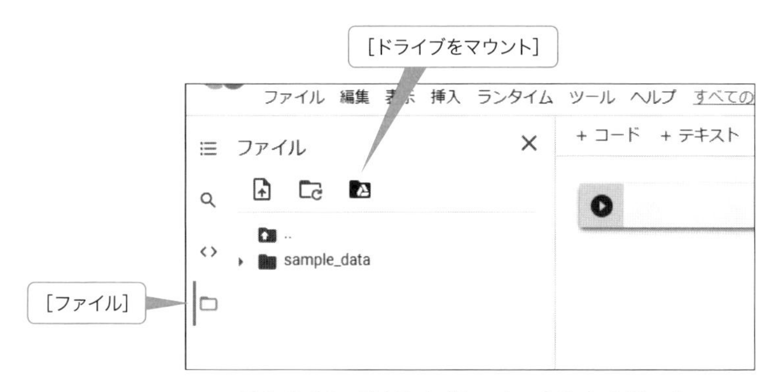

図 2-2-06 [ドライブをマウント] をクリック

「～アクセスを許可しますか？」と聞かれるので、[GOOGLE ドライブに接続]をクリックしてください（図 2-2-07)。

図 2-2-07 [GOOGLE ドライブに接続] をクリック

「アカウントの選択」画面が別ウィンドウで表示されます。Colab で使う Google アカウントをクリックして選んでください（図 2-2-08)。

図 2-2-08　使用する Google アカウントを選択

すると、その別ウィンドウが自動で閉じ、ノートブックのウィンドウに戻り、画面左下に「Google ドライブをマウントしています」と表示されます。完了するとその表示が消えます。

これでマウント完了です。画面左側のサイドバーに Google ドライブのアイコン「drive」が追加で表示されます（図 2-2-09）。

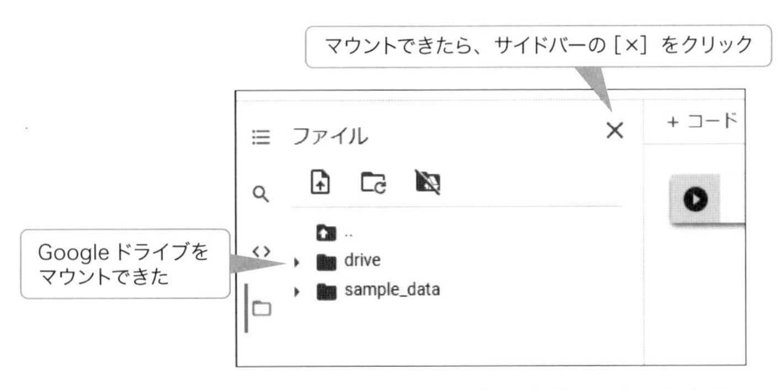

図 2-2-09　Google ドライブのマウント完了

マウント作業は以上です。サイドバーの［×］をクリックし、「ファイル」を折りたたんでおいてください。

Column うまくマウントできなければ…

もし、上記の手順でマウントできなければ、Colabの入力画面（セル）で以下のコードを入力して実行してください（入力・実行方法は次節参照）。

```
from google.colab import drive
drive.mount('/content/drive')
```

画面上に、「Go to this URL in a browser: https://accounts.google.com……Enter your authorization code:」と表示されたら、「https://accounts.google.com……」のリンクをクリックします。すると、Googleアカウントの選択画面が表示されるので、Colabで使うGoogleアカウントをクリックします。クリックすると、Googleアカウントへのアクセスリクエスト画面が表示されるので、画面下方の［許可］をクリックします。

今度はログインコードを表示した画面になるので、表示されたコードをコピーし、最初の画面（ブラウザーのタブ）に戻って「Enter your authorization code:」のあとの欄にペーストしてEnterキーを押して実行します。「Mounted at/content/drive」と出力されたらOKです。これで、Googleドライブのディレクトリを、Colabにマウントできました。

2-3 Google Colaboratoryで最低限知っておきたい使い方

基本はセルにコードを書いて実行

前節でColabを準備しました。本節では、Colabの基本的な使い方を解説します。

前節で新規作成したノートブックの画面が図2-3-01です。(1)の部分を「セル」と言い、ここにコードを入力します。そして、左側にある(2)の［セルの実行］ボタンをクリックすれば、そのコードを実行できます。コードの内容によっては、実行結果がセルのすぐ下に表示されます。

また、記述したコードは自動で保存されます。わざわざ自分で保存コマンドなどを実行する必要はありません。

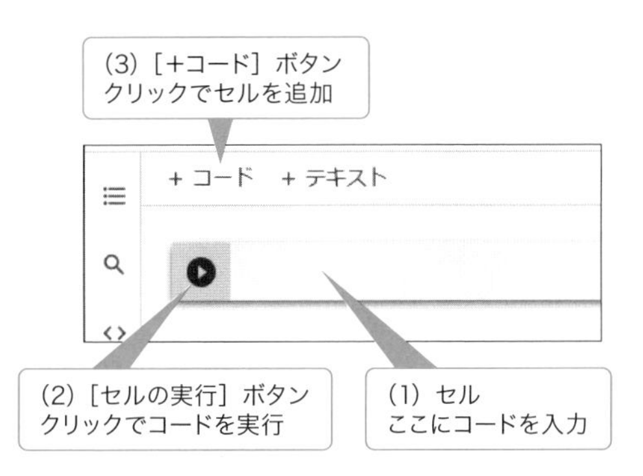

図 2-3-01　セルと［セルの実行］ボタン

複数のセルをまたぐこともできる

ここまでがColabの“はじめの一歩”です。さらにColabでは、一連の処理のコードを複数のセルに分けて記述し、実行することができます。その方法も解説します。

一般的にPythonプログラムは、複数のコードで記述されるものです。Colabは複数のコードを1つのセルにまとめて記述・実行することができますが、それに加えて、複数のセルに分けて記述・実行することも可能です。新しいセルを追加するには、画面左上の「＋コード」（図2-3-01の（3））をクリックします。新しいセルが既存セルの下に追加・表示されるので、そこに次のコードを入力します。

複数のセルに分けて実行した場合、あるセルで実行した結果は、以降のセルにも引き継がれます（図2-3-02）。たとえば、1つ目のセルにて、変数booに文字列「hello」を代入し、そのセルを実行します（Pythonの基本文法は巻末を参照）。以降のセルに「print(boo)」と入力して実行すると、「hello」と出力されます。変数booに入っている値が別のセルにも引き継がれて使えたのです。

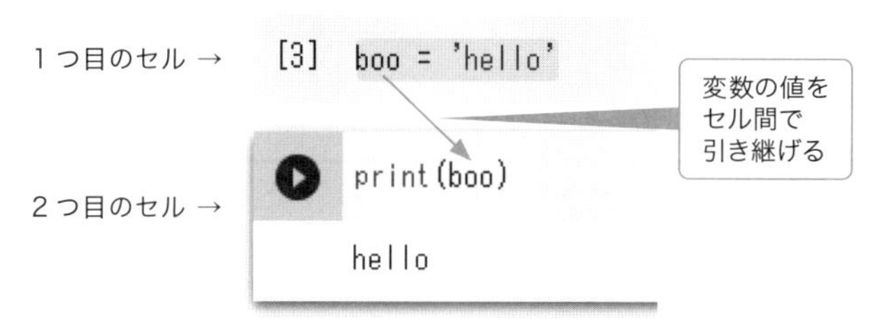

図2-3-02　コードを複数のセルに分けて記述・実行できる

AIをはじめPythonのプログラミングでは、このように複数のセルに順に入力・実行していくスタイルがよく用いられます。AIのプログラミングはコードが長くなりがちですが、複数のセルを使うことで、コードを短い単位でまとめられ、処理の内容や結果もよりわかりやすくなるというメリットが得られます。

以上がColabにおける、最低限知っておきたい使い方です。

強制切断とリセットに注意

あわせて、Colabの操作上の注意点をお伝えしておきます。Colabは、使っている途中で90分以上何も操作しないと、強制的に切断されて、「ランタイムの切断」というメッセージが表示されます（図2-3-03）。そのときは、[再接続]ボタンをクリックして再接続してください。そうすれば、続けて使うことができます。

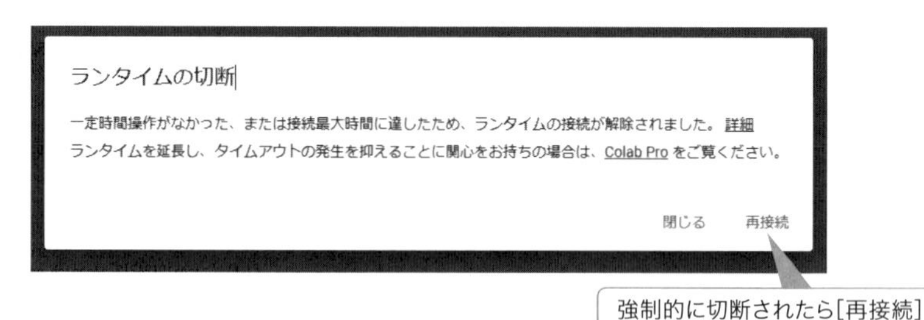

図2-3-03　強制的に切断されたら［再接続］をクリック

さらに12時間たつと強制リセットされます。この場合、それまで実行した結果はすべてリセットされて無効になってしまうので、プログラムを最初から実行しなおす必要があります。

なお、Colabには有料プランの「Colab Pro」もあります（月額1072円。2021年10月時点）。リセットまでの時間が約2倍に延びます。さらに、より高速なGPUを優先的に利用できるようになるので、処理速度が大幅に向上されます。

2-4 Google Colaboratoryを少しだけ体験

1行の簡単なコードを書いて実行

本節で、Colabの操作を少し体験してみましょう。

前々節で新規作成したノートブックのセルに、以下のコードを入力してください（図2-4-01）。たった1行のコードであり、処理内容は文字列「hello」を出力するという単純なものです。

```
print('hello')
```

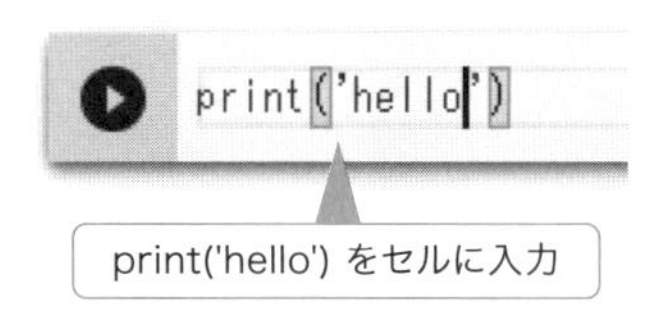

図2-4-01　コード「print('hello')」をセルに入力

英数字や記号は、必ず半角で入力してください。丸カッコのところは、「(」を入力すれば、対となる「)」も自動で入力されます。Colabが自動で補完してくれるのです。さらに、「(」と「)」の間にカーソルが自動で移動します。シングルクォーテーション「'」も1つ入力すれば、対となるもう1つも同様に自動で入力されます。

コードを入力できたら、［セルの実行］ボタンをクリックしてください。すると、すぐ下に文字列「hello」が出力されます（図2-4-02）。ショートカットキーの［Ctrl］＋［Enter］キーでも実行できます。

図 2-4-02　コードを実行すると、「hello」と出力された

「hello」が表示されれば、OK です。Colab の操作を体験できました。

本書 7 章および 9 章で実際に行う AI のプログラミング体験では、このようにコードを入力・実行します。

本章のまとめ

●現在、AI 開発のプログラミング言語は Python が主流。主な理由は以下のとおり。

・AI 用のライブラリ（プログラムの“部品”）やフレームワーク（プログラムの“枠組み”）が充実している

・AI の処理を、他言語より簡潔なコードで柔軟に記述できる

●「Google Colaboratory」（Colab）は、Google が提供する Web ブラウザーベースの Python 開発環境。AI 開発環境が簡単かつ無料で構築できる。

● Colab の基本的な使い方は以下のとおり。

・Google アカウントでログイン後、Web ブラウザーで Colab の Web ページを開く

・「ノートブック」を新規作成し、「セル」に Python のコードを記述

・[セルの実行] ボタンをクリックでコードを実行

・[＋コード] ボタンをクリックして、次のコードを記述するセルを追加

・90 分で強制的に切断されたら [再接続] をクリック

・12 時間で強制リセットされたら、プログラムを最初から実行

●コードは複数のセルに分けて記述・実行できる。変数の値などは、複数のセルをまたいで引き継いでいける。

3章

ディープラーニングの基礎となる仕組み

3章 ディープラーニングの基礎となる仕組み

ディープラーニングの仕組みは確かに複雑ですが、1つひとつひもといていくと、基礎となっている仕組みは思いのほかシンプルです。そして、その基礎となる仕組みは、機械学習の仕組みそのものなのです。
本章では、機械学習の仕組みを解説します。これは、ディープラーニングの仕組みの基礎を理解するための土台になります。

3-1 「モデル化」が出発点

ルールを数式で表してモデル化

機械学習では、あらかじめ大量に用意しておいた学習データからルールをAI自らが学び、そしてそのルールを用いて、与えられたデータから予測（回帰または分類）を行うのでした。AIの世界では、予測することを「推論」とも呼びます。以降、この用語を解説に用います。

AIの正体は、一言で表せば「数式」です。ルールを数式化することで、「与えられたデータがこれだけ増えたら、推論の結果がこれだけ増える」など、関係性や傾向を数式で表し、計算によって推論できるようにするのです。この数式を「モデル」と呼びます。モデルを使って、与えられたデータから推論を行い、その結果を導き出します。

モデルは数式なので、推論の結果は数値として得られます。その日の予想最高気温からビールの販売数を回帰によって推論するならば、そのモデルの数式に予想最高気温のデータを与えると、数式で計算が行われ、推論される販売数の数値が得られます。
分類の場合も、推論の結果は数値で得られます。たとえば、写真に写っている動物が犬か猫かで分けるなら、そのモデルの数式に写真の画像データを与えると、数式で計算が行われ、「犬である可能性」の数値と、「猫である可能性」の数値がそれぞれ得られます（図3-1-01）。もし、犬の数値の方が大きければ、写真に写っているのは犬であると分類します。

▼画像を犬または猫に分類

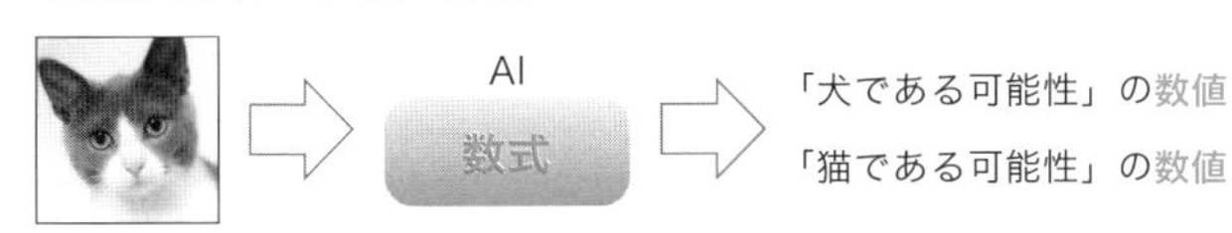

図 3-1-01　犬または猫である可能性の数値を数式で求めて分類

では、推論の結果をより良くするためには、どうすればいいでしょう？

そのためには、数式（モデル）の精度を上げることです。

数式（モデル）の精度が高ければ高いほど、推論の精度も高くなります。

では、数式（モデル）の精度を上げるには、どうすればいいでしょう？

そのためには、大量の学習データを使って、より良い数式（モデル）を作り上げることです。

つまり、機械学習における学習とは、大量の学習データから、より精度の高い数式（モデル）を求めることなのです。

3-2 モデルと推論の簡単な例

データが直線の関係のモデル

モデルと数式、推論と学習について、ビールの販売数を予想最高気温から推論するケースを例に解説しましょう。過去5日間の最高気温とビールの販売数が次の表3-2-01のとおりであったと仮定します。

日付	最高気温	販売数
8月1日	32	201
8月2日	29	185
8月3日	34	198
8月4日	31	180
8月5日	35	209

表 3-2-01　過去5日間の最高気温とビールの販売数

x軸（横軸）を最高気温、y軸（縦軸）を販売数として、過去5日間のデータをプロットしたグラフが図3-2-01です。

ここで、本日の予想最高気温が33度であると仮定します。予測される販売数は、過去5日間のデータから、200本よりちょっと少ない数と推論できるでしょう。

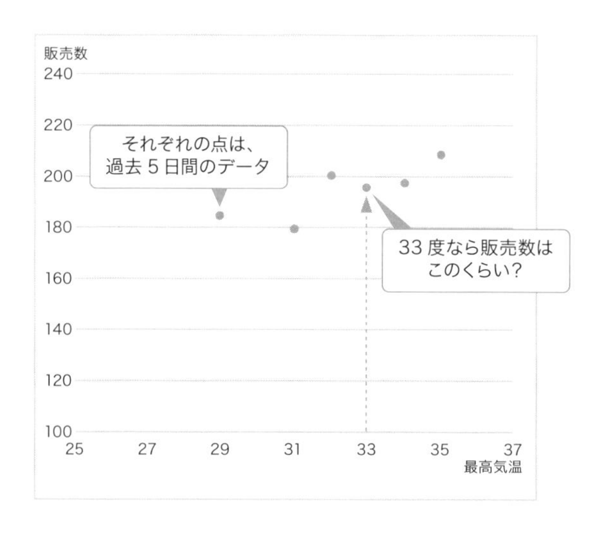

図 3-2-01　過去5日間のデータをプロットし、直感的に予測

33度のときの販売数を、グラフを見て目分量で推論することは、人間だからできることです。AIはコンピューター上で動作するプログラムなので、目分量や直感といった曖昧な推論はできません。

そこで登場するのが数式です。

図3-2-01のグラフをジッと眺めていると、各データは直線の関係になっていそうだとわかります。もしかしたら曲線の関係かもしれませんが、ここでは前提として、直線の関係にあると仮定します。

試しに先ほどのグラフ上で、各データの点のちょうど真ん中あたりを通る直線を目分量でザッと引いてみましょう（図3-2-02）。

この直線があれば、目分量ではなく、もっと正確に推論できそうです。たとえば、33度のときの販売数を推論するなら、x軸の33度から上方向に進み、直線にぶつかった地点が推論される販売数とわかります。さらに30度など他の最高気温でも、販売数を推論できます。

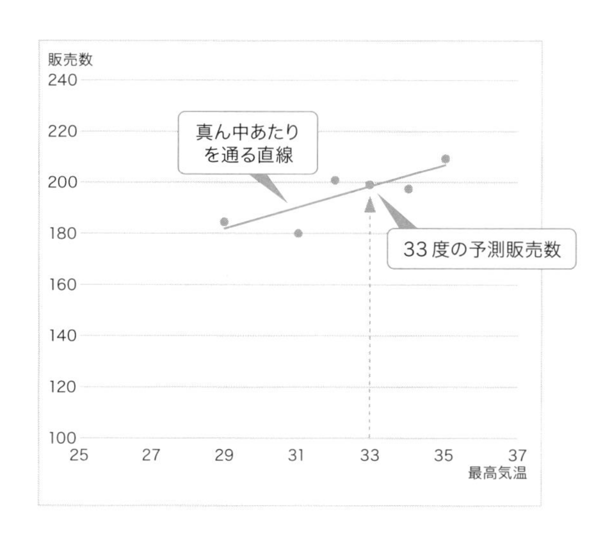

図3-2-02　過去データの真ん中あたりを通る直線を引いて予測

「$y = a \times x + b$」の数式で推論

一般的に、このようなグラフの直線は数式で表せます。具体的には、次のような式です。

$$y = a \times x + b$$

aが直線の傾き、bが切片です。中学の数学でも登場しましたが、傾きaはxが1増えたら、yがaだけ増えるという意味です。切片bは、直線がy軸と交わる箇所の値です。

この数式「$y = a \times x + b$」によって、xの数値からyが求められます。xを増やしつつ、yの値をグラフ上にプロットしていけば直線が描けます。

さて、先ほど図3-2-02にて、過去5日ぶんのデータのちょうど真ん中あたりを通る直線を引きました。この直線に、数式「$y = a \times x + b$」を以下のように当てはめてみます。

$$y = a \times x + b$$

y ：販売数
x ：最高気温

xがその日の最高気温、yがその日のビールの販売数です。

この数式「$y = a \times x + b$」が、まさに最高気温からビールの販売数を推論するモデルです。傾きaと切片bの具体的な数値がわかれば、xに推論したい最高気温を入れ、「$y = a \times x + b$」の数式を使って、推論される販売数がyに求められます。

このように、数式（モデル）によって、最高気温からビールの販売数を推論できるのです。

仮に、傾きaが4、切片bが50であったとします。この場合、数式「$y = a \times x + b$」は以下のとおりです。aに4、bに50を当てはめただけです。

$$y = 4 \times x + 50$$

この数式を使えば、予想最高気温から販売数を推論できます。試しに33度と30度の場合で推論してみましょう。

▼33度

xに33を代入

$$
\begin{aligned}
y &= 4 \times x + 50 \\
&= 4 \times 33 + 50 \\
&= 132 + 50 \\
&= 182
\end{aligned}
$$

3章

▼30度

xに30を代入

$$
\begin{aligned}
y &= 4 \times x + 50 \\
&= 4 \times 30 + 50 \\
&= 120 + 50 \\
&= 170
\end{aligned}
$$

販売数は33度なら182、30度なら170と推論できました。これが数式(モデル)を使った推論の簡単な例です。この数式「$y = 4 \times x + 50$」による推論結果の数値を、実際に過去5日間の販売データと照らし合わせてみると、似たような範囲に収まっており、そこそこちゃんと推論できていそうです。

グラフ化して過去5日間の販売数と比較

ここで、この数式「$y = 4 \times x + 50$」の直線のグラフを引いてみます。

その結果が図3-2-03です。あわせて、過去5日間のデータもプロットしています。

なお、このグラフでは、切片が明確にわかるよう、x軸とy軸の始まり（最小値）を両方とも0としています。これまでのグラフではx軸は25、y軸は100を始まりとしていました。

直線の位置を見ると、過去5日間のデータの下を通っています。つまり、この数式では、実際の販売数よりも若干少なめに推論されるようです。とはいえ、まあまあの精度のモデルと言ってよいでしょう。

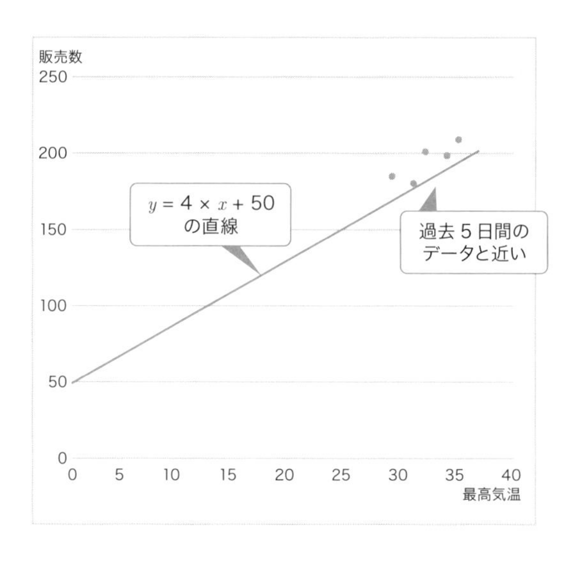

図 3-2-03　傾き a が 4、切片 b が 50 の直線と過去 5 日間のデータ

もし、この数式の傾き a が 1、切片 b が 100 であったとします。

その場合の数式の直線のグラフは図 3-2-04 です。過去 5 日間のデータから大きく外れています。

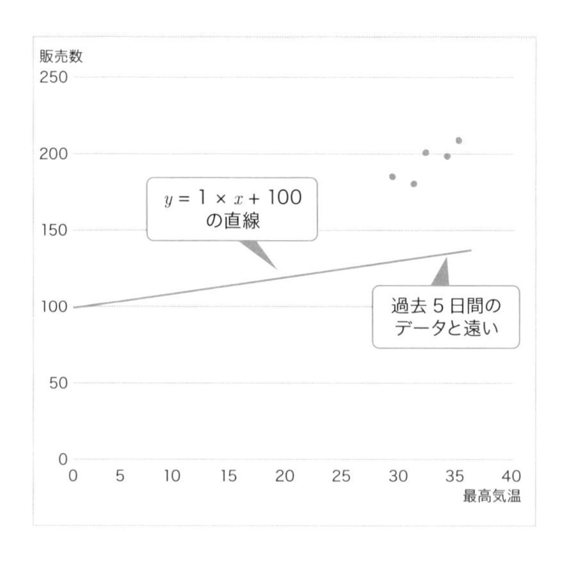

図 3-2-04　傾き a が 1、切片 b が 100 のモデルだと精度が低い

32度で推論してみると、傾きaが1、切片bが100、xが32なので、「$1 \times 32 + 100 = 132$」と算出されます。

8月1日の実際の販売数である201と照らし合わせてみると大きく外れており、ちゃんと推論できていないと言えます。残念ながら、これは精度の低いモデルと言えるでしょう。

最適な傾きaと切片bを求めることが学習である

このように、傾きaと切片bの数値によって、数式「$y = a \times x + b$」のモデルの精度は大きく変わります。より高い精度で推論ができるようにするには、傾きaと切片bをより適切な数値で求める必要があります。

では、どうしたら、傾きaと切片bをより適切な数値で求めることができるでしょうか？

本章の冒頭で、以下のように述べました。

> では、推論の結果をより良くするためには、どうすればいいでしょう？
> そのためには、数式（モデル）の精度を上げることです。
> 数式（モデル）の精度が高ければ高いほど、推論の精度も高くなります。
>
> では、数式（モデル）の精度を上げるには、どうすればいいでしょう？
> そのためには、大量の学習データを使って、より良い数式（モデル）を作り上げることです。
>
> つまり、機械学習における学習とは、大量の学習データから、より精度の高い数式（モデル）を求めることなのです。

そうです。傾きaと切片bをより適切な数値で求めるためには、大量のデータを使って、数式（モデル）の精度を上げるのです。

この傾きaと切片bの最適な数値を求める行為こそ、機械学習における「学習」なのです。

人間の目分量や直感で決めるのではなく、AI自身が学習データから各種計算などによって、最も高い精度で予測（推論）できる、傾きaと切片bの「最適な数値」を決めるのです。

傾きaと切片bの「最適な数値」とは、数式「$y = a \times x + b$」で求めた推論の数値と、実際のデータ（実際の販売数）との差がトータルで最も小さくなる数値です。

また、視覚的に捉えるなら、グラフにプロットした際、数式「$y = a \times x + b$」による推論の直線と、実際のデータの“当てはまり具合”が最もよくなる傾き a と切片 b の数値とも言えます。

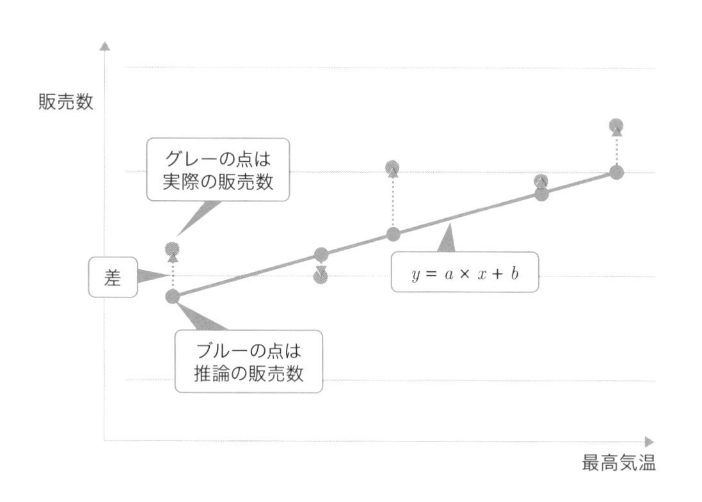

図 3-2-05　推論と実際のデータとの差が最小となる傾き a と切片 b を求める

傾き a と切片 b の最適な数値の求め方、さらにはそれがディープラーニングの学習とどうつながるのかなどは、5 章で詳しく解説します。本節の時点では、図 3-2-05 の内容を把握できていれば、ディープラーニングを理解するための一歩を踏み出したことになります。

3-3 単純な数式モデルの限界

画像認識等には対応できないが、推論と学習の原理は同じ

ここまでで、推論と学習の大まかな仕組みを、最高気温からビールの販売数を予測（推論）するケースを例に解説しました。

さて、この例では、推論の元となるデータは最高気温の 1 種類だけでしたが、「湿度」や「空模様」などデータの種類を増やせば、そのぶん数式（モデル）が複雑にはなるものの、推論精度を向上できるでしょう。

その場合、推論元データの種類の数だけ、傾き a の種類も増えます。数式風に表すならば、以下のように、推論元データの種類が x_1、x_2…、傾きが a_1、a_2…と増えていきます。切片は b の1つだけです。

$$y = a_1 \times x_1 + a_2 \times x_2 + \cdots\cdots + b$$

この数式（モデル）は、さまざまなケースでの推論に利用できます。最高気温でビールの販売数を割り出すこと以外にも使えます。

しかし、画像認識などのような複雑なケースには残念ながら対応できません。なぜなら、画像認識は、上記のような1つの数式によるモデル化が非常に難しいからです。

そこで登場するのが「ニューラルネットワーク」です。上記の数式を発展させた仕組みです。数式1つでは対応できない画像認識のような複雑なケースでも、モデル化できます。

次章から、ニューラルネットワークを詳しく解説していきます。このニューラルネットワークを用いた機械学習がディープラーニングなのです。いよいよディープラーニングを理解する道筋が見えてきました。

本章のまとめ

- AI で予測することを「推論」と呼ぶ。

- AI はデータの関係性や傾向を数式で表し、計算によって推論を行う。この数式を「モデル」と呼ぶ。

- 分類では、推論の結果は「可能性の数値」として得られる。
  例:犬猫画像の分類なら、犬である可能性の数値と、猫である可能性の数値。

- 機械学習における学習とは、大量の学習データから、より精度の高い数式（モデル）を求めること。

- 最もシンプルなモデルの一例が、直線の数式「$y = a \times x + b$」。
  例：最高気温を x として、ビールの販売数 y を推論する。

- 推論と実際のデータとの差がトータルで最も小さくなる傾き a と切片 b を求めることが学習。

4章

ニューラルネットワークの構造と推論の仕組み

4章 ニューラルネットワークの構造と推論の仕組み

ディープラーニングは「ニューラルネットワーク」という概念・仕組みがベースです。ニューラルネットワークを理解することは、ディープラーニングの理解に直結します。本章と次章で、ニューラルネットワークの基本を解説します。本章では、構造と推論の仕組みを解説します。

4-1 単純な数式からニューラルネットワークへ

脳を数式で模したニューラルネットワーク

前章の最後で述べたように、画像認識など複雑なケースに対応するには、単純な数式（モデル）ではなく、ニューラルネットワークを用います。ニューラルネットワークはディープラーニングのベースとなる概念・仕組みです。

ニューラルネットワークは、人間の脳をコンピューターのプログラムで模したものです。脳は多数の神経細胞（ニューロン）で構成されており、ニューロン同士が情報を伝達しあって、脳の活動を行っています。ニューラルネットワークでは、前章で解説した単純な数式「$y = a \times x + b$」を発展させ、ニューロンをプログラムで模しています。どう発展させているのかを、4-3節にかけて順に解説します。

ニューロンを数式化した「ノード」

ここで、数式「$y = a \times x + b$」を、図4-1-01のような形式で表します。それぞれの部位は次のとおりです。

（1）計算を行う本体
（2）入力値 x
（3）傾き a
（4）切片 b
（5）出力 y

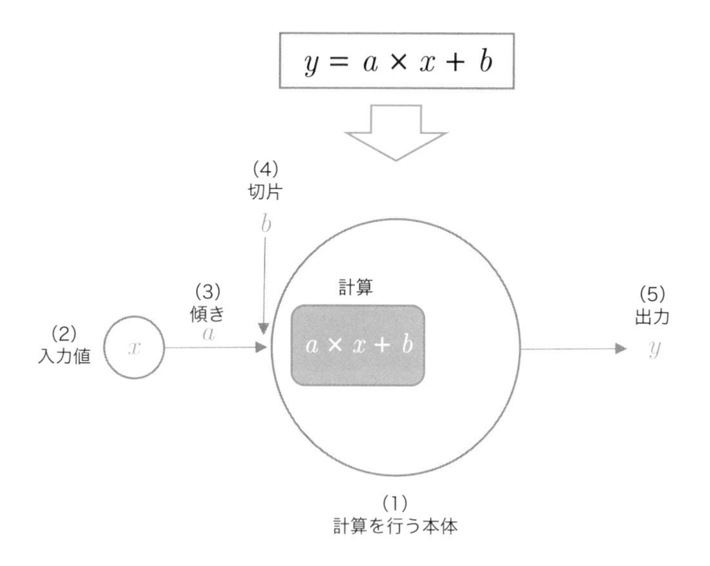

図 4-1-01　数式「$y = a \times x + b$」を図で表す

この図では、左から右の流れで計算を行います。(1)「計算を行う本体」では、(3)「傾き a」に、(2)「入力値 x」を掛けて、それに (4)「切片 b」を足します。その結果が、(5)「出力 y」として得られます。前章での計算を、この形式の図にしてそのまま表しただけです。

前章で例に用いたビールの販売数推論をこの形式に当てはめたのが、図 4-1-02 です。条件は次の場合です。

・傾き a　4
・切片 b　50
・入力値 x　30

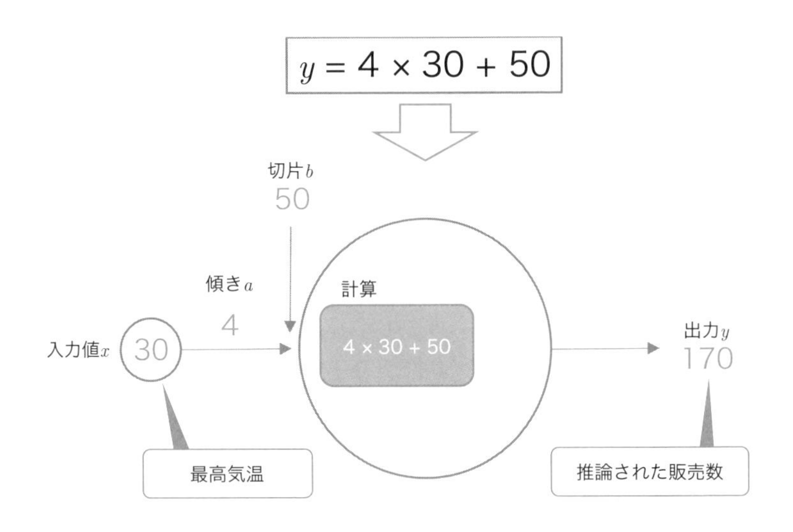

図 4-1-02　ビールの販売数推論の計算を図で表す

図 4-1-01 や図 4-1-02 では、入力の矢印線は、最高気温と傾きを入力する 1 本だけでした。

では、入力の矢印線を 2 本増やし、計 3 本にしてみましょう。ビールの販売数の例であれば、入力値の 1 つ目を最高気温、2 つ目を湿度、3 つ目を来店人数など、3 種類のデータから推論を行う数式です。最高気温だけでなく、他の要因を追加することで、ビールの販売数をより正確に予測できそうです（図 4-1-03）。

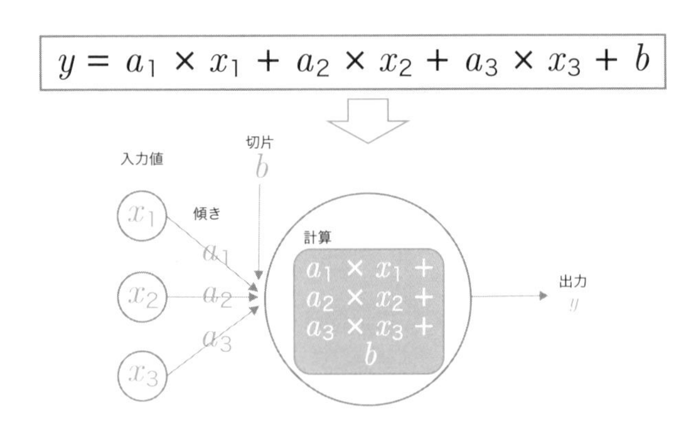

図 4-1-03　入力が 3 つに増えた場合

入力値を x_1、x_2、x_3、傾きを a_1、a_2、a_3 とすると、図 4-1-03 の数式は以下のとおりです。

$$y = a_1 \times x_1 + a_2 \times x_2 + a_3 \times x_3 + b$$

入力の矢印線をもっと増やせば、入力値が x_4、x_5……、傾きが a_4、a_5……と増えていきます。ここまでの数式は、前章で解説した数式と全く同じであり、単に要素を増やして、図で表したものです。

ニューラルネットワークによるプログラムは、この図の構造と数式がベースになっています。実は、このような単純な数式をベースにしているのです。

ニューラルネットワークの解説において、各部位は以下のように呼びます（図 4-1-04）。

・計算を行う本体　→　ノード
・傾き　→　重み
・切片　→　バイアス
・入力と出力の矢印線　→　エッジ

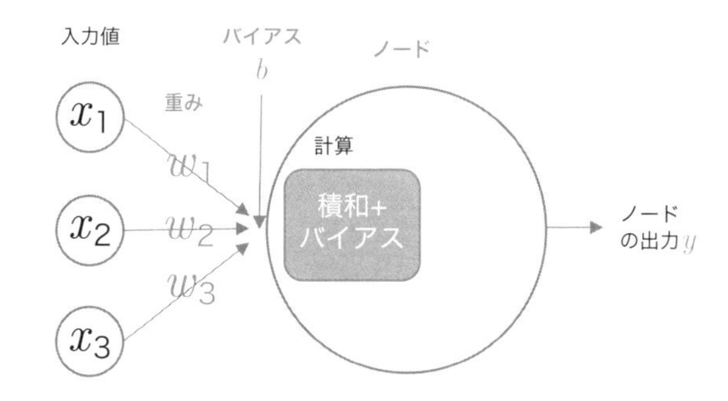

重みと入力値の積和にバイアスを足す

$$y = w_1 \times x_1 + w_2 \times x_2 + w_3 \times x_3 + b$$

図 4-1-04　ノードの構造

計算を行う本体を「ノード」と呼びます。ニューロン（脳の神経細胞）を数式化したものがノードなのです。傾きと切片は、それぞれ「重み」と「バイアス」と呼ばれます。重みは「w」で、バイアスは「b」で表します。

入出力の矢印線を「エッジ」と呼びます。エッジは、脳でいうとニューロン同士を結び付ける「軸索」に該当します。図4-1-04は入力のエッジが3本の例であり、「w_1」は「1つ目の重み」、「x_1」は「1つ目の入力値」という意味です。

入力値　：　x_1、x_2、x_3
重み　　：　w_1、w_2、w_3
バイアス：　b
出力値　：　y

図4-1-04の数式は以下です。

$$y = w_1 \times x_1 + w_2 \times x_2 + w_3 \times x_3 + b$$

先ほどの数式「$y = a_1 \times x_1 + a_2 \times x_2 + a_3 \times x_3 + b$」から、傾き$a$が重み$w$に変わっただけの数式です（$b$は意味としては切片からバイアスに変わっています）。計算方法も変わらず、まずはそれぞれの入力値xと重みwを掛けた結果（積）を足し合わせます。このように積を足し合わせる計算は「積和」と呼びます。さらに、入力値xと重みwの積和にバイアスbを足します。その結果が出力値yです。

ノードの計算を体験しよう

ノードの数式による計算を具体的な数値で見てみましょう。入力値と重み、バイアスは以下とします。

入力値　：　5、6、1
重み　　：　3、-2、7
バイアス：　4

すると、計算式は以下になり、計算結果として14が得られます。

$$3 \times 5 + -2 \times 6 + 7 \times 1 + 4 = 14$$

重みとバイアスには、それぞれ役割があります。

重みの役割は、入力値の重要度を決めることです。入力値の中でも重要な値（出力を大きくしたい値）に、より大きな「重み」を掛けます。こうすることで、重要な入力値が出力値に与える影響を大きくするのです。

バイアスの役割は、ノードの重要度を決める役割を担います。重みと入力値の積和にバイアスを足すことで、そのノード全体が出力する値をより大きくします。

つまり、こういうことです。

重みは入力ごとに異なる値をとる。
バイアスはノードごとに異なる値をとる。

ニューラルネットワークは、さまざまな重みとバイアスのノードの集合体です。集合体全体で、複雑な数式（モデル）を構成することができ、画像認識などの複雑なケースに対応できるのです。

ここまでで、ニューラルネットワークのノードについて構造と数式を解説しました。この数式による計算に、さらにもう1つ計算を加えることで、ニューラルネットワークはさらに複雑な数式（モデル）になります。その計算を、次節で解説します。

4-2 ノードの2つ目の計算　～活性化関数

「活性化関数」で最終的な出力値を決める

前節では、入力値と重みの積和にバイアスを足すというノードの数式を解説しました。しかし、実際のニューラルネットワークでは、それだけでノードの出力を決定しているわけではありません。ここまでの計算結果の値に対してさらに2つ目の計算を行い、ノードが出力する最終的な値を決めます。なぜそのようなことをするのか、その仕組みも交えて、以降で解説していきます。

なお、以降の解説では、1つ目の計算を「計算（1）」、2つ目の計算を「計算（2）」と表します。

計算（1） 複数の入力値にそれぞれ重みを掛けて足し合わせ、バイアスを足す。
計算（2） 計算（1）の計算結果から、最終的な出力値を決める。

計算（1）については、前節で解説しました。ここからは、計算（2）について説明しましょう。

計算（2）で最終的に出力する値を決める仕組みを「活性化関数」と呼びます（図4-2-01）。

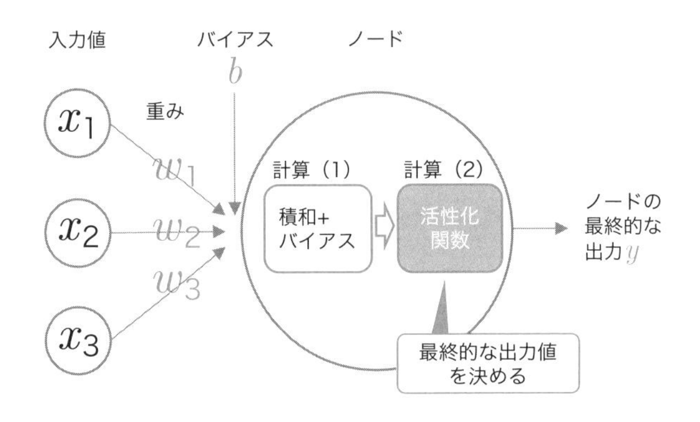

図4-2-01 活性化関数の役割

活性化関数には、いくつか種類があります。代表的なものは「入力値（計算（1）の結果）が0より大きければ値をそのまま出力し、0以下なら0を出力する」という活性化関数です。これは「ReLU関数」と呼ばれ、ニューラルネットワークではよく使われる活性化関数です。グラフで表すと図4-2-02です。

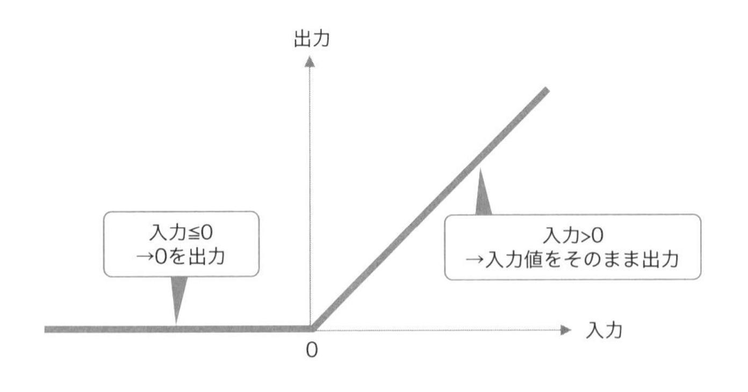

図4-2-02 ReLU関数

横軸において真ん中の0より左がマイナスの値を示し、右がプラスの値を示しています。縦軸は出力値を表しています。ですので、入力値がマイナスならば、「入力値（計算（1）の結果）が0以下なら0を出力する」ということになり、出力も0です。一方、入力がプラスならば、「入力値（計算（1）の結果）が0より大きければ値をそのまま出力する」ということになります。これにより、図のようなグラフになるのです。

活性化関数の仕組みを具体的な数値で見てみましょう（図4-2-03）。ここで用いる活性化関数は、ReLU関数とします。重みと入力値、バイアスは前節と同じものを用います。すると、計算（1）の結果は、前節で体験したとおり14です。

ReLU関数の機能は先述のとおり、「0より大きければ値をそのまま出力し、0以下なら0を出力する」でした。計算（1）の結果の14は0より大きい数値です。したがって、値をそのまま出力するので、14が出力されます。

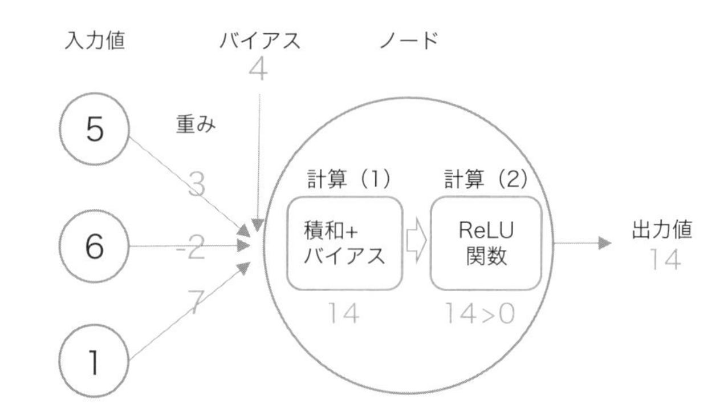

▼計算（1）重みと入力値の積和＋バイアス

3 × 5 + -2 × 6 + 7 × 1 + 4 ＝14

▼計算（2）ReLU関数

14は0より大きい　→ 14を出力

図4-2-03　活性化関数を加えたノードの計算の例

活性化関数で「非線形」に対応

活性化関数の役割をもう少し詳しく解説します。活性化関数は「非線形変換」という処理を行っています。一体どういうことなのか、順に説明していきます。

前章で登場した数式「$y = a \times x + b$」は、推論の元となるxと、推論の結果のyが直線の関係にありました。直線の関係にあると、xが1増えた場合、傾きのaという一定量が必ず増えます。右下がりの直線の関係ならば、一定量が必ず減ります。

このように、xが増えるとyが一定量増える（減る）という直線の関係のことを「線形」と呼びます。そして、xに傾きaを掛けるように、直線の関係で計算して値を変換することが「線形変換」です（図4-2-04の左）。

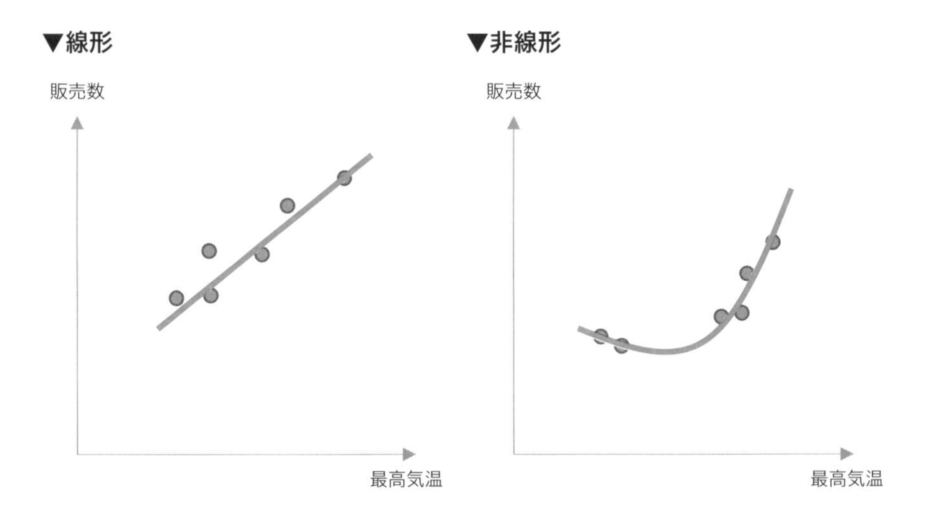

図4-2-04　線形と非線形の概念

一方の「非線形」は、一言でいえば「曲線の関係」です（図4-2-04の右）。線形ではない――つまり、2つの値が直線の関係にない――ことを意味します。xが1増えると、傾きaという一定量が必ず増える関係ではないため、「$y = a \times x$」のような単純な数式では表せません。

たとえば、前章で登場した最高気温からビールの販売数を推論するケースにおいて、実際の最高気温を横軸、販売数の実績を縦軸にプロットした際、図

4-2-04の右のような結果になったと仮定します。

この場合、単純な直線よりも、曲線の方が実際のデータにより当てはまっています。こういった曲線の関係が非線形です。そして、曲線の関係で計算して値を変換することが「非線形変換」です。

先述の計算（1）は、線形変換です。その計算は重みと入力値の積和にバイアスを足すのでした。重みと入力値が複数あるとはいえ、1つひとつに分けて着目すると、入力値が1増えるたびに、それに対する重みのぶんだけ、一定量が必ず増減するようになっています。それゆえ、線形変換と言えます。

一方、現実世界のデータは線形よりも、非線形の関係にあるケースが多いと言えます。「最高気温とビールの販売数」だけの数式は、線形です。これだけでは、実際の企業のマーケティングでは使えないでしょう。

また、ある企業の売上高を予測することを考えてみましょう。その企業があるとき画期的な新商品を開発するかもしれません。それをきっかけに、ある時期を境に急激に売上高が大きく伸びることもあり得ます。その場合、売上高をグラフ化すると、直線ではなく曲線になるでしょう。

そういった現実的なケースに対応するため、ノードの「重みと入力値の積和＋バイアス」の計算結果に対して、活性化関数による非線形変換を施すことで、非線形性を得るようにします。このようなノードが集まり、結び付くことで、ニューラルネットワーク全体で非線形の推論を可能にしているのです。

なお、代表的な活性化関数のReLU関数は図4-2-01で示したとおり、0より大きければ値をそのまま出力し、0以下なら0を出力するのでした。0より大きい場合は確かに線形ですが、0以下はそうではないため、全体としては非線形になります。

4-3 ニューラルネットワークの構造と計算の流れ

複数のノードで層を形成し、順に計算

前節ではノードの仕組みを学びました。このノードの仕組みによって、複数の入力に対応できるようになりました。

本節では、ノードを組み合わせたニューラルネットワークの構造と、そこで

行われる計算の大まかな流れを解説します。

まずは構造を解説します。ニューラルネットワークの構造は、図4-3-01のとおりです。複数のノード（1）がエッジ（2）によって、あたかもネットワークのごとくつながった構造です。

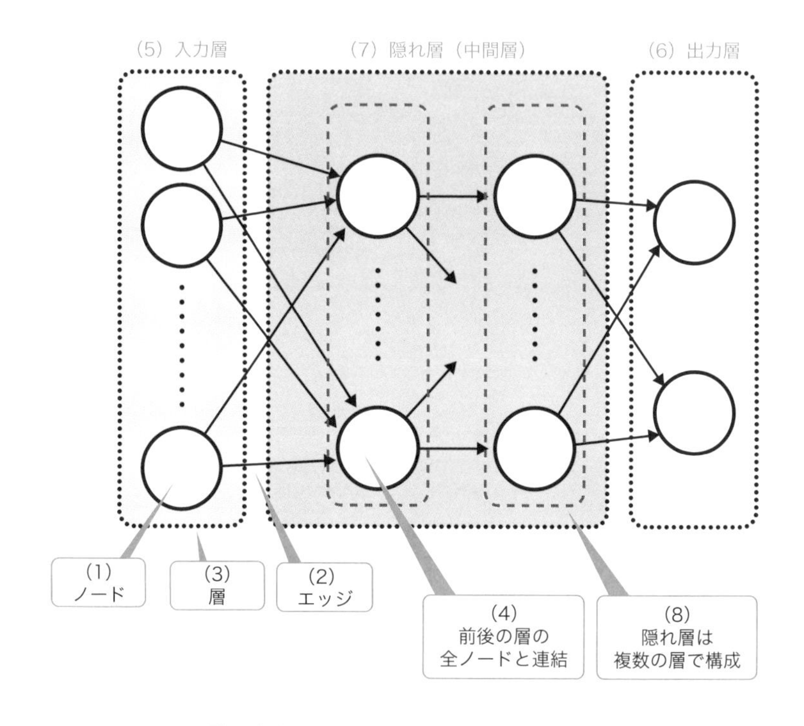

図4-3-01　ニューラルネットワークの構造

図4-3-01において、複数のノードを縦方向に並べた集まりを「層」（3）と呼びます。ニューラルネットワーク全体では、複数の層を横方向につなぎあわせた構造になっています。

前の層（図4-3-01では左側の層）のノードと後ろの層（図4-3-01では右側の層）のノードは、それぞれエッジで結び付いています。1つのノードは基本的に、前後の層のすべてのノードとつながります。言い換えると、1つのノードは前後の層のすべてのノードとエッジで結び付きます（4）。

層は3種類あります。最初に値を入力する層を「入力層」（5）、最終的に値を出力する層を「出力層」（6）、その間にある層を「隠れ層」（または「中間層」）（7）

と呼びます。隠れ層は通常、複数の層で構成されます (8)。

各ノードの入出力数をはじめ、各層のノード数、隠れ層の数、活性化関数の種類など、具体的な構造はすべてプログラマーが決めて設計します。また、ノードで使われる活性化関数は、基本的に層ごとで同じものを使います。

次に、ニューラルネットワークの計算の大まかな流れを解説します。

前の層から後ろの層へという流れで、各層の各ノードが計算をそれぞれ順に行っていきます。ノードの計算とは、前節で解説した「入力値と重みの積和+バイアス」と「活性化関数」による計算です。隣り合う層の各ノードでは、前の層のノードの出力を次の層のノードが入力として受け取って、さらに計算を同様に行います。

その際、前の層の複数のノードからエッジが結び付いているノードの場合、それらの出力値をすべて入力値として受け取って計算をします。たとえば、図4-3-01の1つ目の隠れ層の一番上のノードに注目してください。入力層の各ノードから、エッジの矢印線が3本結び付いています(図4-3-01では矢印線は3本しかありませんが、本来は入力層のノードの数だけあります)。この隠れ層のノードは、入力層の各ノードから計3つの出力値を受け取り、それらを入力値として計算(各重みとの積和)を行います。

このような流れで、入力層で受け取ったデータを隠れ層で計算し、最終的な結果を出力層に出力します。

以上が、ニューラルネットワークの構造と計算の大まかな流れです。

推論とは計算を行うこと

ニューラルネットワークで推論を行うということは、まさにこの計算を行うことです。画像に写っているのが犬か猫かを分類する例を考えてみましょう。

入力層では、画像をコンピューターに読み込ませなくてはなりません。そこで、図4-3-02のように、画像を1ピクセル単位に分割します。この例では、読み込む画像の大きさを32×32ピクセルのグレースケール画像と仮定します。大きさが32×32ピクセルなので、32×32 = 1024ピクセルに分割します (1)。

4章

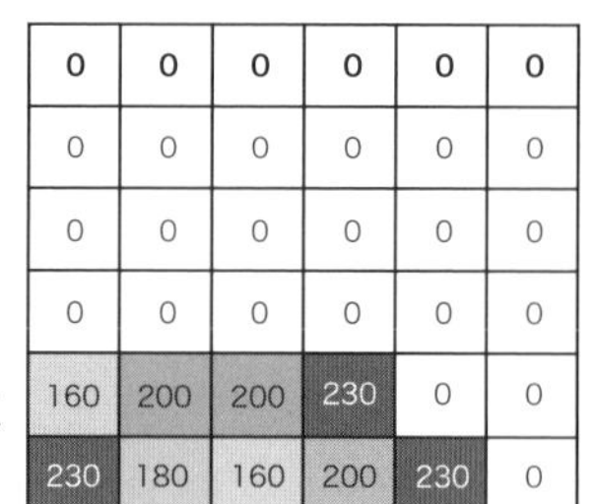

0	0	0	0	0	0
0	0	0	0	0	0
0	0	0	0	0	0
0	0	0	0	0	0
160	200	200	230	0	0
230	180	160	200	230	0

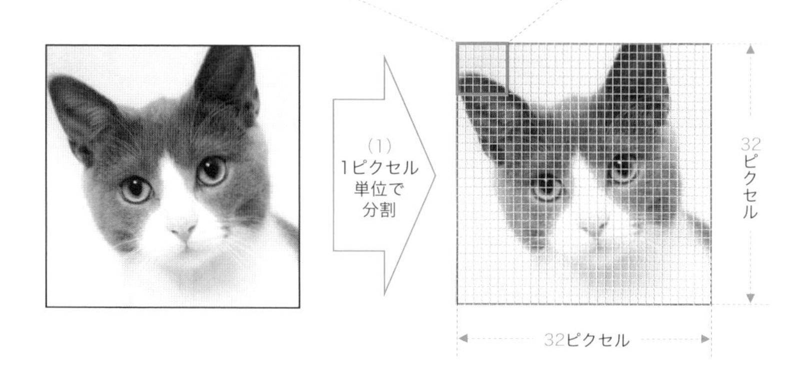

図 4-3-02　画像を 1 ピクセル単位で分割して数値化

そして、1 つのピクセルごとに、白から黒までの色の濃さを 0 ～ 255 の数値で表します。(2) は例として、左上の 6×6 ピクセルの領域を抜き出し、各ピクセルの濃さの数値を表形式で提示しています。猫の耳の輪郭などが、ピクセル単位の 0 ～ 255 の数値で表されている様子がおわかりでしょうか。

グレースケール画像の正体は、このような形式のデータなのです。なお、図 4-3-02 の猫の画像は、実際には 1 ピクセル単位の画像なので、もっと粗いものになります。

ニューラルネットワークの入力層には、この画像を入力するために、32×32 ＝ 1024 ピクセルぶんのノードを設けます。そして、図 4-3-03 のように、画像の左上のピクセルから順に、色の濃さの数値を各ノードへ順に渡して入力していきます (1)。図 4-3-03 では、ピクセルの位置を行と列で表しています。左上のピクセルなら「1 行 1 列目」、その 1 列右のピクセルなら「1 行 2 列目」と表します。

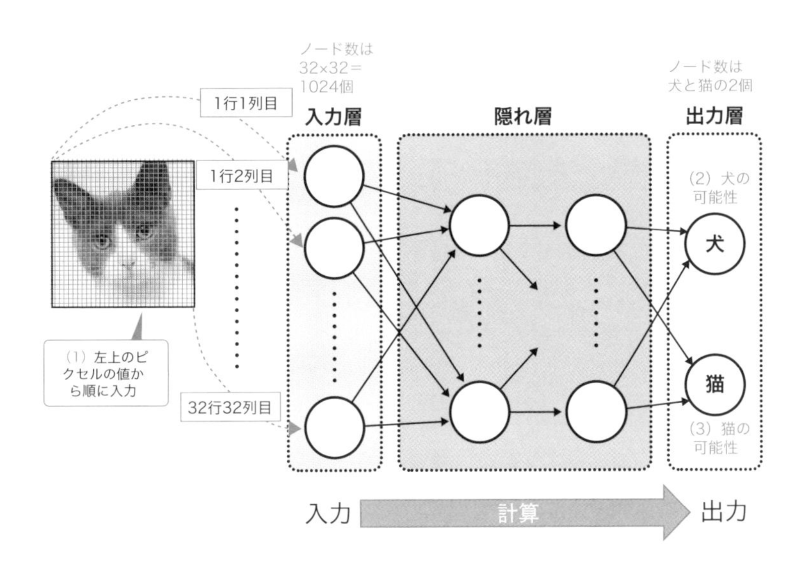

図 4-3-03　ニューラルネットワークによる推論

出力層には、「犬」と「猫」という２つのノードを用意します。これで、入力層に画像を入力すると、隠れ層で計算が行われ、出力層に推論の結果が得られます。出力層の犬のノードには、「犬である可能性の数値」(2) が得られ、出力層の猫のノードには、「猫である可能性の数値」(3) が得られます。

以上が、画像が犬か猫かを分類する例における推論の流れです。

少し補足すると、入力層は単に入力値を隠れ層に渡すだけです。出力層のノードは計算結果を受け取るだけです。それらのノードでは計算や活性化関数による処理は行われません。

つまり、ニューラルネットワークの処理のキモは、隠れ層にあるのです。

ただし、こういった分類の場合は、出力層の手前で計算結果の数値を確率の形式に変換する処理がよく行われます。確率の形式の数値とは、すべて足し合わせると１になる小数です。たとえば、「この写真に写っている動物が犬である確率は 0.2、猫である確率は 0.8」などといった形式です（図 4-3-04）。

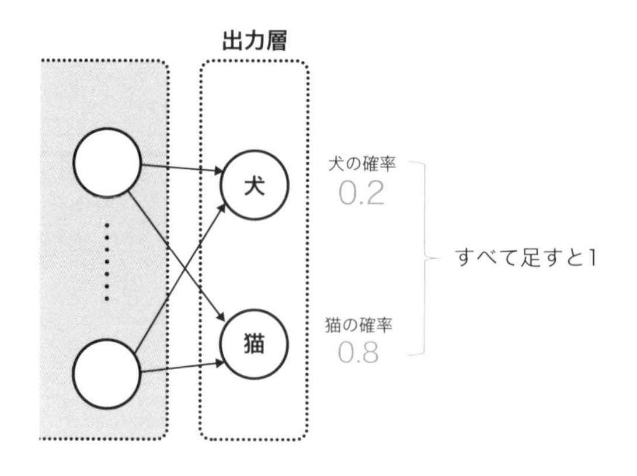

図 4-3-04　確率の形式の数値の例

つまり、「この写真に写っている動物が、犬である確率は20%、猫である確率は80%」という意味です。ニューラルネットワークによる推論結果は多くの場合、このように確率の形式で出力されます。

このような確率への変換を行う関数のことを、「Softmax関数」と呼びます。分類を行うニューラルネットワークの出力層の手前でよく用いられる関数です。

ちなみに、機械学習やニューラルネットワークによる分類の処理では、AIが「この動物は絶対に猫です」などと断定を行うことは基本的にはありません。あくまでも、推論の結果を確率として提示するだけです。断定を行うのであれば、「推論結果が80%以上の確率ならば、猫として断定するように出力しよう」とプログラマーがプログラムを作り込む必要があるのです。

4-4 ニューラルネットワークの計算を体験

体験に用いるニューラルネットワーク

ニューラルネットワークがどのように計算するのかをより理解するため、具体的な数値を使って計算を体験してみましょう。

まずは、図4-4-01のニューラルネットワークを用いるとします。構造の概要は以下とします。

・隠れ層の数　　　1
・ノード数　　　　入力層 3
　　　　　　　　　隠れ層 2
　　　　　　　　　出力層 1
・重みとバイアス　図のとおり
・活性化関数　　　ReLU 関数（隠れ層のみ）
・入力値　　　　　図のとおり

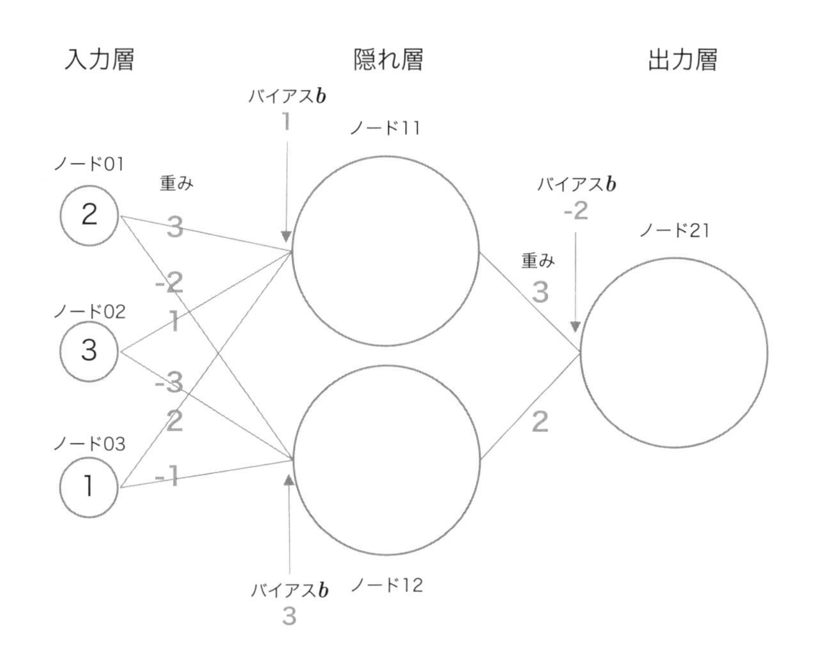

図 4-4-01　体験に用いるニューラルネットワーク

図 4-4-01 では、解説のために、各ノードに番号を「ノード <層の番号><連番>」の形式で振っています。<層の番号>の部分は、先頭の層である入力層を「0 番目」として、隠れ層を「1 番目」、出力層を「2 番目」と番号を振っています。<連番>の部分には、上のノードから 1 始まりで連番を振るとします。たとえば、隠れ層の 2 番目（上から 2 番目）のノードなら「ノード 12」と表すとします。

なお、活性化関数は、隠れ層のみとします。

入力層から隠れ層までの計算

では、計算の流れを入力層から追ってみましょう。まずはノード 11 に着目してください。隠れ層の 1 番目のノードです。

このノード 11 は、入力層の 3 つのノード（01 ～ 03）のすべてとつながっています。そのため、ノード 11 から見ると、入力層から 3 本のエッジが入り込んでおり、それぞれに重みが 3、1、2 と割り振られています。バイアスは 1 となっています。

では、実際に計算してみます。まずは、重みと入力値の積和にバイアスを足します。入力層に入力する値は上から 2、3、1 です。これらの入力値と各重みの積和に、バイアスの 1 を足します。すると、図 4-4-02 のような計算が行われ、12 という結果が得られます。

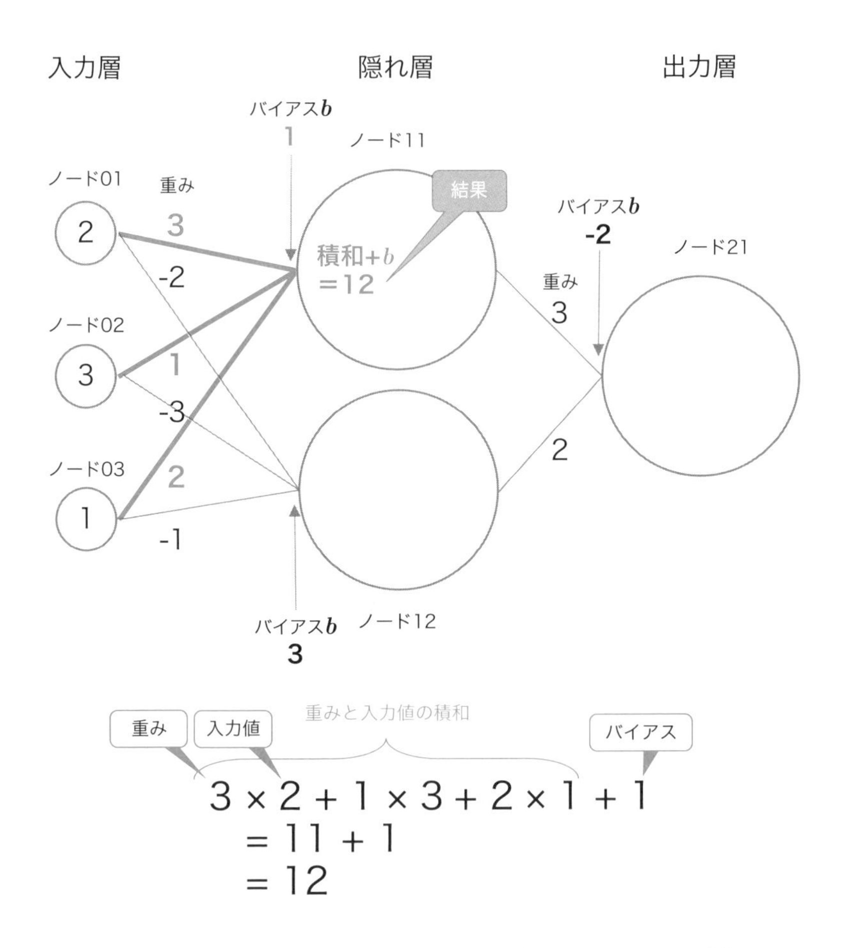

図 4-4-02　ノード 11 の「重みと入力値の積和＋バイアス」の計算

次は活性化関数です。ReLU関数は、入力値が0より大きければ、その値をそのまま出力するのでした。先ほどの計算結果の12は0より大きいので、そのまま出力します。したがって、ノード11は最終的に12を出力します（図4-4-03）。

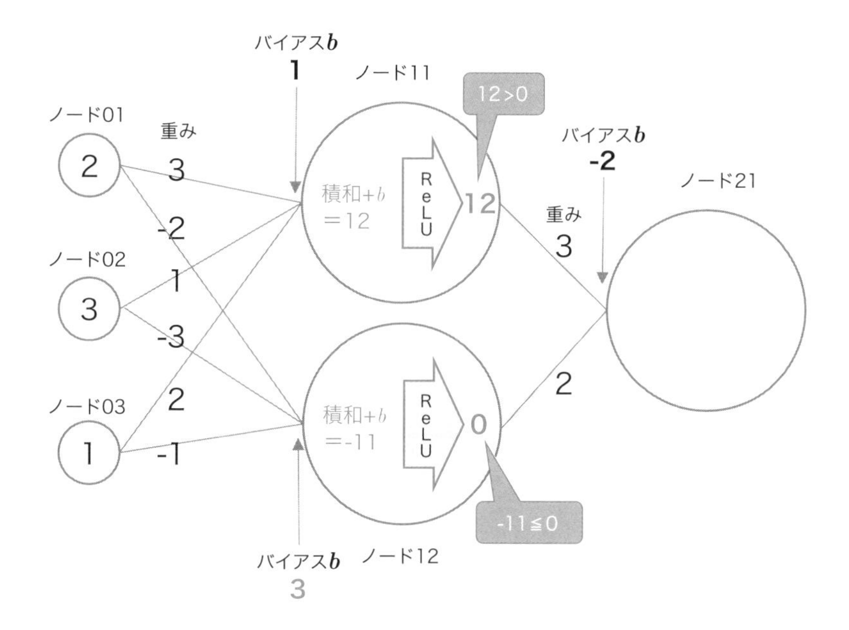

図4-4-03　ノード11とノード12の最終的な出力値をReLU関数で決める

続けて、ノード12も計算してみましょう。重みは上から-2、-3、-1で、バイアスは3です。これらの重みと入力値の積和にバイアスを足す計算の式と結果は以下のようになります。

```
-2 × 2 + -3 × 3 + -1 × 1 + 3
   = -14 + 3
   = -11
```

計算結果である-11は0以下であるため、ReLU関数は0を出力します。したがって、ノード12は最終的に0を出力します。

隠れ層から出力層までの計算

ここまでに、入力層から隠れ層までの計算の流れを追いました。次に、隠れ層から出力層への計算の流れを追ってみましょう。

出力層はノード 21 の 1 つのみであり、隠れ層のノード 11 とノード 12 の 2 つが結合しています。ノード 11 の出力値は 12 であり、重みは 3 です。ノード 12 の出力値は 0 であり、重みは 2 です。ノード 21 のバイアスは -2 です。

これらの重みと入力値の積和にバイアスを足した結果は、以下のようになります。

```
12 × 3 + 0 × 2 + -2
    = 36 + 0 + -2
    = 36 + -2
    = 34
```

出力層に活性化関数はないので、計算結果をそのまま出力します。したがって、出力層のノード 21 は最終的に 34 を出力します（図 4-4-04）。

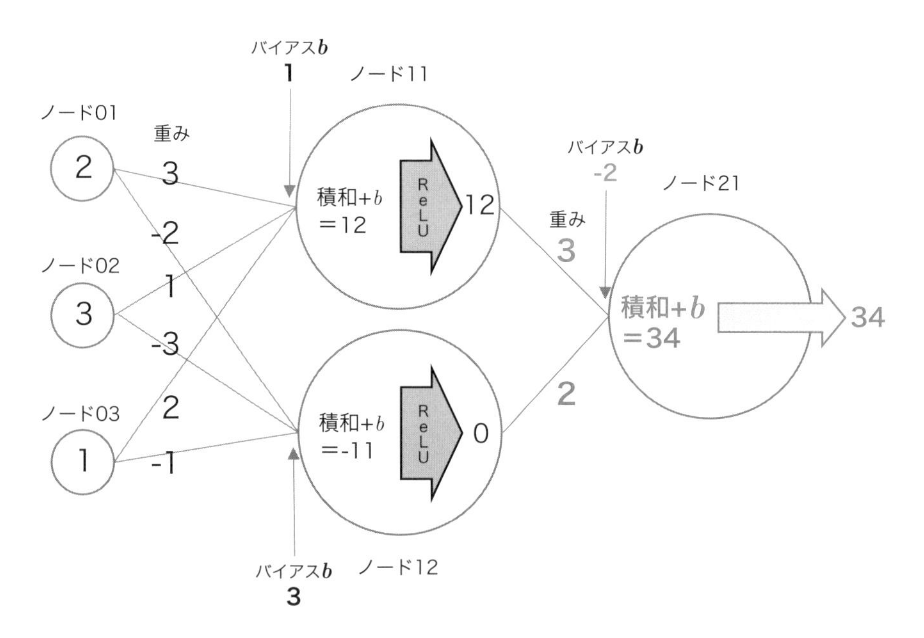

図 4-4-04　出力層に得られた結果

以上がニューラルネットワークの計算の流れの例です。隠れ層がたった1つであり、かつ、各層のノード数も少ないごく単純なニューラルネットワークでの例ですが、この計算の流れは、層やノードの数が増えても全く同じです。

Column 実際のプログラムではどう実装される？

本節で体験した計算は、実際のニューラルネットワークのプログラム（コード）では、隣り合う層の入力と出力を結ぶ「関数」として実装します。プログラミングにおける「関数」とは、データを入力し、何かしらの処理を行い、その結果を返すという仕組みです。

たとえば、入力層が3ノード、隠れ層が2ノードなら、プログラムでは3つのデータを入力し、2つのデータを出力する関数として実装されます。イメージとしては、この関数は前の層と後ろの層の間に位置します（図4-4-05）。

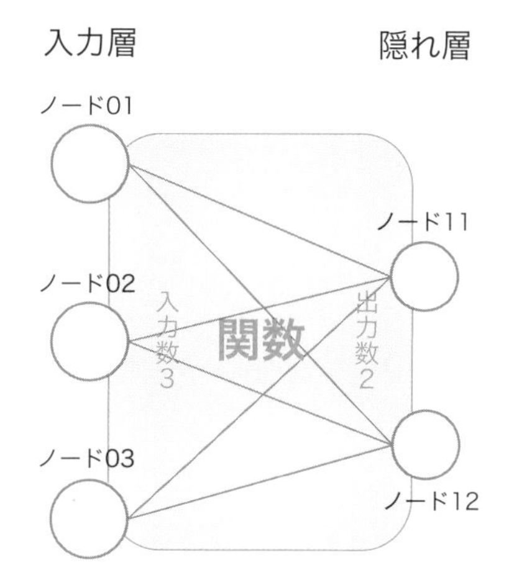

図4-4-05　層の間に位置する関数として実装

ここまで示した図では、前の層のノードと後ろの層のノードとの間は、線（エッジ）で示していました。このように図示してきたのは、ニューラルネットワークという考え方自体がそもそも脳科学から発想されたためです。エッジは、ニューロン同士を結び付ける軸索をイメージしています。そのため、このように線で示してきたのでしょう。

しかし、実際にはこのエッジの部分はただの線ではなく、この層と層の間に関数(すなわち何らかの処理を行うもの)があると考えた方が理解しやすいでしょう。

AIの教科書などで掲載しているニューラルネットワークの図を見て、「なぜ線の部分に『重み』があるのだろう？」「その重みはどのように設定されているのだろう？」と思っていた人は、なかなか鋭いです。

層と層の間には、ただの線があるわけではないのです。ここには関数があるのです。

4-5 ニューラルネットワークとディープラーニング

ディープラーニングとの関係

本章はここまでにニューラルネットワークの基礎を解説してきました。最後に、ニューラルネットワークと「ディープラーニング」の意味の違いや関係性を解説します。

一般的には、隠れ層が複数（2もしくは3以上）あるニューラルネットワークのことを「ディープニューラルネットワーク」と呼びます（図4-5-01）。このようにディープニューラルネットワークはニューラルネットワークの一種であり、隠れ層が深く――ディープに――重なった構造です。

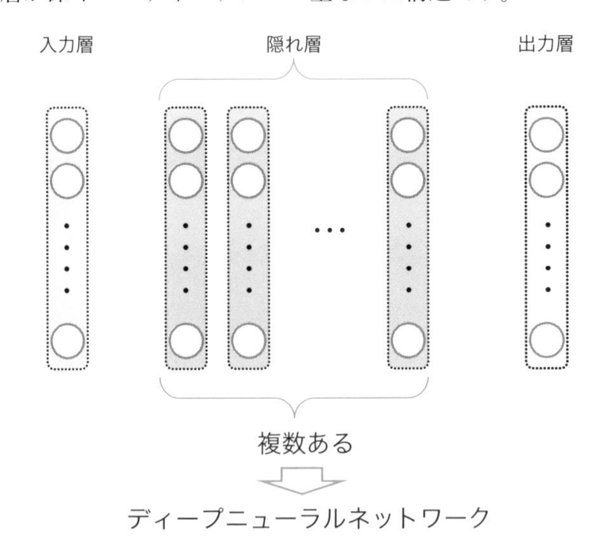

図4-5-01　隠れ層が複数あるのがディープニューラルネットワーク

そして、ディープニューラルネットワークによる機械学習の手法が「ディープラーニング」です。

一般的にディープラーニングという用語は、ニューラルネットワークもディープニューラルネットワークも含めた意味で使われていますが、厳密にはこのような定義なのです。

本書では以降、解説には用語としてニューラルネットワークを主に用いますが、ディープニューラルネットワークおよびディープラーニングも含む意味合いで捉えてください。

AIの各手法の関係を整理

1章で「ディープラーニングは機械学習を発展させた手法」と解説しましたが、ここでAIの手法を整理しておきます。AIにはさまざまな手法があり、その1つが機械学習でした。

機械学習にもさまざまな手法があり、その1つがニューラルネットワークです。そして、深く層を重ねたニューラルネットワークがディープニューラルネットワークです（図4-5-02）。

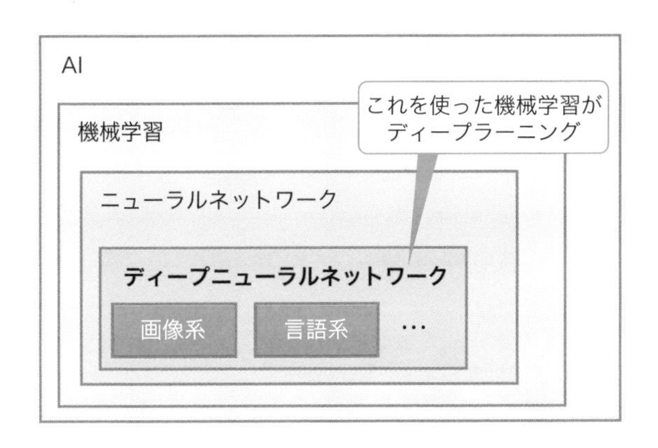

図4-5-02　AIの各種手法の関係

さらにディープラーニングも、その手法を適用する分野によって、細かく分けられます。画像認識に代表される画像系、機械翻訳をはじめとする言語系（自然言語処理）など、その分野は何種類もあります。いずれもディープニューラルネットワークをベースに、さまざまな工夫を施したり、機能を追加したりした手法です。

本書では、画像系のディープラーニングを６～７章、言語系のディープラーニングを８～９章で解説します。

本章のまとめ

- 「$y = a × x + b$」の単純な数式（モデル）では画像認識などに対応できないため、「ニューラルネットワーク」を用いる。

- ニューラルネットワークは、人間の脳をコンピューターのプログラムで模したもの。ニューロン（脳の神経細胞）を数式化したものが「ノード」。ノード同士を結ぶ線が「エッジ」。

- ノードの計算は大きく分けて２つ。１つ目の計算は、重み（w）と入力値（x）の積和にバイアス（b）を足す計算。
  例：入力のエッジが３本のノードの数式

$$y = w_1 \times x_1 + w_2 \times x_2 + w_3 \times x_3 + b$$

● 2つ目の計算が、ノードが出力する最終的な値を決める「活性化関数」。活性化関数で「非線形」（直線ではない関係）に対応することで、より現実的なケースで推論できる。

●活性化関数には、「ReLU関数」など、複数の種類がある。ReLU関数は、入力値が0より大きければ値をそのまま出力し、0以下なら0を出力する。

●ニューラルネットワークは、複数のノードがエッジによってネットワークのようにつながった構造をしている。

●複数のノードを縦方向に並べた集まりを「層」と呼ぶ。層は以下の3種類がある。

・入力層

・隠れ層（中間層）

・出力層

●ニューラルネットワークの計算は、入力層にデータが入力され、隠れ層の各ノードで計算を行い、その結果（推論の結果）が出力層に出力されるという流れである。

●画像分類の場合、1ピクセルごとのデータを入力層に入力し、分類項目ごとの可能性（例「犬である可能性」「猫である可能性」）の数値を出力層に出力する。多くの場合、数値は出力層の手前で確率の形式に変換する。

●隠れ層が2以上ある（もしくは3以上ある）ニューラルネットワークが「ディープニューラルネットワーク」。ディープニューラルネットワークによる機械学習の手法が「ディープラーニング」。

5章

ニューラルネットワークの学習

5章 ニューラルネットワークの学習

前章では、犬猫画像の分類を例に、ニューラルネットワークの構造と推論の仕組みを解説しました。犬の画像を「この画像は犬である」などと分類（推論）するには、事前に「このような画像は犬である」ということを学習しておかなければなりません。本章では、ニューラルネットワークの学習の仕組みを解説します。

5-1 ニューラルネットワークの学習の全体像

重みとバイアスを最適な値に調整

まずは本節にて、ニューラルネットワークの学習の全体像を解説します。

学習には、学習データが必要です。学習データとは、前章の犬猫画像の分類の例ならば、犬または猫の写真の画像データと、各々の写真に写っているのが犬なのか猫なのかという“正解”の情報である「ラベル」の組み合わせのことです。ラベルは通常、「犬なら0、猫なら1」のように、分類したい項目ごとに連番の整数を割り振って管理します。

たとえば、犬が写っている画像なら、「この画像は0」のように画像とラベルをひも付けて組み合わせにします。この組み合わせを大量に用意して、学習データとしてひとまとまりにし、データセットにします。

学習データを用意できたら、ニューラルネットワークに入力し、学習を行います。学習とは一言で表すなら、以下の処理になります（図5-1-01）。

より正確に推論できるように、すべてノードの「重み」と「バイアス」の数値を調整する

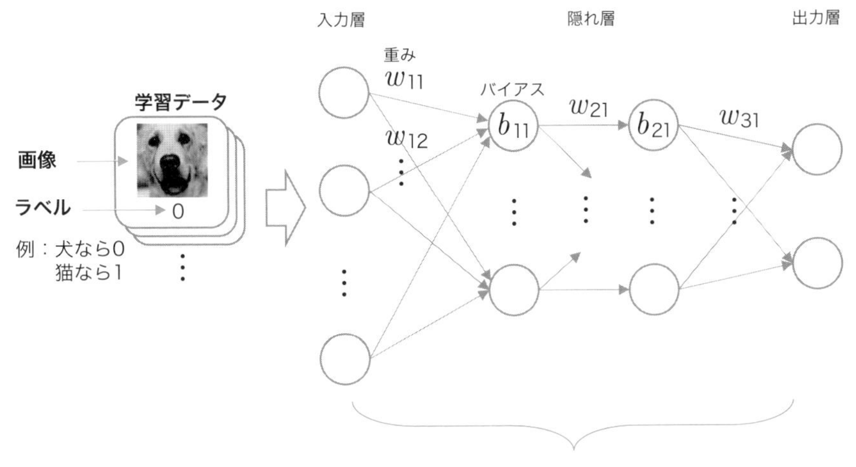

図 5-1-01　すべての重みとバイアスを最適な値に調整

この処理で学習を終えることで、ニューラルネットワークは推論ができるようになります。逆に言えば、この学習という処理を行わないと、ニューラルネットワークを作れていたとしても、正確な推論はできないわけです。

では、重みとバイアスの数値を最適にするにはどうすればよいのか？ その学習の仕組みを解説します。

正解との差を最小化するよう調整

学習を行うためにカギを握るのが“誤差”です。ここで言う誤差とは、「正解」と「推論の結果」との差のことです。

正解とは、各学習データのラベルです。犬猫画像の分類ならば、「犬なら 0」「猫なら 1」という数値です。

推論の結果とは、学習データの画像で推論を行った結果です。犬猫画像の分類ならば、「犬である可能性の数値」「猫である可能性の数値」のことです。

その画像に写っているのが犬なのか猫なのか…。その正解は、その画像にひも付いているラベルを見ればわかります。犬なら 0 ですし、猫なら 1 です。ですので、正解がわかっている画像を、できたばかりのニューラルネットワークで推論（分類）すれば、そのニューラルネットワークがどれくらい正確に推論（分類）できるのかがわかります。

つまり、あらかじめ答え（正解のラベル）がわかっている画像を使って、その推論の結果が、実際の正解とどれだけ離れているのかを調べれば、それが誤差となります。

では、「推論の結果が、実際の正解とどれだけ離れているのか」を知るには、どうすればいいでしょうか？ そのためには、誤差を数値化して比較できないといけません。

前章までで、出力層で得られる推論の結果は数値であり、通常、最終的には確率を表す数値として得られると述べました。たとえば、出力層の犬のノードに数値の0.8（80%）、猫のノードに0.2（20%）が得られたと仮定します。これが推論（分類）結果の数値です。

そして、その学習データのラベル（正解）が0（犬）であったと仮定します。この場合、犬である確率は1（100%）、猫である確率は0（0%）と見なせます。このような正解の数値と、推論結果の数値から誤差を計算によって求めます（図5-1-02）。

この例の場合、犬なら正解は1で推論結果は0.8であり、猫なら正解は0で推論結果は0.2です。誤差は、これらの数値の差から求めます。

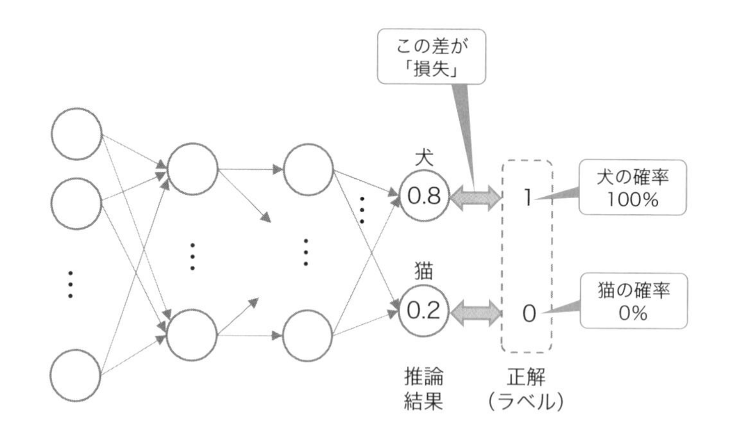

図5-1-02　推論の結果と正解の差を求める

この誤差を、ディープラーニングの専門用語で「損失」と呼びます。損失の値は、推論結果とラベル（正解）の差の大きさを表します。

これは、言い換えると、「損失が小さいほど、推論結果は正確である」と言えます。正解と推論結果の値が同じであれば、損失は0になります。つまり、損失が小さいほど、推論結果は正確です。

一方、正解と推論結果の値の差が大きいのであれば、損失は大きくなります。つまり、損失が大きいほど、推論結果は正確ではないということがわかります。

要するに、学習という処理では、損失が最小になるような重みとバイアスの数値を求めているのです。その処理の大まかな流れは図5-1-03です。犬猫画像の分類を例にしています。

5章

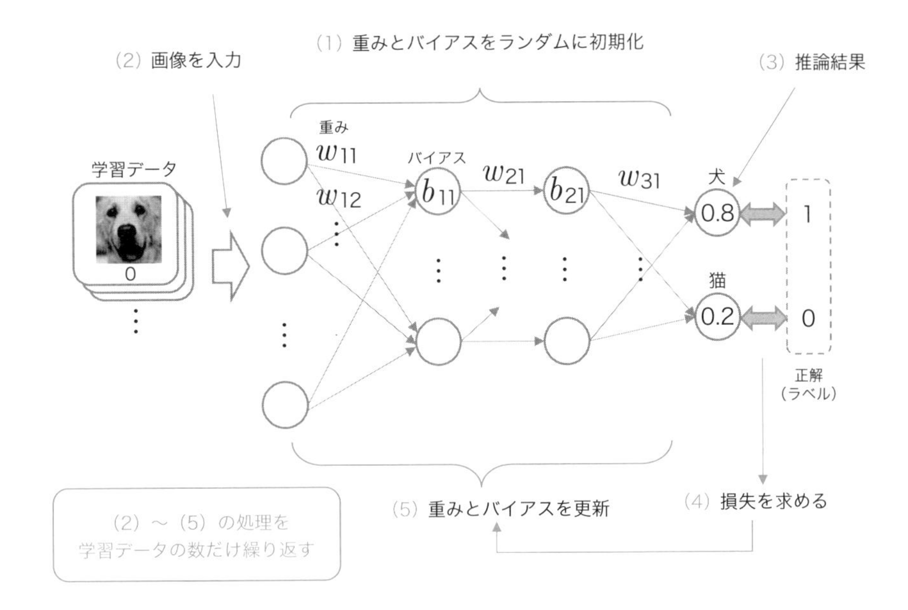

図5-1-03　学習の大まかな流れ

図5-1-03の処理の流れを順に解説します。

最初に、すべてのノードについて、重みとバイアスをランダムな数値で初期化します（1）。初期化というのは、いわゆる「リセット」のことです。この段階では、重みとバイアスに適当な数値を入れてリセットします。

次に、1番目の学習データの画像をニューラルネットワークに入力して推論（分類）を行います（2）。学習データの画像をどのように入力するかは、前章でお見せしましたね。ピクセルごとに分割して、入力層に入力します。

この推論（分類）した結果が確率の数値として、出力層にある、「犬の確率を表すノード」と「猫の確率を表すノード」から出てきます（3）。

その数値をその学習データのラベル（正解）と比べて（つまり、答え合わせをして）、損失を求めます（4）。

損失がわかったら、その損失の値を小さくするようにします。損失を小さくするため、すべての重みとバイアスの数値をそれぞれ少しだけ変えて更新します（5）。

そして、1番目の学習データで学習した結果（モデル）を用いて、2番目の学習データで学習を行います。画像を入力し（2）、推論して（3）、ラベルと比べて損失を求めます（4）。2番目の画像の損失がわかったら、ここでも再び、重みとバイアスを更新します（5）。このように、（2）～（5）の処理を行います。

この（2）～（5）の一連の処理を、学習データの数だけ繰り返し、損失が最小となるよう、重みとバイアスを何度も更新していきます。これによって、推論結果と正解（ラベル）の差が最小となる重みとバイアスの最適な数値が求められる――つまり、より正確に分類できるようになる――のです。このように、損失が最小となる重みとバイアスを求める行為を「最適化」と呼びます。

以上が、ニューラルネットワークにおける学習の大まかな流れです。推論の精度を高めるのには、多くの学習データを必要とし、手間と時間がかかるということが理解できたかと思います。

では、より推論の精度を高め、かつ、学習を短時間で終わらせるようにするには、どうすればいいでしょうか？

そのためには、2つのポイントがあります。

1つ目は、損失の適切な求め方です。実は単純に推論の結果からラベルの値を引くだけでは、損失の数値を適切に求められず、推論（分類）の精度が下がってしまうのです。

2つ目は、重みとバイアスの更新方法です。「少しだけ変えて更新」といっても、そもそも増やせばよいのか、あるいは、減らせばよいのかが、よくわからないですよね。やみくもに更新していては、いつまでたっても重みとバイアスの最適な数値は得られないでしょう。どれだけ増やす／減らすのがよいのでしょうか？

そこで、次節では１つ目の「損失を適切に求める方法」を解説します。
次々節では２つ目の「重みとバイアスの効率的な更新方法」を解説します。

5-2 損失を適切に求める方法

損失の求め方を単純な例で学ぼう

本節では、損失を適切に求める方法を詳しく解説します。

損失とは、推論結果とラベル（正解）の差の大きさであると説明しました。しかし、損失を計算して求めるには、推論結果とラベルの数値を単純に引くだけでよいというわけではありません。

どう計算すればよいのかを、例を挙げて解説します。画像分類を例にすると難しくなってしまうので、図 5-2-01 のようなごく単純な例を用います。概要は以下です。

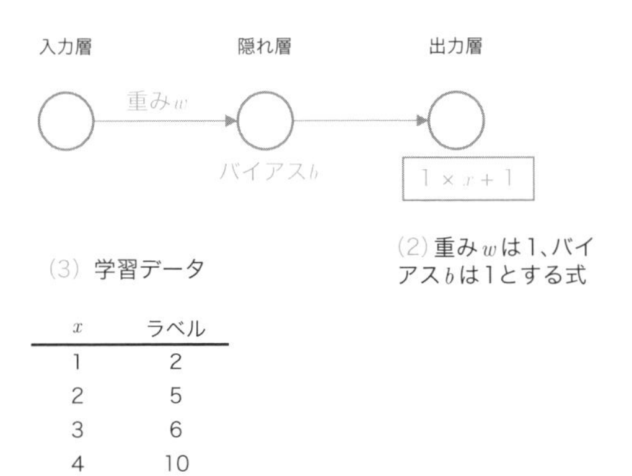

x	ラベル
1	2
2	5
3	6
4	10

図 5-2-01　損失の求め方の解説に用いる例

・入力層のノードは１つ
・隠れ層は１つ
・隠れ層のノードは１つ
・入力層から隠れ層のノードにつながるエッジは１本（図5-2-01の（1））
・重みwの数値は1、バイアスbは1（図5-2-01の（2））
・活性化関数なし
・学習データは図5-2-01の（3）

隠れ層は1つだけ、ノードもエッジも1つだけという単純な構造です（厳密には、重みが1つのシンプルな線形の回帰なので、隠れ層とは呼べませんが、ここでは隠れ層と見なすと仮定します）。このような構造でも、損失の適切な求め方の原理は、ノードが複数あるニューラルネットワークと同じです。

この場合、入力値をxとして、ノードの計算式である

「重みw×入力値x+バイアスb」

に当てはめると、重みwは1、バイアスbは1であるため、出力は数式

「$1 \times x + 1$」

です（図5-2-01の（2））。

ちょうど、3章で解説した例（最高気温からビールの販売数を推論する例）の回帰のモデルの数式「$y = a \times x + b$」で、傾きaが重みwに変わり、切片bがバイアスbに変わっただけのかたちです。活性化関数なしなので、この「$1 \times x + 1$」がそのまま推論の結果です。

学習データは、図5-2-01の（3）のように4つあるとします。入力値xが1～4の整数であり、ラベルはそれぞれ2、5、6、10とします。つまり、「xが1のとき、正解は2である」「xが2のとき、正解は5である」…といった学習データです。

これら4つの入力値xを、出力の式「$1 \times x + 1$」にそれぞれ当てはめて、推論した結果が図5-2-02の表の（1）です。さらにその結果をグラフにプロットしたのが図5-2-02の（2）の点です。横軸が入力値xを、縦軸が推論した結果の値を表しています。

あわせて、式「$1 \times x + 1$」の直線も引いています。この直線は、推論した結果を示す直線と言えます。

学習データ		(1)	(3)
x	ラベル	推論	差
1	2	2	0
2	5	3	-2
3	6	4	-2
4	10	5	-5

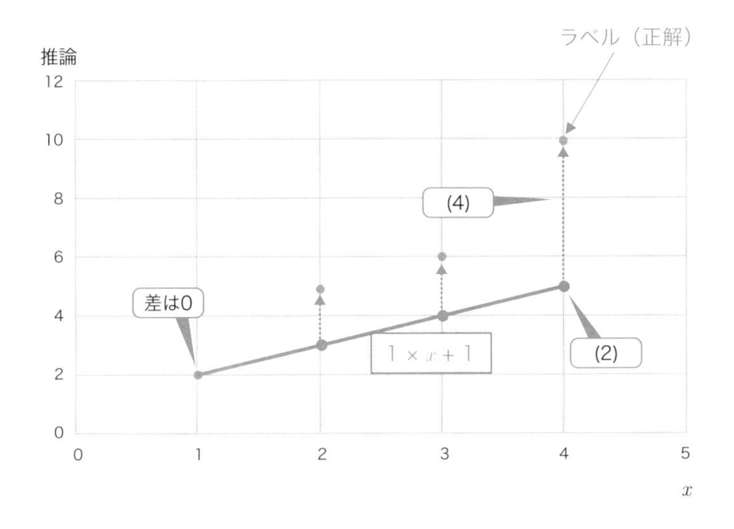

図 5-2-02　推論の結果とラベルとの差

ここで、4 つの推論結果の数値から、4 つのラベル（正解）の数値を引いてみましょう。つまり、推論した結果の数値と、ラベル（正解）の数値の差を出すのです。それぞれの入力値における差が、図 5-2-02 の表の（3）です。

この差をグラフ上で表すと、図 5-2-02 の（4）です。ラベル（正解）の数値もグラフにプロットして、差は点線で表しました。ちょうど 3 章の図 3-2-05 と同じく、点線の長さは、ラベルとの距離に該当します。

さて、求めたいのは損失です。4 つの学習データをあわせた全体で、推論結果とラベルとの差をトータルで求める必要があります。先ほど、4つの学習データそれぞれで、推論とラベルのそれぞれの差を図5-2-02の表の（3）のように求めていました。ですので、これら4つの差をもとに損失を求めるには、単純に4つの差を合計すればよいと思うかもしれません。

しかし、それでは適切に求められません。

その理由は､4つの差の中にはマイナスの値（「-2」や「-5」）があるからです。4つ目の学習データで考えてみましょう。その場合、推論の値は「5」です。ラベル（ここでは「10」）よりも、「5」少ない（差の値は「-5」）です。つまり、実際の差は「5」です。「5」も差があるのに、単純に「-5」を1～3番目までの推論とラベルの差に足してしまった場合、その結果の値は小さくなってしまいます（図5-2-03では「-9」)。本当は推論とラベルの差は大きいのに、損失としては小さくなるという矛盾が生じてしまいます（図5-2-03の（1))。

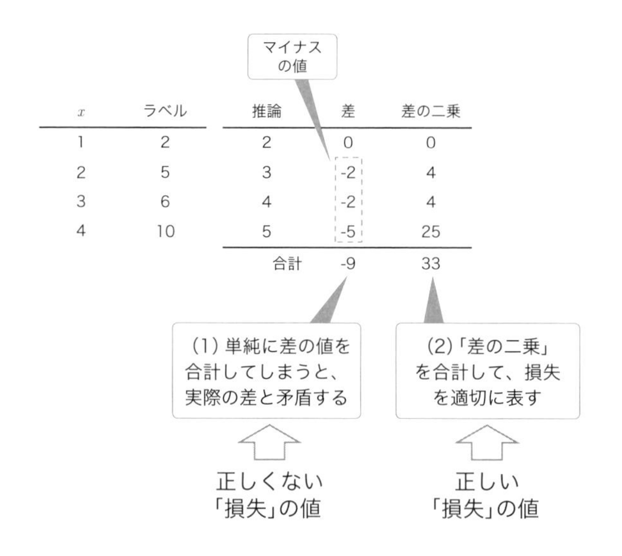

x	ラベル	推論	差	差の二乗
1	2	2	0	0
2	5	3	-2	4
3	6	4	-2	4
4	10	5	-5	25
		合計	-9	33

図5-2-03　損失を適切に求めるため、差を二乗する

そこで登場するのが、「差を二乗してから合計する」という方法です。二乗すればマイナスの値でもプラスになるので、合計しても前述のような矛盾は起き

ません。二乗した値を合計すれば、推論とラベルのトータルの差として、損失を適切に求められます（図5-2-03の（2））。

このように、損失を適切に求めるには、そのための計算方法があります。

計算方法は複数ありますが、本節で例に挙げた方法は「二乗誤差」と呼びます。

その二乗の合計をさらに学習データの数で割って、平均をとる方法を「平均二乗誤差」と呼びます。平均二乗誤差は、主に回帰での推論によく用いられます。

分類の場合は、「交差エントロピー」という方法がよく用いられます。これは、対数を中心に用いて損失を算出する方法です。このように、分類や回帰など、ニューラルネットワークの目的に応じて、損失を適切に計算する方法を適用します。

また、損失を求める計算は通常、関数のかたちにまとめて用います。そのような関数を「損失関数」と呼びます（「目的関数」や「コスト関数」と呼ぶ場合もあります）。損失関数も、計算方法に応じて複数の種類があります。

重み w の値を増やしてみよう

図5-2-03では、重み w を1、バイアス b を1とするノードにて、式「$1 \times x + 1$」で推論し、損失を求めました。

ここで試しに、重み w の値を1から2に増やし、損失を求めてみましょう。つまり、

$$1 \times x + 1$$

↓

$$2 \times x + 1$$

とするのです。

その際、バイアス b は1のまま固定するとします。

その結果および計算の表とグラフが、図5-2-04です。

重みw　1 → 2

x	ラベル	推論	差	差の二乗
1	2	3	1	1
2	5	5	0	0
3	6	7	1	1
4	10	9	-1	1
			合計	3

（1）損失が減った

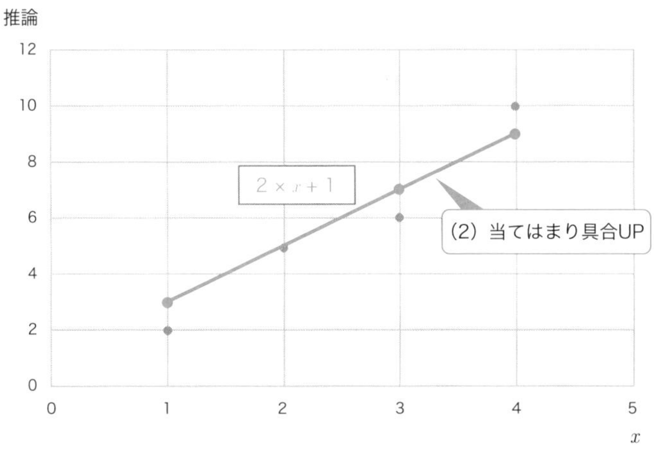

図 5-2-04　重み w を 2 に増やしたら損失が減った

重み w を 1 から 2 に増やして、4 つの学習データで推論した結果は、図 5-2-04 の表のとおりです。推論とラベルの値から、損失の値を計算すると 3 になりました（図 5-2-04 の（1））。重み w が 1 のときは 33 だったので、かなり小さくなりました。

損失が小さくなったということは、推論の精度が上がったということです。グラフを見ても、推論の直線の当てはまり具合がよくなりました（図 5-2-04 の（2））。

重み w を 1 から 2 に増やしたら損失が減ったので、損失をもっと小さくするには、重み w をもっと増やせばよさそうです。では、重み w を 2 から 3 に増やしてみましょう。

すると、損失は減るどころか、33に増えてしまいました（図5-2-05の（1））。グラフを見ると、当てはまり具合も悪くなっています。

重みw　2 → 3

x	ラベル	推論	差	差の二乗
1	2	4	2	4
2	5	7	2	4
3	6	10	4	16
4	10	13	3	9
			合計	33

(1)損失が増えた

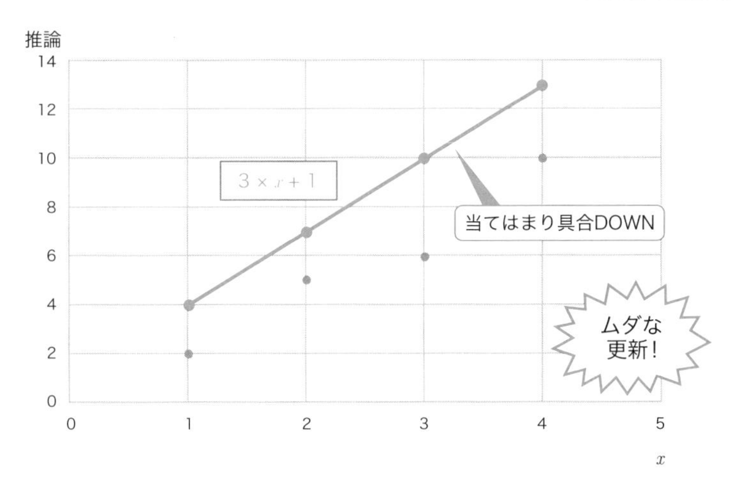

図5-2-05　重み w を3に増やしたら損失が増えた

重み w を3より増やしても、損失はさらに増えるだけです。また、重み w を1から減らしても、同じく損失はさらに増えるだけです。

つまり、重み w を更新した結果、損失が最小になるのは、重み w が2のときだとわかりました。

これが最適化の一例です。この例に限れば、重み w を0.1など細かい単位で更新しても、同じ結果です。

さて、先ほど重み w を2から3に増やしたり、3以上に増やしたり、1より減らしたりして更新しましたが、損失が最小になったのは重み w が2のときでした。結局、これらの更新はムダになってしまいました。

次節では、このムダな更新の回数を極力減らして、効率よく更新する方法を解説します。

5-3 重みとバイアスの効率的な更新方法

増やすか減らすかは「勾配」で決める

前節では、損失を適切に求める方法を解説しました。本節では、重みとバイアスの効率的な更新方法を解説します。ここまでと同様、ごく単純なノードを例に用います（図 5-3-01）。

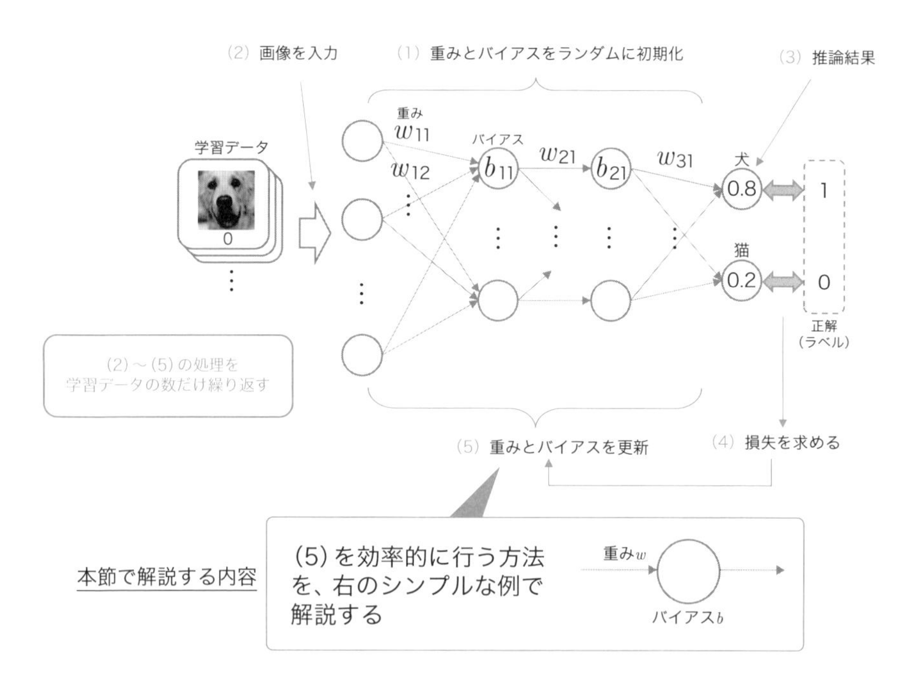

図 5-3-01　本節で解説する内容

前節の最後では、重み w のムダな更新を紹介しました。さらに思い出してほしいのですが、前節では、重み w の値を最初は 1 としていて、次に 2 に増やしました。初期値は1ということです。

もし、初期値の1から2に増やさず、0に減らしたとしたら、どうなったでしょう。損失の値は大きくなってしまい、その更新はムダになってしまいます。

このように、ムダな更新は初期値の段階でも起こり得ます。ムダな更新が多いほど、損失が最小になる重みwの値はなかなか判明しないでしょう。

そのようなムダを解消するためには――つまり、ムダな更新をできるだけしないで早く損失を小さくするためには――、重みwを増やせばよいのか減らせばよいのかが、更新をする前にわかればよさそうです。そんな方法はあるのでしょうか。あります。「勾配」(こうばい)を利用するのです。

まずは、勾配とは何かを解説します。

勾配とは、ある地点でのグラフの「傾き」です。言い換えると、グラフの線に対する「接線」です。中学の数学で登場したので、おぼえている人も多いでしょう。

次に、ニューラルネットワークの学習における勾配とは何かを解説します。具体例を示すため、前節の例を用います。前節では、バイアスbは1のまま固定し、重みwの値を1、2、3と更新し、その都度損失の値を求めました。

ここで、重みwを横軸、損失を縦軸とするグラフを、先ほどのグラフとは別に書いてみましょう。重みwの値を細かくとってプロットしていくと、図5-3-02の右のような曲線のグラフになります。

このグラフにある図5-3-02(1)の青い線が勾配です。(1)は重みwが1の地点における勾配(傾き)です。他の数値の地点ならば、勾配(傾き)は曲線の曲がり具合に応じて変わります。

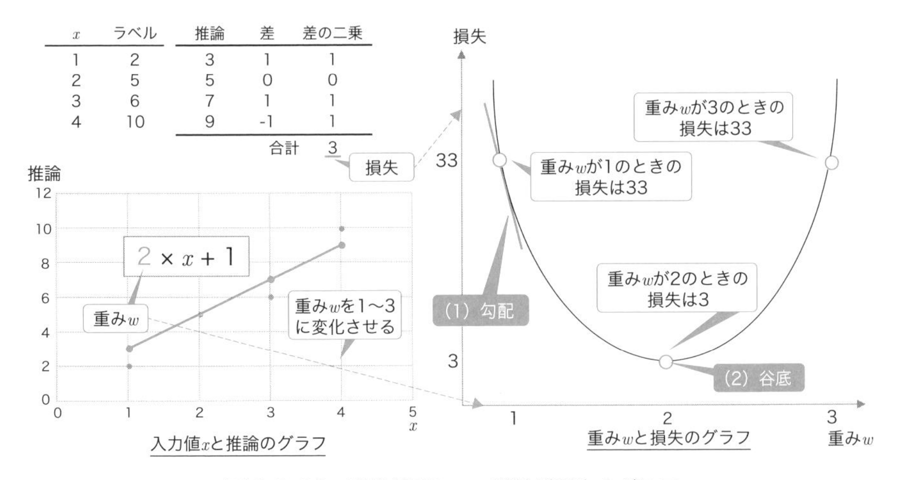

図 5-3-02　横軸が重み w、縦軸が損失のグラフ

図 5-3-02 の右にあるグラフが、

横軸を x、縦軸を「重み $w \times x +$ バイアス b」の推論の結果とするグラフ

ではなく、

横軸を重み w、縦軸を損失の値とするグラフ

である点に注意してください。

この図 5-3-02 右のグラフは、重み w の値をどう変化させたら、損失の値がどう変化するのかを表しています。

繰り返しになりますが、損失の値が最小となるようにするのが、ニューラルネットワークでの学習のキモです。

つまり、図 5-3-02 右のグラフでは、グラフの“谷底”の地点（図 5-3-02（2））となる重み w の値がわかれば、そこで損失の値が最も小さくなることがわかります。この例では、重み w が 2 の値である地点が谷底に該当します。

では、谷底に向かうためにはどうすればいいでしょうか？ それは、このグラフの勾配に注目することで、解決します。

このグラフの勾配は、重み w と損失のグラフの谷底の左側の地点なら、図5-3-02の（1）のように下向きです。逆に、谷底の右側の地点なら、上向きになります。

この勾配（傾き）を利用すれば、損失を小さくするには重み w を増やせばよいのか、あるいは減らせばよいのかがわかります。重み w と損失のグラフ上の任意の地点で、勾配が下向きであったなら（図5-3-03の（1））、w の値を増やせばグラフの谷底に向かい、損失の値は減ります。逆に勾配が上向きであったなら（図5-3-03の（2））、今度は w の値を減らせばグラフの谷底に向かい、損失の値は減ります。

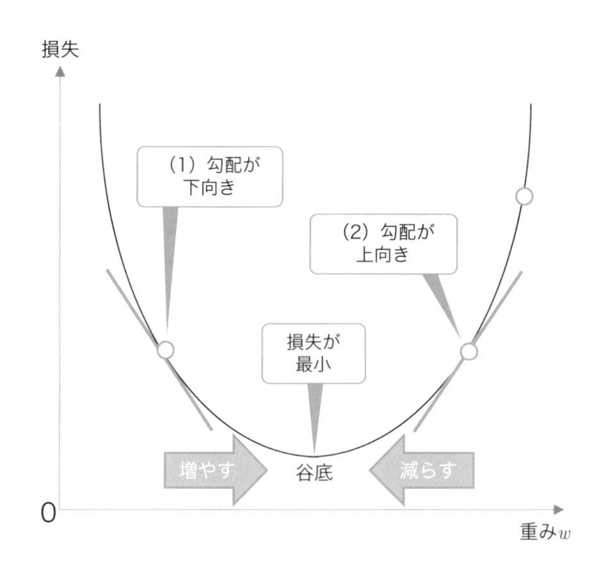

図5-3-03　勾配の向きに応じて重み w を増減

勾配は計算によって求められます。損失関数や活性化関数の数式などから勾配を表す数式が導き出せ、それに重み w などの数値を代入してさらに計算することで、勾配を具体的な数値として得られます。

そして、勾配の数値がプラスなら勾配は上向き、マイナスなら下向きとなります。こちらも中学数学で登場した内容なので、おぼえている方も多いのではないでしょうか。たとえば、直線の式「$y = a \times x + b$」なら、傾き a がプラスなら上向き、マイナスなら下向きといった内容です。

このように、重み w と損失の関係をグラフにし、求めた勾配の数値がプラスなのかマイナスなのかによって、w の値を増やせばよいのか、減らせばよいのかがすぐにわかります。つまり、ムダな更新をなくせるのです。

なお、図 5-3-02 や図 5-3-03 のグラフにおける縦軸の損失は、前節で解説した計算方法（推論の結果とラベルの差の二乗の合計）で求めたものです。この計算方法が、損失関数で行う処理に該当します。

ニューラルネットワークでは、損失関数はもっと複雑な計算方法のものを用いますが、どの種類も大抵は値を求める際、二乗や平方根、自然対数などを使うので、グラフは曲線になります。

谷底へ徐々に近づく

重みとバイアスの効率的な更新方法には、勾配の利用で「増やすか減らすか」を知ることに加えて、「どれだけ増減するのか」に着目した仕組みもあります。

1 回の更新で増減させる量のことを、「更新量」と呼びます。

この更新量が小さすぎると、何度も更新しなければ、グラフの谷底（損失が最も小さくなる地点）にたどり着けません（図 5-3-04）。逆に更新量が大きすぎると、谷底を何度も飛び越してしまい、いつまでたってもたどり着けません。

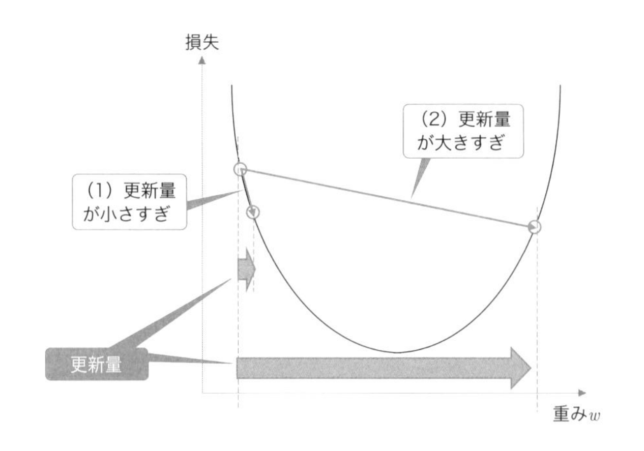

図 5-3-04　更新量は大きすぎても小さすぎてもダメ

では、どうすればよいでしょうか？ 更新量を変化させていけばいいのです。

毎回同じ量を増減するのではなく、谷底から遠い地点なら大きく増減し、谷底に近づくにしたがって小さく増減するようにするのです。そうすれば、何度も更新する必要がなくなり、なおかつ、何度も谷底を飛び越すことも防げるでしょう。

この仕組みを実現するカギは、やはり勾配です。一体どういうことなのか、順に解説します。

曲線のグラフを見ればわかるとおり、勾配が上向き（プラス）となる地点では、谷底から遠ざかるほど、勾配の傾きがきつくなります。つまり、勾配の値が大きくなります。逆に、谷底に近づくと勾配の傾きは緩やかになり、勾配の値は小さくなります。

この勾配の性質を、重み w の更新量を決めるのに使います。その方法は、勾配の数値に「一定の数値を掛ける」という方法です。

この一定の数値を「学習率」と呼びます。重み w を毎回どれだけ増減させるかという割合を表す数値です。学習率には、通常はプラスの値（正の値）を設定します。

つまり、

更新量 ＝ 学習率 × 勾配

という数式で表せます。

谷底から遠い地点ならば、勾配の傾きが大きいので、学習率を掛けた結果、更新量は大きな値になります。つまり、大きく増減できます。

図5-3-05の（1）は勾配が下向き（マイナス）の地点での例です。グラフの傾きが大きい地点は、勾配のマイナスの値がより大きな地点です。そこに学習率を掛けた結果、更新量はより大きなマイナスの値になるため、谷底へ大きく近づけます。

実際に重み w を更新する計算は、更新量を足すのではありません。勾配が下向きの地点で谷底へ近づくためには、重み w を増やす必要があります。更新量はマイナスの値なので、単純に足すと重み w の値は減ってしまいます。そこで、重み w を増やすために、更新量を足すのではなく引きます。マイナスの値を引き算することでプラスになり、重み w を増やせるのです。これにより、更新量がより大きなマイナスの値なら、重み w をより大きく増やせます。

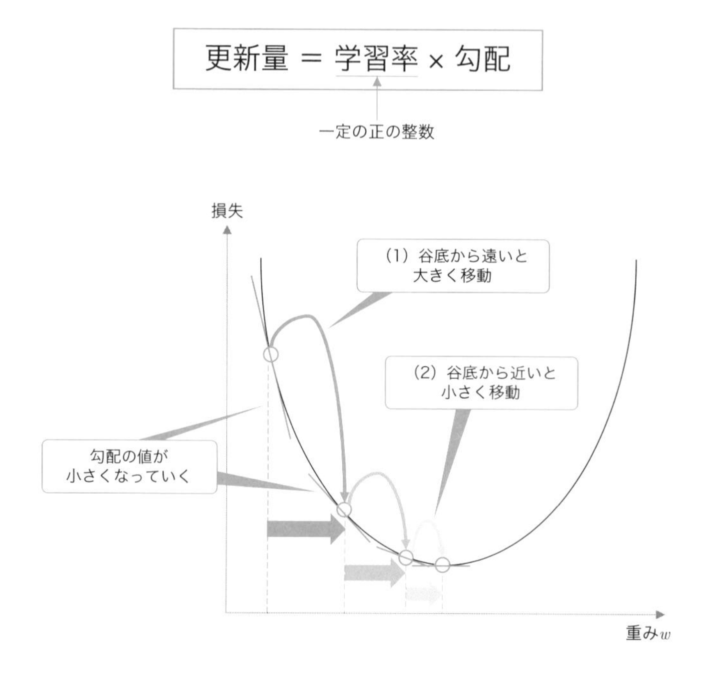

図 5-3-05　更新量は「学習率 × 勾配」で決まる

谷底に近い地点ならグラフの傾きが緩やかで、勾配の値は小さいので、学習率を掛けた結果、更新量は小さな値になり、小さく増減します（図 5-3-05 の (2)）。

このように、谷底から遠い地点では大きく移動し、谷底に近づくにつれて小さく移動していくことで、谷底という目的地に徐々に近づいていくイメージです。グラフの勾配が上向き（プラス）の地点でも、同じ仕組みによって、谷底から遠い地点では大きく移動し、近づくにつれて小さく移動します。

また、学習率や勾配の数値の大きさなどによっては更新量が大きくなり、谷底を飛び越えてしまうこともあります。しかし、飛び越えた先の地点では、勾配のプラスマイナスが反対になるので、ちゃんと折り返して再び谷底に向かえます（図 5-3-06）。

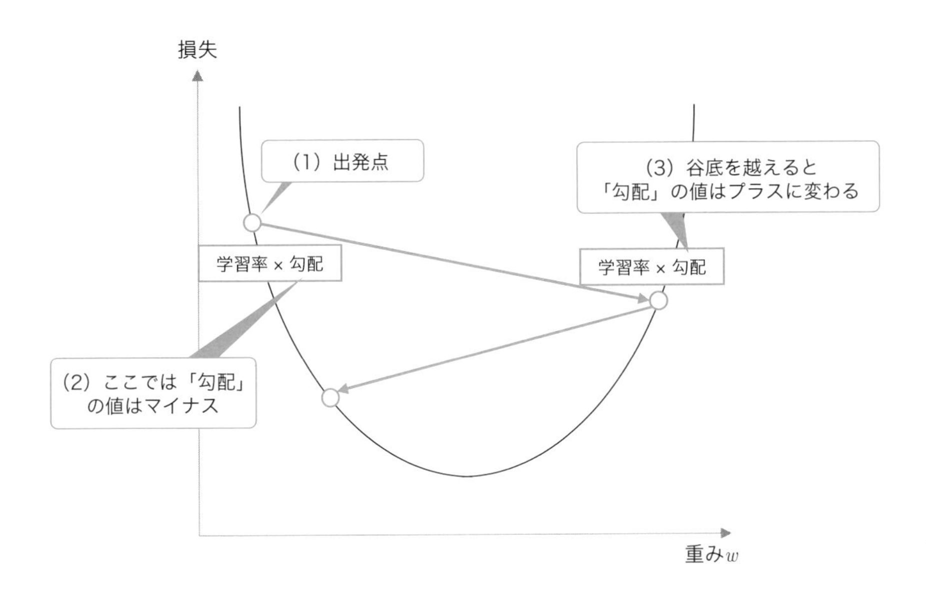

図 5-3-06　谷底を飛び越えてもすぐに折り返せる

しかも、谷底に近づくほど勾配が小さくなり、「学習率 × 勾配」の値はより小さくなり、大きく飛び越えることはありません。谷底付近から離れずに済むため、回り道しすぎることはありません。

このように「学習率 × 勾配」で更新量を決める方法なら、より少ない更新回数で谷底にたどり着け、かつ、何度も谷底を飛び越してしまうことも防げます。それゆえ、重み w を効率よく更新でき、損失が最小となる値をより素早く求められます。つまり、学習をより短時間で終わらせられるのです。

この方法を、「勾配降下法」と呼びます。損失が最小となる重みとバイアスを求める行為を最適化と言うのだと、先述しました。勾配降下法は、最適化の基本となる仕組みです。

本来の最小値をより確実に求める

勾配降下法は最適化の基本と言いましたが、実はそれだけでは不十分です。勾配降下法だけでは、あるケースで問題が起きてしまいます。それについて解説します。

損失と重み w のグラフでは、図 5-3-07 のグラフのように、谷底が 2 つ以上あるケースもあり得ます。

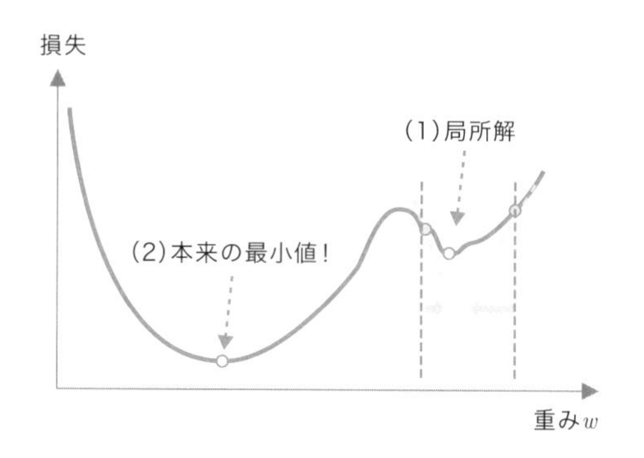

図 5-3-07　谷底が 2 つ以上あるケースは「局所解」に注意

このグラフにおいて、(1) の近辺の地点が出発点だった場合はやっかいです。本当は左の山を 1 つ超えた先にある (2) の地点が損失の最小値であるのに、(1) を目的の地点であると勘違いしてしまうからです。(1) のような値は、「局所解」と呼ばれます。

勾配降下法では、誤って局所解に行き着いてしまう事態が起こりがちです。そうならないために、勾配降下法を発展させた「確率的勾配降下法」(Stochastic Gradient Descent、SGD) が使われます。

勾配降下法では基本的に、すべての学習データを用いて、損失関数の値から勾配と損失が最小となる重み w の値までを一気に求めます。すると、出発点（初期値）が (1) の近くに一度設定されると、その谷の範囲だけで重み w が求められるなど、局所解に陥りやすいという欠点があります。

それに対して SGD では、すべての学習データを一度に用いるのではなく、ランダムに選んだ 1 つの学習データだけを用いて重み w の値を求めます。そして その処理を、重みデータの数だけ繰り返します。この方法だと比較的局所解に陥りにくくなります。

また、学習率の値などの条件によっては、何度か谷底を飛び越えざるを得ない状況が発生し、なおかつ、谷底に向かう際の“ブレ”が大きくなるケースがあります。ここでいう“ブレ”とは、谷底を何度か飛び越えながら谷底へ向かう経路の幅を意味します。この“ブレ”が大きいと、損失が最小となる重み w の地点（谷底）にたどり着くのが遅くなってしまいます。

そういった“ブレ”に起因する弊害を減らす「モーメンタム」という仕組みがあります。“ブレ”とモーメンタムのイメージは、図 5-3-08 です。“ブレ”の幅をなるべく小さくすることで、飛び越える回数を最小限に抑えます。

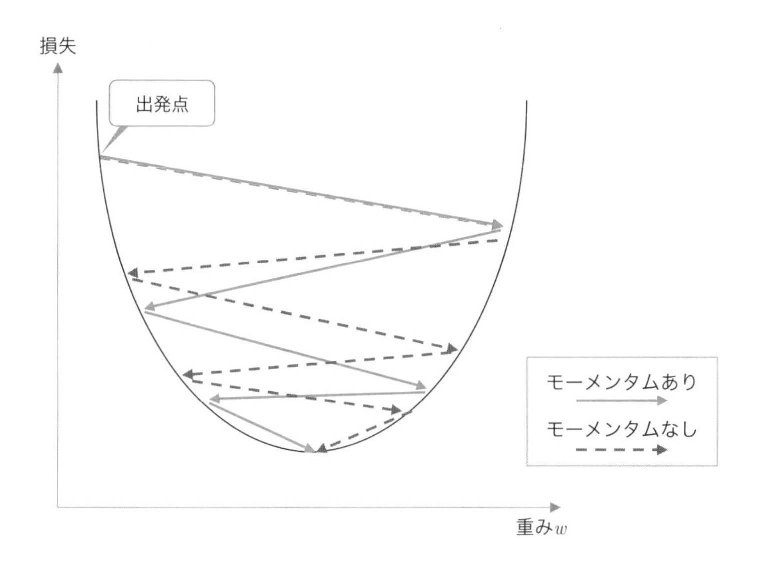

図 5-3-08 「モーメンタム」のイメージ

先述の SGD に、このモーメンタムも加えることで、損失が最小となる重み w の値をさらに効率よく求められるのです。

5-4 重みやノード、層の数が増えたらどうなる?

同じ方法ですべての勾配を求められる

前節では、ニューラルネットワークの学習の仕組みとして、勾配降下法およびSGD（確率的勾配降下法）による最適化を解説しました。その際、ニューラルネットワークは隠れ層とノードが1つだけの単純な例とし、1つの重みwだけを最適化しました。

本節からは、隠れ層とノードが複数あるニューラルネットワークで、複数の重みとバイアスの最適化を解説します。その解説に用いる例は、重みが1つだけの単純な例から、5-1節の犬猫画像分類の例に戻ります（図5-4-01）。

いよいよ、ニューラルネットワークでの処理の核心部分の解説となります。図を見ながら読み進めてください。なお、この図の重みの番号は、たとえば「w_{11}」なら「1つ目の隠れ層の1つ目の重み」を意味します。

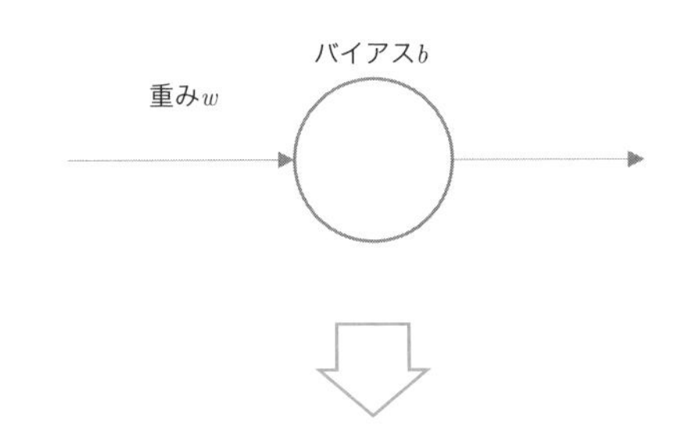

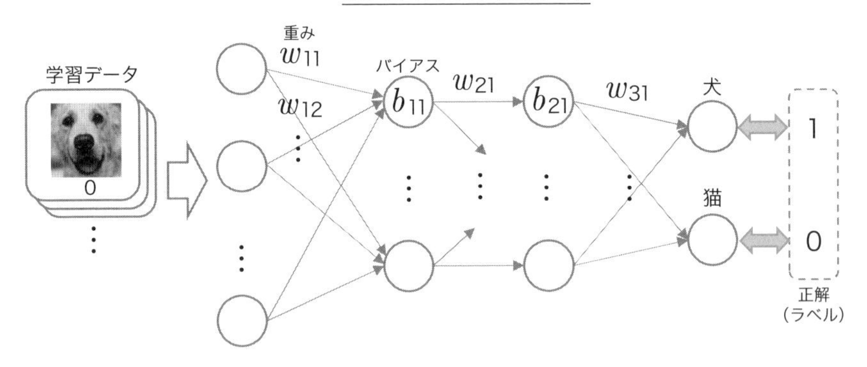

図5-4-01　重みとバイアスが複数ある例で最適化を解説

重みとバイアスが複数ある場合の最適化も、重みが1つだけの単純な例と同じく、SGDで行うことができます。

SGDの基本となる勾配降下法では、まずは勾配を求めます。前節で解説したとおり、勾配は、損失関数などの数式や重みの値などから、計算によって具体的な数値として求められます。重みとバイアスが複数に増えた場合、それぞれは独立した値を持ちます（図5-4-02）。

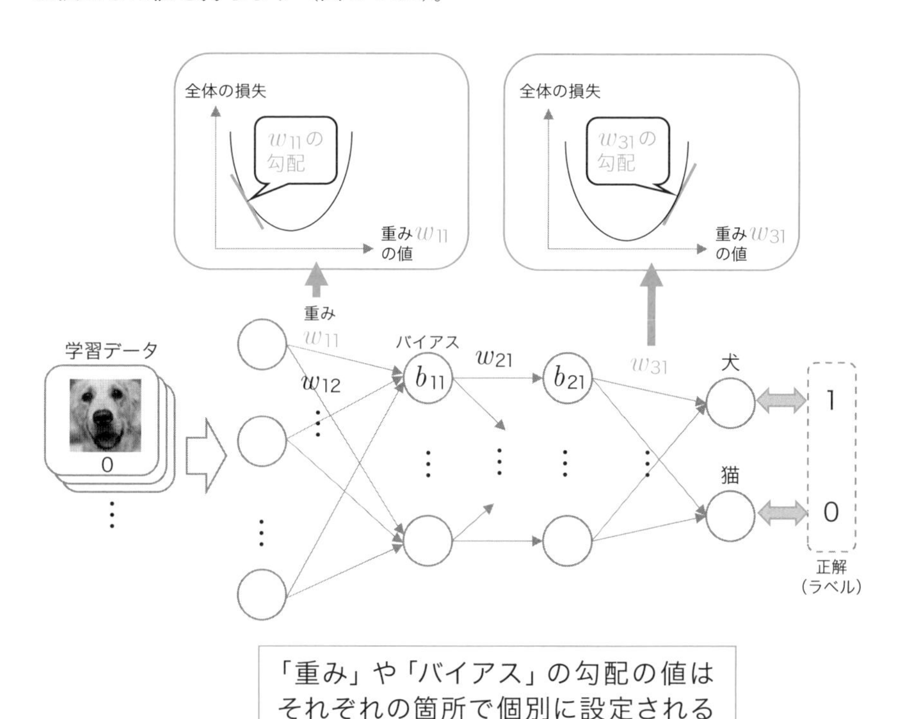

図5-4-02　それぞれの重みとバイアスの勾配は独立した値を持ち、計算で求められる

図5-4-02に例として記した各層の各ノードのエッジの重みw_{11}やw_{12}、w_{21}、w_{31}、バイアスb_{11}やb_{21}は、すべて個別の値です。他の重みとバイアスも独立した値です。

そして、それぞれの重みとバイアスの勾配も、それぞれ独立した値を持ちます。それらの勾配は、重みが1つだけの例の場合と同じく、計算によって具体的な数値としてそれぞれ求められます。

5章

重みとバイアスが複数に増えても、それぞれの勾配が求められるのは、次のような考え方が根底にあるからです。

前節の勾配の解説では、ごく単純なノードの例にて、重み w を横軸、損失の値を縦軸とする曲線のグラフを書き、その傾きが勾配であると述べました。このグラフは、バイアス b を固定したまま、重み w を変化させたら、損失がどう変化するかを表しています。

では、重みとバイアスが複数に増えた場合を考えてみましょう。ここでは、ある1つの重み、またはバイアスに着目します。例として、隠れ層の先頭の層の先頭のノードにおける1つ目の重みに着目したと仮定します（図5-4-03）。この重みを w_{11} とします。

w_{11} 以外の重みとバイアスはすべて値を固定したうえで（1）、重み w_{11} の値だけを変化させて（2）、全体の損失がどう変化するかを調べます。こうすることで、複数ある重みやバイアスのうちの1つだけ変化させたら、全体の損失がどう変わるのかを見るのです（3）。

すると、横軸を w_{11}、縦軸を全体の損失とするグラフが描けます。あとは、勾配を表す式と重み w_{11} の値などから、計算によってこのグラフの勾配の具体的な値が求められます。

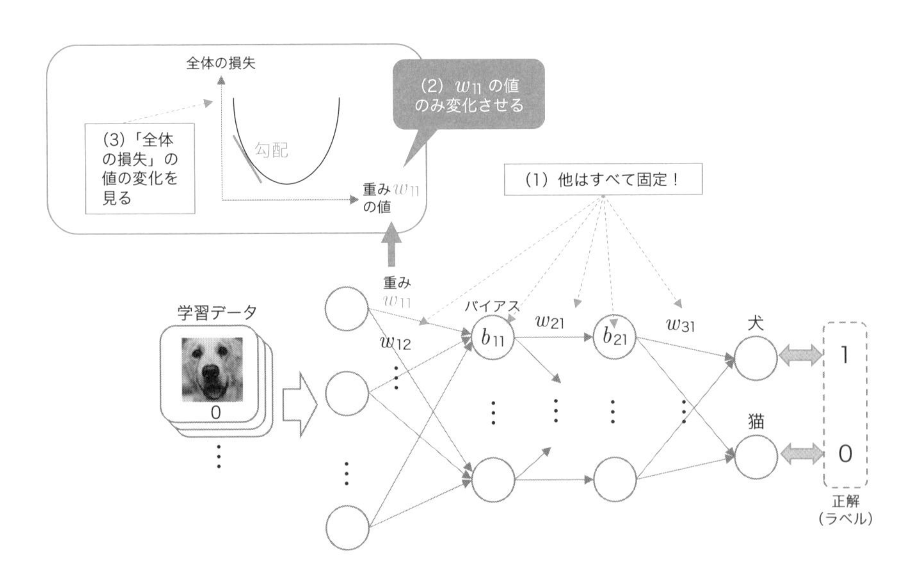

図5-4-03　他はすべて固定し、重み w_{11} のみ変化させて損失との勾配を求める

ここでは w_{11} に着目しましたが、残りの重みとバイアスについても同様に1つだけに着目し、あとはすべて固定したうえで、勾配を計算で求めます。

この計算の際、重み w_{11} に着目した例では重み w_{11} の値を使いましたが、他の重みやバイアスに着目した際には、その重みまたはバイアスの値を計算に使います。そのため、勾配の具体的な数値は、重みやバイアスごとに異なります。

以上が、重みとバイアスが複数ある場合に、勾配を求める考え方です。

複数の重みとバイアスを最適化する流れ

重みとバイアスが複数ある場合でも、それぞれの勾配を求められることがわかりました。それぞれの勾配に学習率を掛ければ、それぞれの重みとバイアスについての更新量がわかります。

5章

更新量 ＝ 学習率 × 勾配

図5-1-03で提示した学習の処理の流れに、すべての重みとバイアスを最適化する処理（全体の損失が最小となるように更新を繰り返す処理）を加えた図を示します（図5-4-04）。

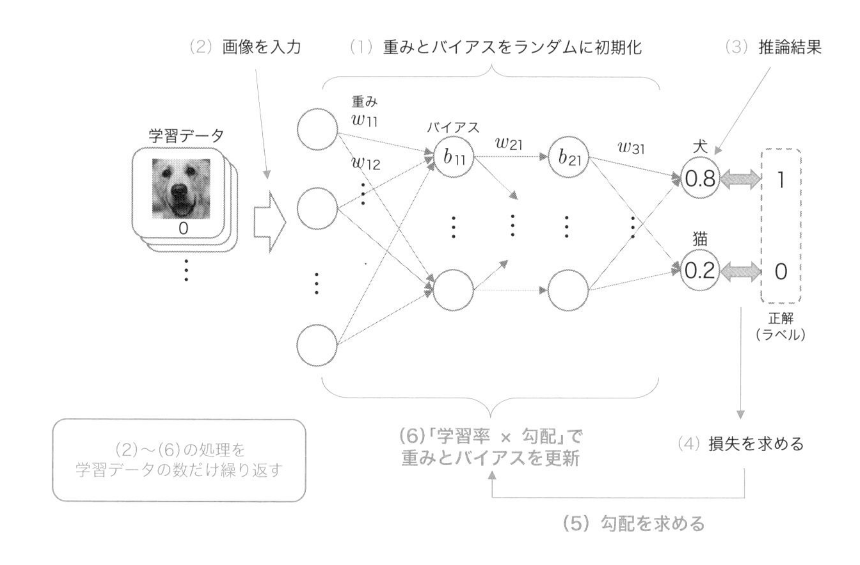

図5-4-04　複数の重みとバイアスを最適化する流れ

図 5-4-04 では、すべての重みとバイアスを同時に更新しています。図 5-4-03 の考え方に基づき、すべての重みとバイアスについて、勾配の具体的な数値は計算によって求められます。

勾配さえわかれば、勾配降下法の仕組みに従い、増やせばよいのか減らせばよいのかがわかります。その更新量は、「学習率 × 勾配」で求めるのでした。学習率は一定の数値です。一方、勾配の値は、それぞれの重みとバイアスごとに個別で設定されます。よって、「学習率 × 勾配」はそれぞれ独立した値（更新量）になります。つまり、独立した更新量を使って、すべての重みとバイアスを同時に更新しているというわけです。

出力層から入力層へさかのぼって勾配を求める

さて、ここまで、「勾配は計算で求められる」と述べてきました。隠れ層が複数ある場合に、勾配をより効率よく求めるための方法として、「誤差逆伝播法」がよく使われます。ニューラルネットワークに必ず用いられている方法です。その仕組みのイメージは、図 5-4-05 のとおりです。

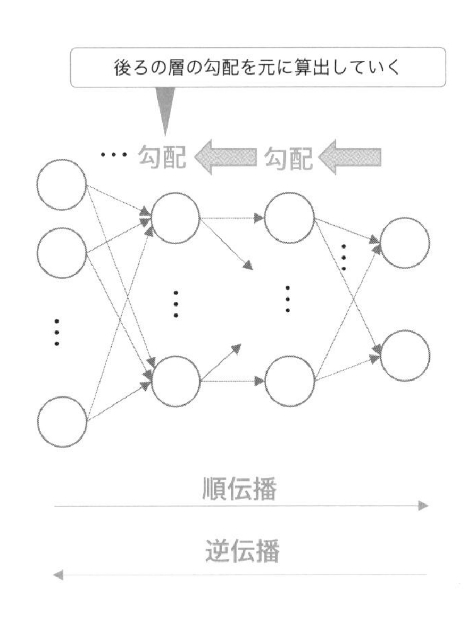

図 5-4-05 「誤差逆伝播法」のイメージ

隠れ層の中で出力層に一番近い層のノードの重みやバイアスの勾配は、これまで解説した方法で求めます。

出力層に2番目に近い隠れ層の勾配は、出力層に一番近い層で求めた勾配の値などから簡単な計算だけで求められます。

出力層に3番目に近い隠れ層の勾配は、出力層に2番目に近い隠れ層の勾配などから簡単な計算で求められます。

このように、出力層から入力層へとさかのぼりながら、それぞれの勾配を求めていきます。実際の求め方はもっと複雑ですが、このようなイメージです。

本来は、隠れ層が増えるに従い、それぞれの勾配を求める数式は複雑になり、計算が複雑になります。つまり、計算にかかる時間は増えていきます。それは、学習に時間がかかるということです。

しかし、誤差逆伝播法を使えば、隠れ層がいくら増えても、出力層から目的の隠れ層の直前の層までで求めてある勾配を用いるだけなので、簡単な計算だけで目的の隠れ層の勾配を求めることができます。つまり、計算時間を大幅に短縮できます。

この方法はいわば、出力層側で求めた勾配を元に、逆方向に層をさかのぼって他の勾配を求めていく、という流れと言えます。こうした逆方向の流れを、「逆伝播」と呼びます。一方、入力層から出力層に向かう流れは「順伝播」と呼びます。

5-5 学習は小分けにして何度か行う

学習データを小分けにする

通常、ニューラルネットワークにおいての学習では、処理効率などの面から、1度にすべての学習データを用いることはありません。最適化しなければならない重みとバイアスの数は、画像認識など実用的なニューラルネットワークでは多くなります。ノードやエッジの数が多いので、それに応じて重みとバイアスの数も増えるからです。

さらに、画像認識の場合、学習データ（写真）の数は数万枚にものぼることが多々あります。そのため、1度にすべての学習データを使うと、膨大な時間がかかってしまいます。

そこで、学習データが全部で1000件ある場合は200件ずつに分けるなど、小分けにして学習を実施します。このようなやり方を「ミニバッチ法」と呼びます。ミニバッチの単位を、「バッチサイズ」と呼びます。また、1つのミニバッチで学習する単位を「イテレーション」と呼びます。

図5-5-01は、学習データ数が1000件、バッチサイズが200件の例です。この場合、イテレーションの回数は5回です。

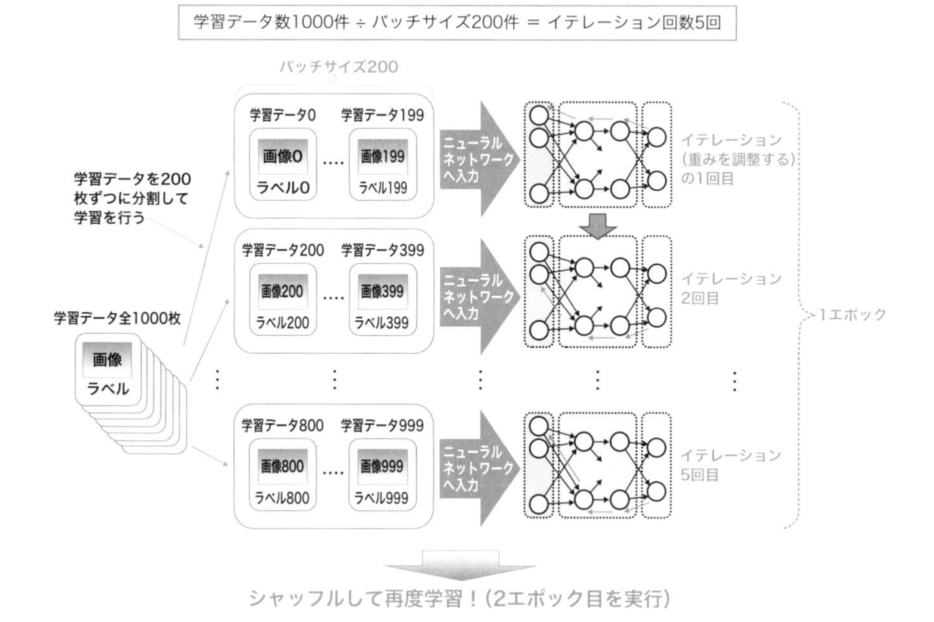

図5-5-01 「イテレーション」と「エポック」

ミニバッチ法によって小分けした学習データを一通りすべて使い終わる単位のことを「エポック」と呼びます。通常は1エポックだけでは最適化が十分できないので、複数回学習を行います。つまり、学習データを使って何度も学習するその回数の単位が、エポックなのです。

そして、1回目のエポックが終わったあと、次のエポックに入る前に、学習データをシャッフルして各ミニバッチの内容を変えます。そのうえで、再び学習を行います。ここでシャッフルする理由は、学習の偏りを防ぐためなどです。学習データをシャッフルしないと、同じ学習データを同じ順番で学習してしまう可能性があります。それだと、学習結果に偏りが出てしまうのです。

画像認識と自然言語処理に発展

本章でここまで解説してきた内容が、ニューラルネットワークにおける学習の仕組みです。隠れ層が複数あるディープニューラルネットワークにも、同じ仕組みが当てはまります。

画像認識や自然言語処理は、このディープニューラルネットワークをベースに、さらにさまざまな機能を加えたり、工夫を施したりして、発展させたものです。

ここまでで、ディープラーニングの基本的な仕組みは理解できたことになります。

本章のまとめ

●学習とは、より正確に推論できるよう、すべてのノードの重みとバイアスの数値を調整すること。

●学習データで推論を行い、正解（ラベル）との損失が最小となる重みとバイアスを更新しながら求める。その行為を「最適化」と呼ぶ。

●損失を求める方法は「平均二乗誤差」など複数の種類がある。損失を求める関数が「損失関数」。

●以下の方法によって、重みとバイアスの最適化をより効率よく行う。

・勾配のプラス／マイナスに応じて、重みの値を増やす／減らすを決める（勾配降下法）

・更新量とは、勾配に「学習率」を掛けた値

・「局所解」に陥りにくくするため、「SGD」（確率的勾配降下法）を用いる

・“ブレ”によって最適化が遅くなる弊害を「モーメンタム」で抑える

●学習では、すべてのノードのすべての重みとバイアスを「学習率 × 勾配」で同時に更新する。それをすべての学習データについて行って最適化する。それぞれの重みとバイアスの勾配は「誤差逆伝播法」で求める。

●実際の学習は、学習データを小分けにする「ミニバッチ法」で行う。ミニバッチの単位を「バッチサイズ」、1つのミニバッチで学習する単位を「イテレーション」、学習データを一通り使い終わる単位を「エポック」と呼ぶ。

6章

ディープラーニングによる画像認識の仕組み

6章 ディープラーニングによる画像認識の仕組み

前章までに、ニューラルネットワークの推論と学習の仕組みを解説しました。本章では、その基礎を発展させて、ニューラルネットワークによる画像認識がどのように行われているのか、その仕組みを解説します。

6-1 画像認識は「CNN」で

ピクセルの上下関係を把握しようとすると問題が起こる

画像認識は、AIが行う処理において「分類」に該当します。前章までのニューラルネットワークの解説で、画像認識についても触れてきました。ですので、前章までに解説した仕組みさえあれば、画像認識の処理は問題なくできてしまいそうですよね。

しかし、前章までで解説したのは、あくまでもニューラルネットワークの“基本”にすぎません。実はニューラルネットワークの“基本”だけでは、画像の分類においては、推論も学習も、あまりうまくできません。この基本に対して、画像の分類のための仕組みを追加していかなくてはならないのです。その理由を、これから順に説明していきます。

まずはおさらいからです。

4章で解説したとおり、写真のJPEGファイルなどの画像を分類する際は、最初にその画像を1ピクセル単位に分割します。大きさ32×32ピクセルの画像なら、縦に32個、横に32個のピクセルが並びます。グレースケール画像の場合は、各ピクセルにおける256段階の白黒の濃淡を、0～255の数値で表します。

次に、その1ピクセルずつにしたデータを先頭から順に、ニューラルネットワークの入力層のノードへ、上から順に入れていきます。犬猫画像の分類の場合、出力層には「犬」と「猫」という2つのノードがあり、分類の結果として、その画像に写っているのが「犬である可能性の数値」と「猫である可能性の数値」が得られるのでした。

さらっと「1ピクセルずつにしたデータを先頭から順に、ニューラルネットワークに入力する」と説明しましたが、ここで1つ、大きな問題が生じます。

そもそも、画像認識を行うには、その画像に写っている物体の形状を調べる必要があります。形状を調べるには、上下左右のピクセルの位置関係を把握しなければなりません。

画像で格子状に並んでいるピクセルのデータを1つずつ先頭から順に入力する際、平坦な1列のかたちで入力することになります。

ピクセル同士が左右に並んでいた箇所の位置関係は、1列で入力してもすぐにわかりそうですよね。左のピクセルから順番に入力するのですから、入力層のノードの前後が、ピクセルの左右に該当します。

では、上下に並んでいた箇所の位置関係はどうでしょうか。

上下に並んでいた箇所の位置関係は、入力層のノードからエッジで結合した先にある、隠れ層のノードで把握できます。図6-1-01を見てください。格子状に並んでいたピクセルの1行目およびその下の2行目と、隠れ層の1番目のノードとの関係に着目した図です（入力層の各ノードは、「行，列」の形式で画像上のピクセルの位置を示しています）。この図6-1-01のように結合していれば、隠れ層の1番目のノードで、ピクセルの位置の上下関係がわかるのです。また、入力層のノードすべてが、隠れ層の2番目のノードにも結合しているのなら、そこでも上下関係は把握できます。

入力層のノードと隠れ層のノードがすべて結合していれば、もちろん画像の3行目以降のピクセルも、上下の位置関係が把握できます。

しかし、これではエッジの本数が非常に多くなり、それにともなって重みも大変な数にのぼります。すると、計算に膨大な時間を要してしまい、実用的ではなくなってしまいます。

つまり、空間的な情報を扱おうとすることで問題が生じてしまうのです。

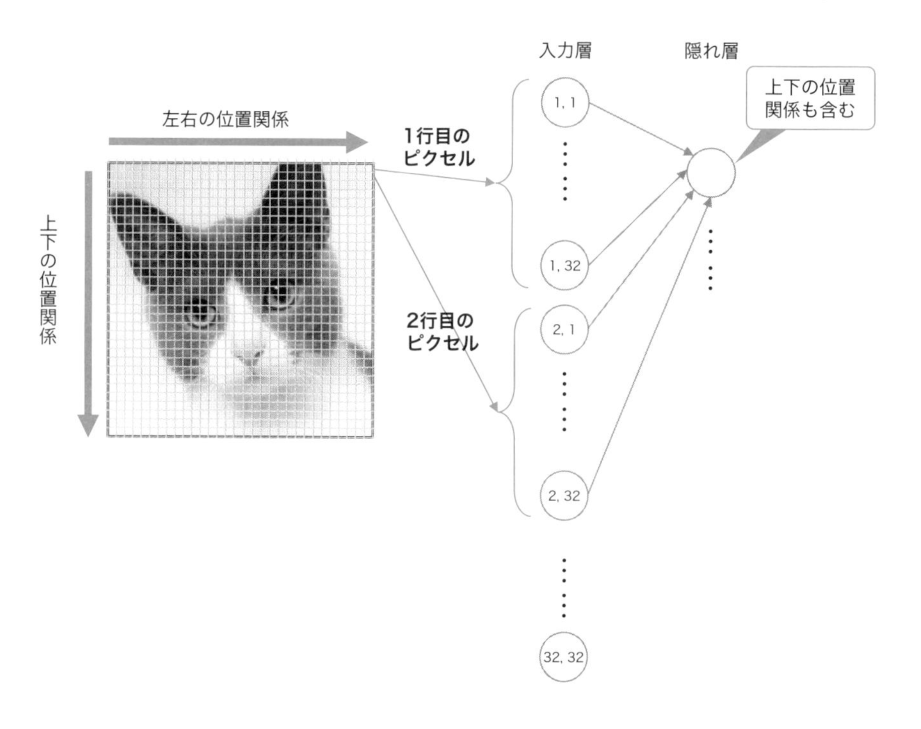

図 6-1-01　ピクセルの上下の位置関係がわかる

カラー画像でも深刻な問題が

ここまでは、グレースケールの画像を扱うという前提で話を進めてきました。しかし、空間的な情報の問題は、カラー画像の場合でも生じます。と言いますか、グレースケールの画像よりも問題は深刻化します。

カラー画像のデータは、1つひとつのピクセルがそれぞれ色を持っています。1つのピクセルの色は、赤（R）、緑（G）、青（B）という光の三原色に分解できます。そのRGBそれぞれの濃淡を組み合わせることによって、1つの色を表しているのです。

1つのピクセルにおいて、RとGとBの濃淡は、それぞれ0～255の数値で表します。

たとえば赤ならば、Rの値が最大の255であり、GとBは0といったデータです。Rの値が100%ですね。

1つの画像は、そのようなRとGとBの数値を、画像の大きさに応じたピクセル数だけ持っているのです。大きさ32×32ピクセルのカラー画像なら、Rの数値が32×32個、Gの数値が32×32個、Bの数値が32×32個あるということです。

また、見方を変えると、1つのカラー画像は、RとGとBの画像3枚ぶんのデータを持っていると言えます。そのRとGとBの3つの画像を重ね合わせて、1つのカラー画像を構成しているイメージです（図6-1-02）。

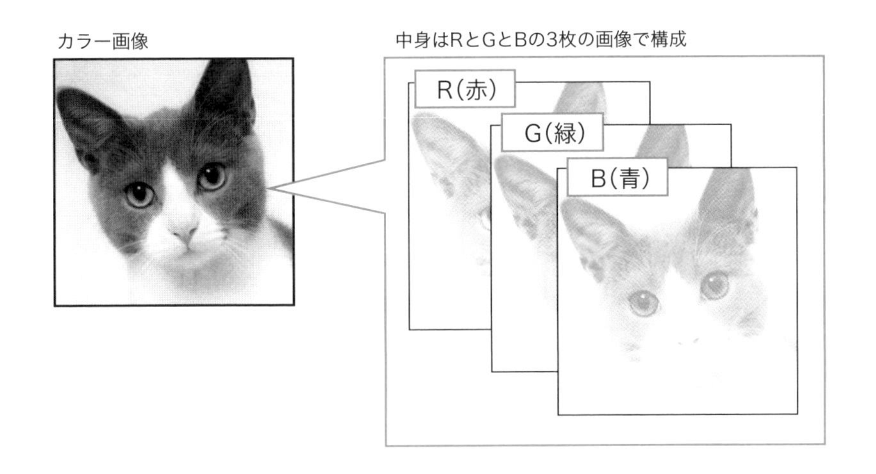

図6-1-02　カラー画像の構造

グレースケール画像よりも問題は深刻化する、と言ったのはこの点です。カラー画像は理屈のうえでは、「RGBというそれぞれ個別の色情報を持った3つのピクセルが、同じ位置に存在する」わけです。これらRGBのピクセルをすべて踏まえて形状を調べようとすると、グレースケール画像に比べてピクセル数は3倍になってしまい、さらに処理時間が長くなってしまうのです。

画像認識にはCNN

グレースケールの画像にせよカラーの画像にせよ、ニューラルネットワークを使った画像認識では、こうした「空間的な情報」を効率よく扱うことについての問題に直面します。

この問題を解決するのが、「CNN」(Convolutional Neural Network) という仕組みです。

CNNを使えば、ピクセルの上下関係といった空間的な情報も扱え、なおかつ、処理時間を少なく抑えられるようになり、推論も学習もうまく処理できます。

CNNはニューラルネットワークの発展形です。「Convolutional Neural Network」は、日本語で「畳み込みニューラルネットワーク」と言います。画像認識の仕組みの定番と言える存在です。

次節から、CNNについて見ていきます。

CNNはどのような考え方に基づいた仕組みなのか。
なぜ「空間的な情報」の問題を解決できるのか。
どのような仕組みで画像認識を行うのか。
「畳み込み」とは何を意味しているのか。

などを順番に解説します。

6-2 CNNの大まかな仕組み

画像を区分けして特徴を見ていく

本節では、CNNを使った画像認識の仕組みのもととなっている考え方について解説します。

CNNでは、認識の対象となる画像(以下、認識対象画像)を、小さな四角形の領域ごとに見ていきます。出発点となる発想は次のとおりです。

前節でも述べたとおり、画像認識を行うには、その画像に写っている物体の形状を調べる必要があります。CNNでは、犬と猫の分類ならば、「猫の耳のとがった部分の形状」「犬の口の部分の形状」など、画像内のある領域に着目し、そこに存在する形状を認識します。そのうえで、「とがった耳が認識できたから、これは猫が写っている」といったように、犬か猫かを分類します（図 6-2-01）。つまり、画面全体ではなく、小さな領域ごとに形状を調べて分類するのです。

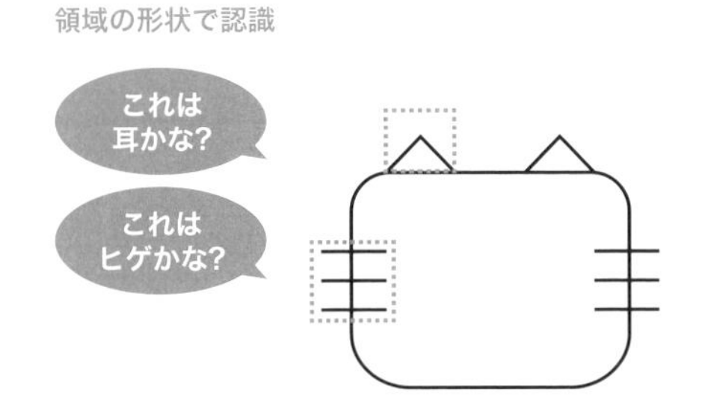

図 6-2-01　領域の形状を調べて分類する

簡単な具体例を挙げて解説しましょう。ここでは、猫の画像認識を例に解説します。図 6-2-02 を見てください。少々極端な例ですが、まずは認識の対象となる猫の画像を縦横にそれぞれ 5 等分したと仮定します。すると、縦 5 × 横 5 で計 25 の小さな四角形の領域に分割されます。

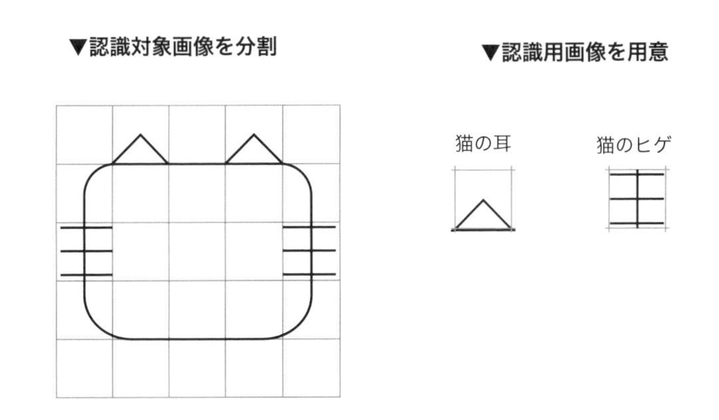

図 6-2-02　認識対象画像と、「猫の耳」と「猫のヒゲ」の認識用画像を用意

次に、認識作業に使う画像を用意します（以下、認識用画像）。これは、認識対象画像とは別の画像です。大きさは、先ほど認識対象画像を分割した際の小さな四角形の領域と同じサイズにそろえます。

この認識用画像は、何種類か用意します。図 6-2-02 では、「猫の耳」と「猫のヒゲ」の2種類を用意しました。いずれの認識用画像も、猫の特徴を表すものです。

さらに、「こういう画像なら猫と見なす」という条件も、猫の特徴に従って定めておきます。ここでは、以下の条件にしました。

(A) 画像の中に、猫の耳と猫のヒゲがある
(B) 耳は2つある。ヒゲは2箇所にある
(C) 2つの耳、2箇所のヒゲは左右に位置する。耳とヒゲは上下に位置する

これで準備完了です。いよいよ認識を行います。

まず、認識対象画像に、「猫の耳」や「猫のヒゲ」と同じ形状がないかをチェックします。条件(A)の作業です。

この作業は、認識対象画像の25分割した領域すべてに対して行います。認識対象画像の左上の領域から出発し、右方向に1つずつ移動しながらチェックします。一番上の段(1行目)の5列目(右端)までチェックし終えたら、2行目のチェックに移ります。以降、同様に5行目まで順に、ちょうど「Z」を描くような軌跡で移動(走査)して、チェックしていきます(図6-2-03)。

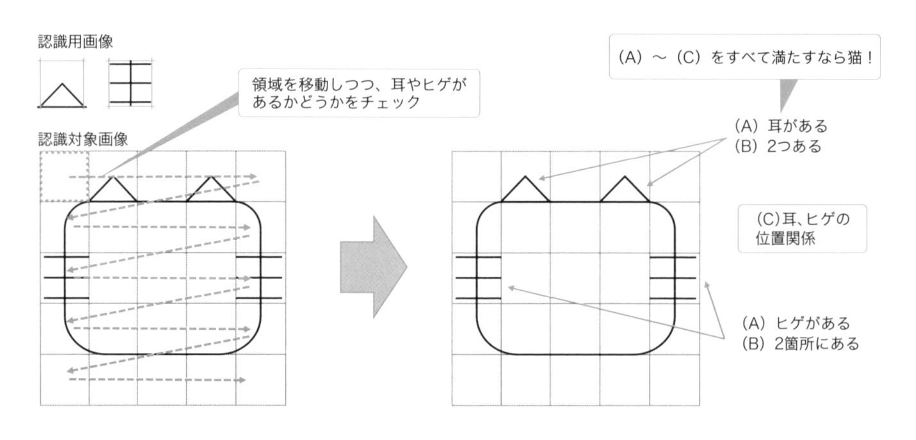

図6-2-03　認識用画像と同じ形状があるのか、認識対象画像の左上から順に調べる

チェックがすべて終わると、認識対象画像の25分割した領域それぞれで、猫の耳があるのか、ヒゲがあるのかがわかります。認識対象画像全体で見れば、「猫

の耳」と「猫のヒゲ」の認識用画像がどの場所にあるのか、また、合計いくつあるのかがわかります。

言い換えると、認識対象画像の中に、猫のどの特徴がどこにどれだけあるのかが明確になったわけです。

そして、これらのチェック結果が条件 (A) ～ (C) をすべて満たしているなら、この画像は猫であると判断できます。

以上が、CNN による画像認識の仕組みの元となっている考え方です。

さらに小さな領域でチェック

「猫の耳」や「猫のヒゲ」に加えて、「猫の鼻」などのように、認識用画像の種類を増やせば、より正確に猫を認識できるでしょう。犬も認識できるようにしたければ、その認識用画像も追加します。

しかし、耳やヒゲだけでは、猫か犬かを判別できないことがあるかもしれません。実際、「犬っぽい耳を持った猫」や「猫っぽいヒゲを持った犬」もいるでしょう。

耳やヒゲ、鼻などで判別できないのであれば、目や口など、猫と犬で形状の違う部位の認識用画像を追加で用意すればよさそうです。

でも、そんなふうに認識用画像の種類を増やしていくだけでよいのでしょうか。

確かに、認識用画像の種類を増やしていけば、画像認識の精度や認識できる対象の幅は増えていきます。しかし、それを増やしていく作業は大変です。「猫と犬で形状の違う部位」の種類をひたすら増やしつつ探し続けることになります。そんなことをやり続けることは、いずれ限界を迎えるでしょう。

しかも、たとえ猫だけを認識する場合でも、認識対象画像に写っている猫の顔の大きさが違ったらどうでしょうか。認識対象画像の真ん中に小さく猫が写っている場合を考えてみてください。その認識対象画像を分割した領域に、認識用画像があるのかどうかをうまくチェックできなくなってしまいます。また、認識用画像が写っている位置のせいで、うまくチェックできないこともあるでしょう。

では、どうするか。

認識対象画像の四角形の領域を、もっと小さくするのです。

そもそも縦5 × 横5の計25で分割したことに、それほど意味はありません。もっと細かな領域でチェックできればよいのです。

では、認識対象画像を倍の縦横10ずつにして、縦10 × 横10 =計100の領域に分割しましょう。

同時に、認識用画像のサイズも、それにあわせて小さくします。さらに、認識用画像の中身も、「耳」とか「ヒゲ」などの形状ではなく、「縦線」「横線」「右上がり斜め線」「右下がり斜め線」など、シンプルで普遍的な形状にします。シンプルな形状の組み合わせなので、認識用画像の種類が少なくても、さまざまな特徴を表せます（図6-2-04)。

すると、先ほどの例の猫の耳なら、「右上がり斜め線があり、さらにそのすぐ右側に右下がり斜め線があれば、猫の耳と見なす」などの条件で認識できます。

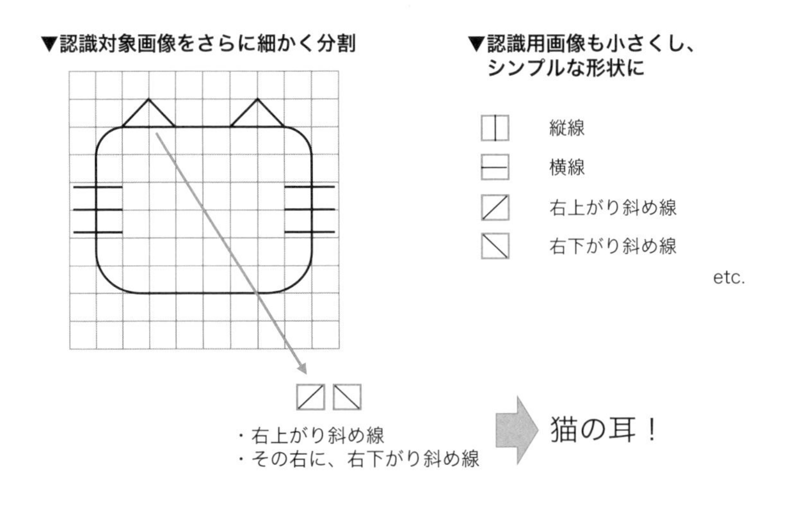

図6-2-04　細かく分割し、シンプルな認識用画像で調べる

しかもこの方法ならば、写っている猫の顔の大きさが違っても対応できます。もし、耳が大きく写っているなら、右上がり斜め線と右下がり斜め線を複数組み合わせるなど、認識用画像の数を増減させることで、猫の顔の大きさの違いに対応できます。

さらに、認識用画像を「Z」を描くように認識対象画像の上を移動（走査）させていく際にも工夫を施します。認識対象画像の上を、「分割した領域の単位」ごとではなく「1ピクセル単位」で認識用画像を移動させてチェックしていくのです。

これならば、認識用画像があるのかどうかを1ピクセル単位で調べていくため、耳が写っている大きさや、耳が写っている位置の違いも吸収できます（図6-2-05）。

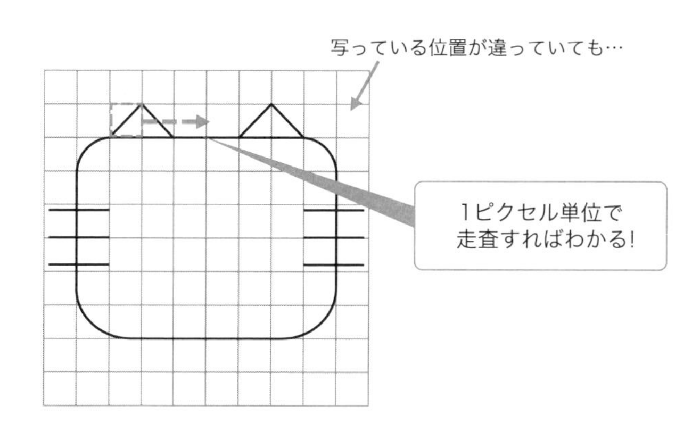

図6-2-05　細かく分割・走査すれば、大きさや位置の違いに対応可能

こういった方法で画像認識を行うと、コンピューターは耳やヒゲといった意味は考慮せず、「X種類の認識用画像と、1つの認識対象画像があり、双方がこのような位置関係にあるなら猫と見なす」などのように、形状のみで機械的に認識できます。

また、認識対象画像によっては、条件すべてを完全に満たすのではなく、ある程度満たしている場合も多々あります。特に、用意したすべての認識用画像と合致することは、そう多くはありません。そのような場合は、「この画像は80%の確率で猫だ！」など、確率で認識結果を出します。

CNNによる画像認識は、以上のような考え方が元になっています。なかでもポイントとなるのは、認識対象画像内に、認識用画像の形状があるのかどうかを調べることです。CNNではそれを計算によって行います。その計算こそが「畳み込み」です（図6-2-06）。畳み込みによって、ピクセルの上下関係など「空間的な情報」を扱いながら、処理時間を大幅に減らせているのです。

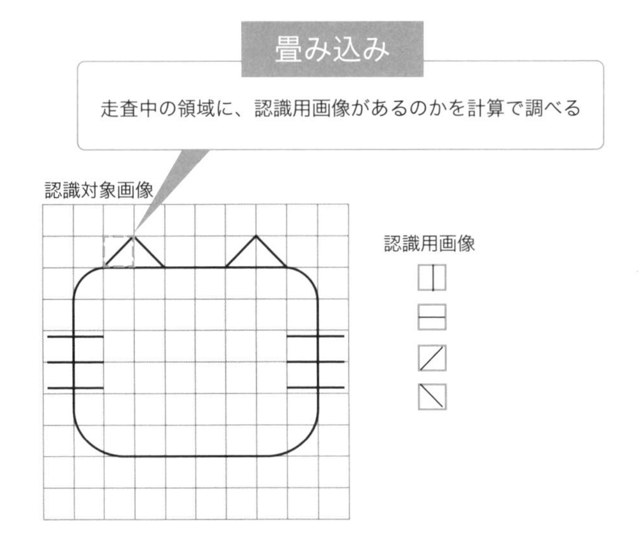

図 6-2-06 「認識用画像があるのか」を調べる計算が「畳み込み」

CNN の基本はわかりました。でも、これだけではまだ十分に理解できているとは言えません。

「畳み込み」は具体的にはどのような計算を行っているのか。
その計算結果から認識用画像の形状が認識対象画像にあるのかどうかを、どうやって調べているのか。
なぜ「空間的な情報」を扱いながら、計算時間を減らせるのか。

などを、次節から 6-6 節にかけて詳しく解説します。CNN を使った画像認識の工夫に驚かされるでしょう。

6-3 畳み込みは「カーネル」で行う

同じ場所のピクセルの値の積和

認識対象画像で走査中の領域に認識用画像の形状があるのかどうかを調べる

計算が「畳み込み」です。畳み込みの計算を詳しく見ていきましょう。

畳み込みの計算は、認識対象画像と認識用画像のピクセルを使って行います。この認識用画像のことを、専門用語で「カーネル」と呼びます。ここで解説している例では、前節で紹介した「右上がり斜め線」などのような認識用画像のことです。なお、カーネルは「フィルター」と呼ばれる場合もあります。

画像はピクセルの集まりであり、各ピクセルは色の濃淡を数値で表しています。認識対象画像の走査中の領域は、その画像の一部です。カーネルも画像です。ゆえに、それぞれ各ピクセルで数値を持っています。

前節の最後のあたりで、以下のように述べました。

> CNN による画像認識（中略）のポイントとなるのは、認識対象画像内に、認識用画像の形状があるのかどうかを調べることです。CNN ではそれを計算によって行います。その計算こそが「畳み込み」です

畳み込みとは計算です。その計算とは、

「カーネル」と「走査中の領域の各ピクセルの数値」の積和を求める計算

です。この積和の計算をやってみましょう。

認識対象画像の走査中の領域とカーネルにて、同じ位置のピクセルの数値をそれぞれ掛け、それらの値を足し合わせます。積を足し合わせることを積和と呼ぶと、前に説明しましたね。

この計算は具体例を見た方が理解が早いので、図 6-3-01 の例で解説していきます。以下の前提条件で話を進めます。

認識対象画像

形状　：　「×」(バツ印)

サイズ　：　8×8 ピクセル

カーネル

形状　：　右下がり斜め線

サイズ　：　3×3 ピクセル

認識対象画像

1	0	0	0	0	0	0	1
0	1	0	0	0	0	1	0
0	0	1	0	0	1	0	0
0	0	0	1	1	0	0	0
0	0	0	1	1	0	0	0
0	0	1	0	0	1	0	0
0	1	0	0	0	0	1	0
1	0	0	0	0	0	0	1

形状　「×」
サイズ　8×8ピクセル

カーネル（ア）

1	0	0
0	1	0
0	0	1

形状　右下がり斜め線
サイズ　3×3ピクセル

図 6-3-01　例に用いる認識対象画像とカーネル

図 6-3-01 の下段に掲載しているカーネルは、以降は「カーネル（ア）」と表記します。

認識対象の「×」画像も、カーネル（ア）も、計算を極力平易にするため、各ピクセルの値はすべて 0 と 1 だけに単純化しています。値が 1 のピクセルを黒、0 のピクセルを白で、形状を表します。白と黒で表現した、8×8 ピクセルの画像です。

この「×」画像とカーネル（ア）の例で、実際に畳み込みの計算を行いながら仕組みを解説します。

では、畳み込みの計算を始めます。

「×」画像の左上から走査していくので、最初は左上の領域が畳み込みの対象です。そして、畳み込みの対象となる領域のサイズは、カーネル（ア）のサイズ（3×3ピクセル）と同じです。つまり、「×」画像の左上から3×3ピクセルが畳み込みの対象領域です。

これら3×3ピクセルのカーネル（ア）と畳み込みの対象領域について、同じ位置同士のピクセルの数値をそれぞれ掛け、それらを足し合わせ、積和を求めます（図6-3-02）。

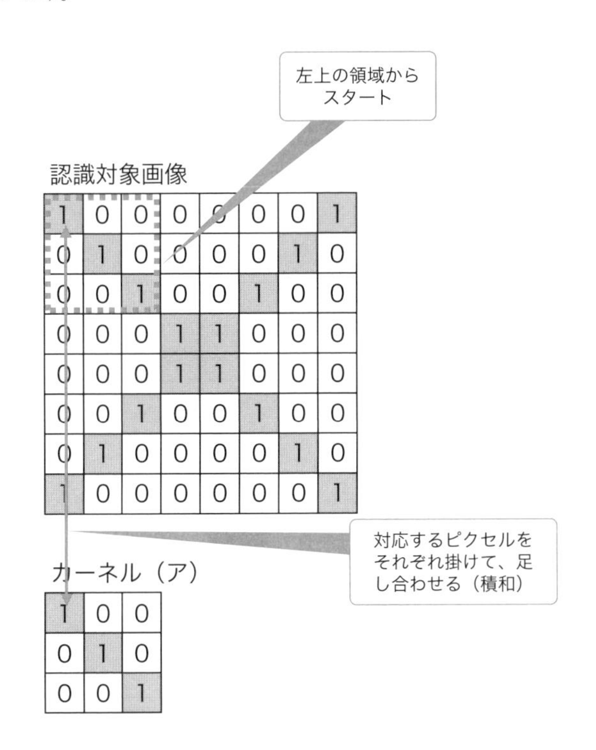

図6-3-02　認識対象画像の左上の領域で、カーネルとの積和を算出

すると、計算は図6-3-03のようになり、3という結果が得られます。

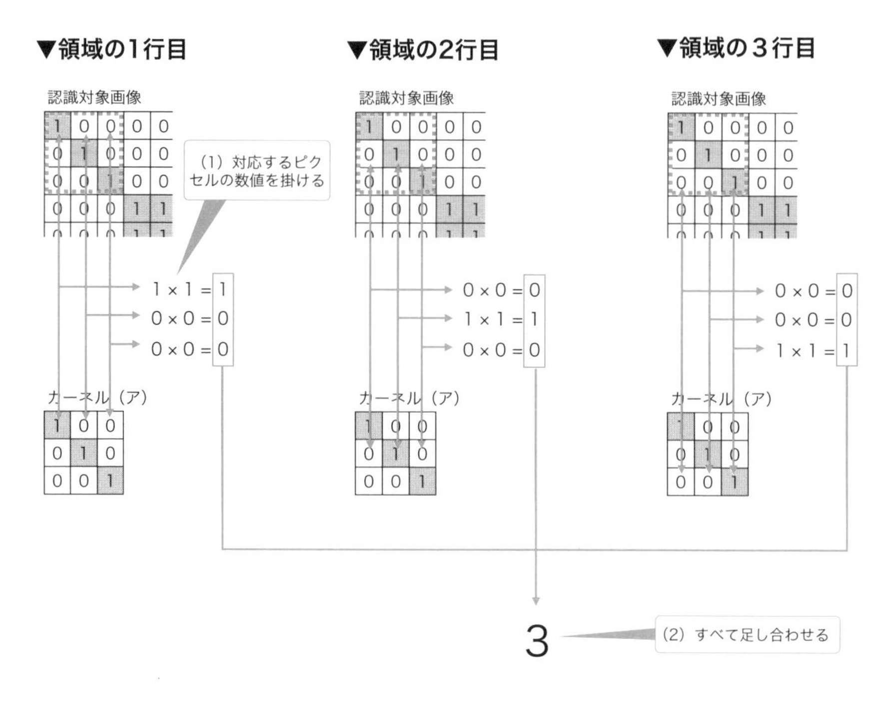

図 6-3-03　目的の領域とカーネルの積和を求める計算

畳み込みの計算結果は、このように1つの数値で得られます。

その積和の数値を、四角形のかたちに改めて並べていきます。その際、畳み込みに使った「×」画像の領域と同じ場所に並べます。「×」画像の左上の領域を使ったのならば、左上に並べます（図 6-3-04）。

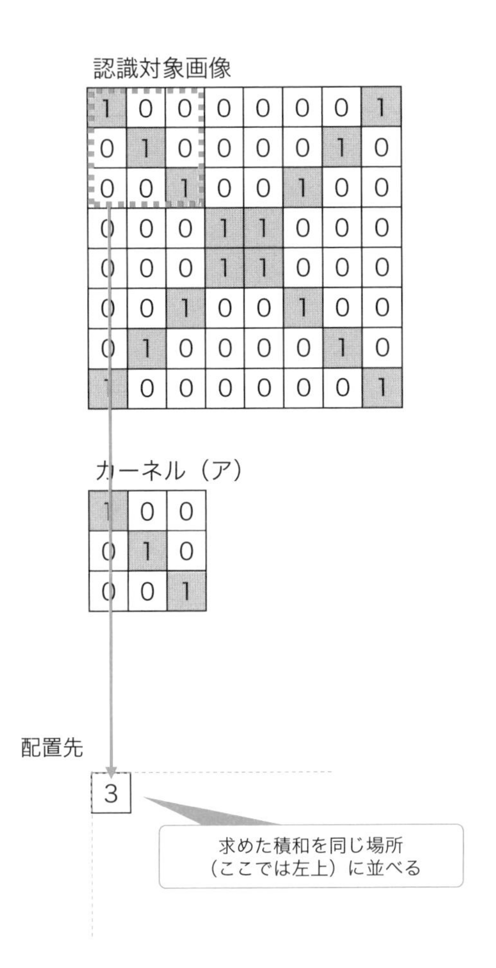

図 6-3-04　求めた積和を同じ場所に並べる

画面全体を走査して積和を配置

以上が、「×」画像の最初の領域（左上の領域）における畳み込みです。このように計算して結果を並べていく行為を、「×」画像の左上から右下まで、「Z」状に走査しながら、順に続けていくのです。

次は、認識対象画像の左上から1ピクセルだけ右に移動した領域が畳み込みの対象です。先ほどの左上の領域と同じく、カーネルと同じ位置のピクセルの数値の積和を求めます。実際に計算すると0になります。その結果を、左上から1ピクセルだけ右に移動した位置に並べます（図 6-3-05）。

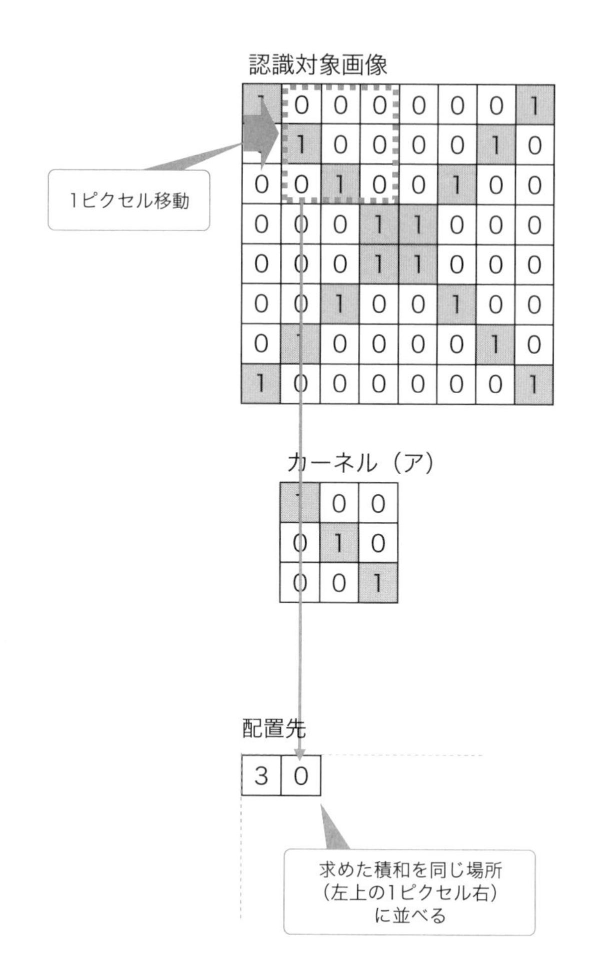

図 6-3-05　左上から 1 ピクセルだけ右に移動した領域での畳み込み

同様に畳み込みを続けると、左上から 5 ピクセル右に移動したところで、認識対象画像の右端に達します。認識対象画像の幅(横)が 8 ピクセルであり、カーネルの幅（横）が 3 ピクセルなので、5 ピクセル右に移動すると右端に達するのです (図 6-3-06 の (1))。その右端の領域の積和も、同様に計算して並べます。

その次は「Z」状に走査するため、また左端に戻り、かつ、1 行下に移動した領域が対象です（図 6-3-06 の (2))。求めた積和も同じく、左端に戻り 1 行下に並べます（図 6-3-06 の (3))。

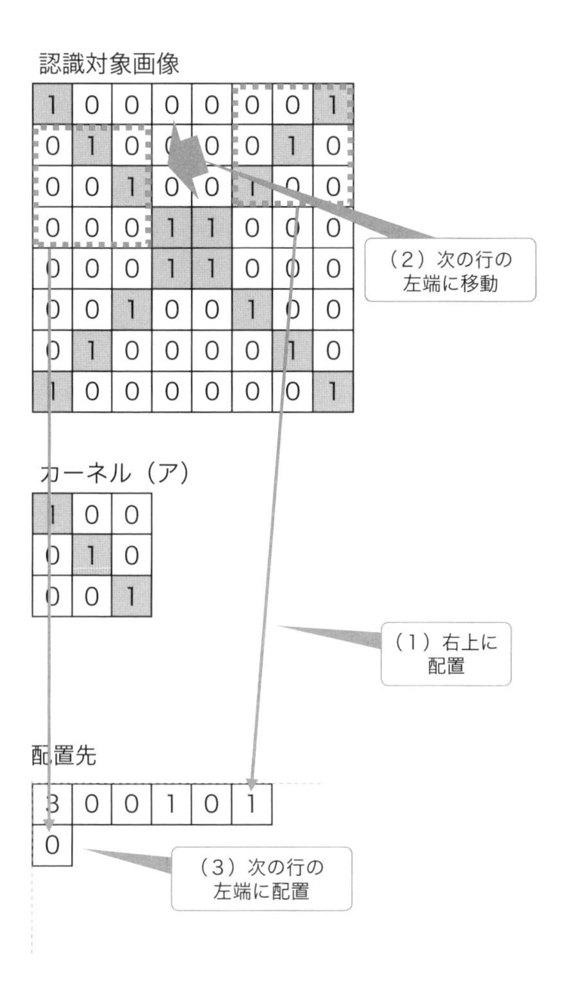

図 6-3-06　認識対象画像の右端に達したら、1 行下の左端に移動

同様の畳み込みを、「×」画像の右下（右の下端）に達するまで続けます。右の下端には、5 ピクセル下・5 ピクセル右に移動すると達します。認識対象画像の幅（横）と高さ（縦）は 8 ピクセルであり、カーネルの幅（横）と高さ（縦）が 3 ピクセルだからです。

図 6-3-07 の状態が、畳み込みの計算の最終的な結果です。6×6 ピクセルのマス目の中に数値を入れた四角形ができました。

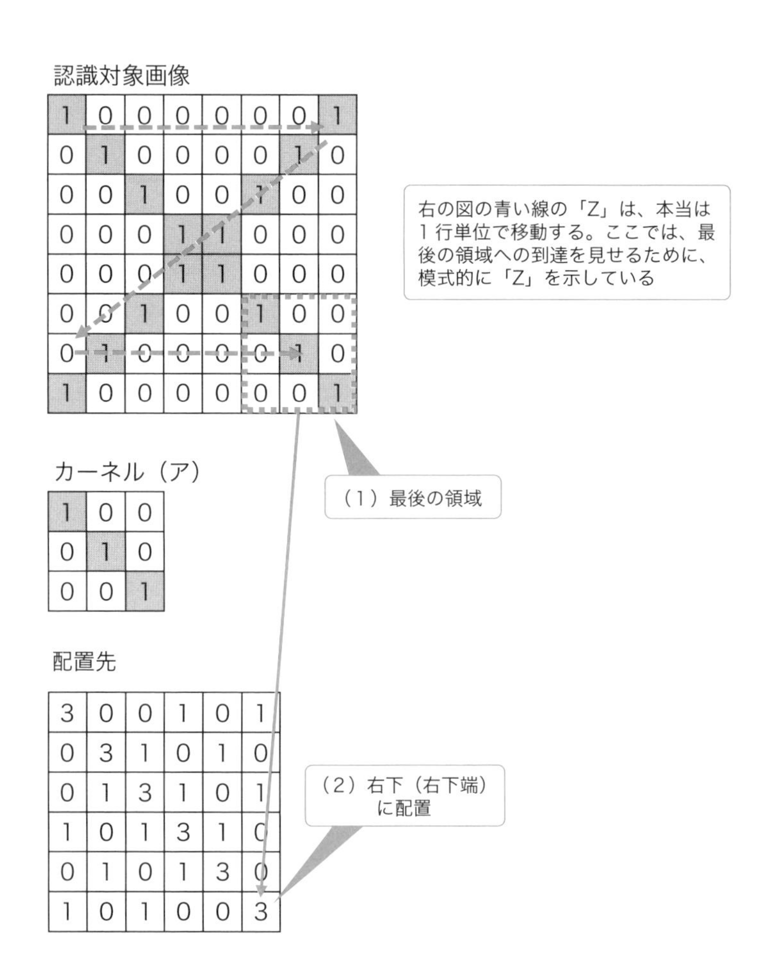

1	0	0	0	0	0	0	1
0	1	0	0	0	0	1	0
0	0	1	0	0	1	0	0
0	0	0	1	1	0	0	0
0	0	0	1	1	0	0	0
0	0	1	0	0	1	0	0
0	1	0	0	0	0	1	0
1	0	0	0	0	0	0	1

1	0	0
0	1	0
0	0	1

3	0	0	1	0	1
0	3	1	0	1	0
0	1	3	1	0	1
1	0	1	3	1	0
0	1	0	1	3	0
1	0	1	0	0	3

図 6-3-07　すべての領域で積和を求めた結果

以上の一連の処理が、畳み込みの計算です。図 6-3-07 のとおりに得られた結果が何を意味するのか、これが画像認識にどう役に立つのかは、次節で解説します。

6-4 カーネルから特徴マップを生成

畳み込みの結果から何がわかる？

前節では、CNN における畳み込みの仕組みを学びました。例として、8×8 ピクセルの「×」画像を認識対象画像にして、3×3 ピクセルの右下がり斜め線のカーネル（ア）で畳み込む計算を実際に行いました。

本節では、そこで得られた結果が何を意味するのか、画像認識にどう役に立つのかを解説します。

前節の図 6-3-07 の畳み込みの結果が示しているのは、

「認識対象画像」の各領域が、「カーネル」に対して“どれだけ似ているか”をそれぞれ数値で求め、その数値をマッピングしたもの

です。

畳み込みで得られたこの結果を、「特徴マップ」と呼びます。

特徴マップでは、「× 画像のこの領域は、右下斜め線のカーネル（ア）とこれだけ似ている」ということが、数値で表されています。言い換えると、「×」画像の領域ごとに、「このカーネルの形状とこれだけ似ている」という「特徴」が抽出されたのです。

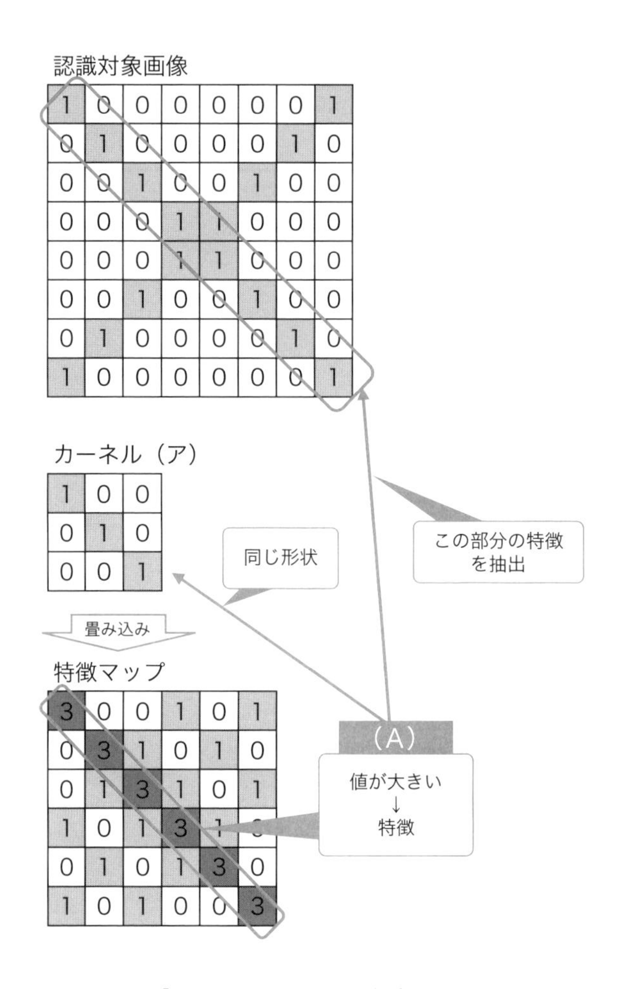

図 6-4-01 「×」画像をカーネル（ア）で畳み込んだ結果

図 6-4-01 を見てください。この図では、領域ごとの畳み込みの結果（積和の値）が、特徴マップの各ピクセルの値で記してあります。この図ではそれらの値の大小をよりわかりやすくするため、値に大きさに応じて、特徴マップのピクセルの色を濃くしています。

各値を見ると、図 6-4-01 の特徴マップの（A）の部分の値が 3 で、最も大きくなっています。(A）の部分の形状は右下がり斜め線であり、「×」画像の右下がり斜め線の部分に該当します。そして、(A）の部分はカーネル（ア）と大きさこそ異なりますが、全く同じ形状です。このようにカーネル（ア）による畳み込みによって、「×」画像に存在する「右下がり斜め線」の部分の特徴を抽出できたのです。

でも、“どれだけ似ているか”が積和でわかるのはなぜでしょうか。

それは、画像の対象領域とカーネルで、一致する部分が多いほど似ていると言えるからです。

一致する部分のピクセルは値がともに1なので、掛けると1になります。一方、一致しない部分はいずれかがゼロなので、掛けるとゼロになります。それらの合計（積和）は一致する部分の多さを意味し、値が大きいほど似ていることになります。

実際には、画像もカーネルも各ピクセルの値は1か0以外の値も取りますが、畳み込みの計算方法は全く同じであり、得られる結果の意味も基本的に同じです。

別のカーネルではどうなる？

次に、別のカーネルでも畳み込みをしてみます。「右上がり斜め線」の「カーネル（イ）」を使いましょう。その結果が図6-4-02です。

今度は（B）の部分の値が3で、最も大きくなっています。この部分は「×」画像の右上がり斜め線の部分に該当します。カーネル（イ）によって、「×」画像の右上がり斜め線の部分の特徴を抽出できました。

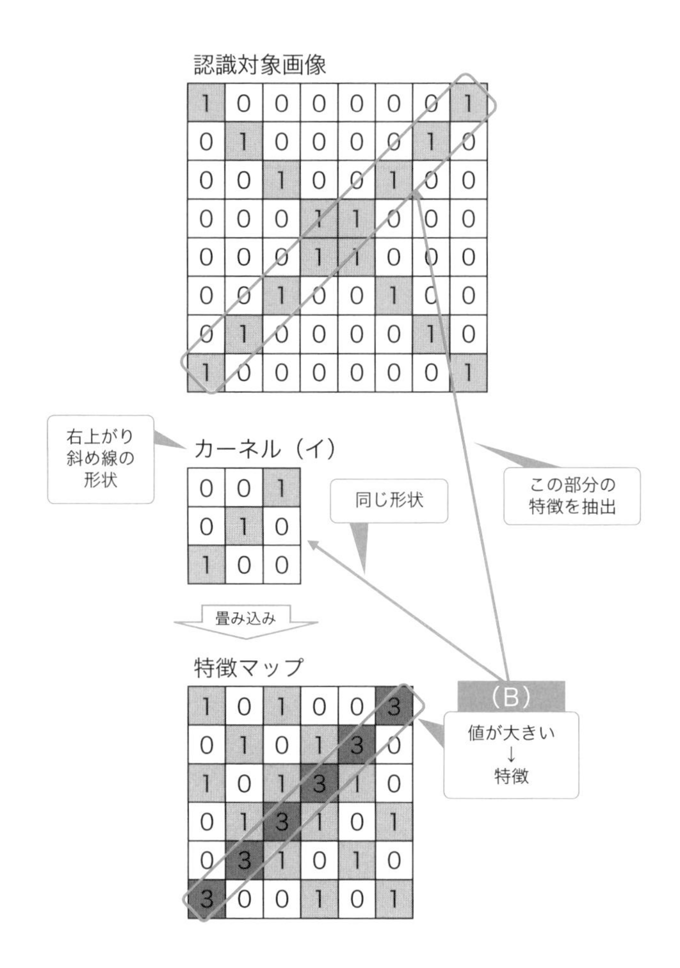

図 6-4-02 「×」画像をカーネル（イ）で畳み込んだ結果

以上の畳み込みの結果から、カーネル（ア）が右下がり斜め線の特徴を、カーネル（イ）が右上がり斜め線の特徴を捉えられることがわかりました。つまり、この 2 種類のカーネルを併用すれば、「×」画像を認識できるのです。

続けて、「カーネル（ウ）」で畳み込んでみます。これは、中央に縦線 1 本の形状のカーネルです（図 6-4-03）。

その結果に得られた特徴マップを見ると、「×」画像の中央部分（C）の特徴のみを捉えました。

中央部分はピクセル単位で見ると、4 つのピクセルで構成された正方形ですが、「2つのピクセルが縦に並んでおり、それが2組横に並んでいる」とも解釈できます。

縦棒の形状のカーネル（ウ）は、この2つのピクセルが縦に並んだ部分の特徴を抽出しました。

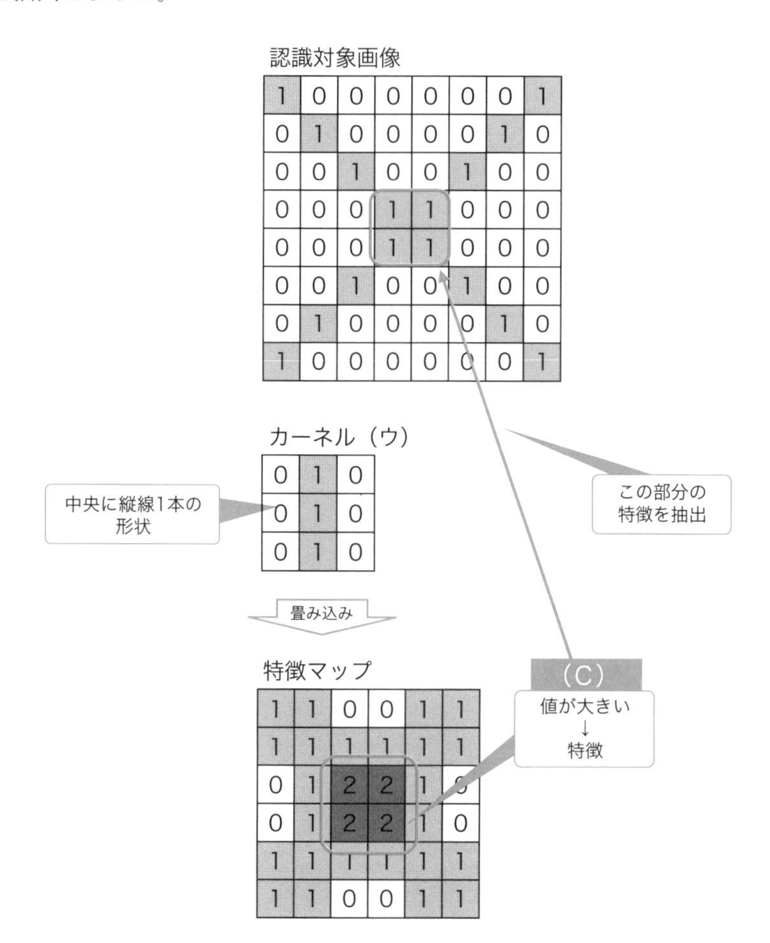

図 6-4-03 「×」画像をカーネル（ウ）で畳み込んだ結果

別の認識対象画像ではどうなる？

今度は認識対象画像を「×」から「○」に変えて、畳み込みを試してみましょう。

図 6-4-04 は、「○」画像をカーネル（ア）で畳み込んだ結果です。特徴マップは、

右上と左下の値が大きくなっています。「○」画像の右上と左下の部分をよく見ると、2×2 のピクセルが“右下がり斜め”で並んでいます。この部分の特徴を、カーネル（ア）が捉えたのです。

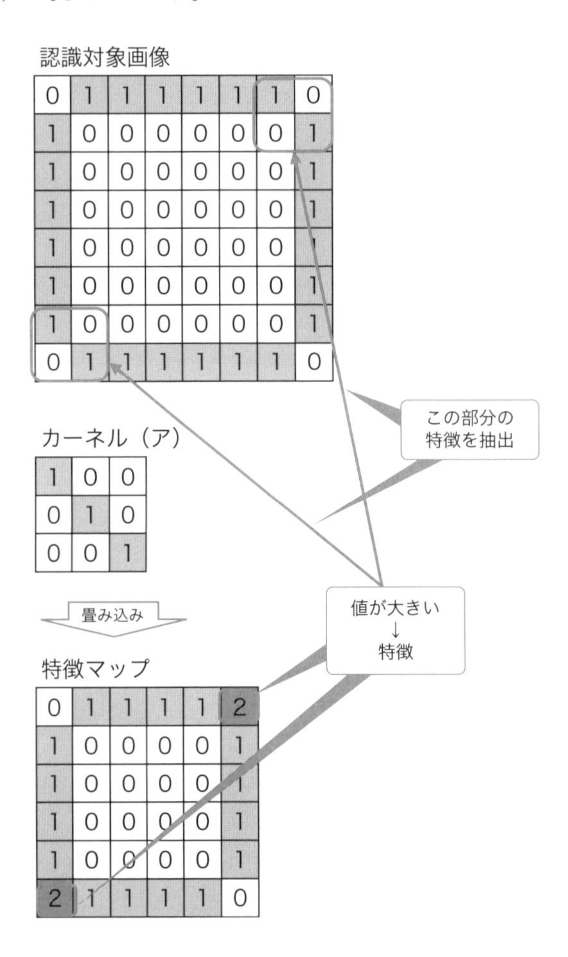

図 6-4-04 「○」画像をカーネル（ア）で畳み込んだ結果

「○」画像を、以下のカーネルで畳み込んだ結果も見てみましょう。図 6-4-05 ～図 6-4-08 がその結果です。それぞれで得られた特徴マップに注目してください。

カーネル(ウ) 中央縦線1本

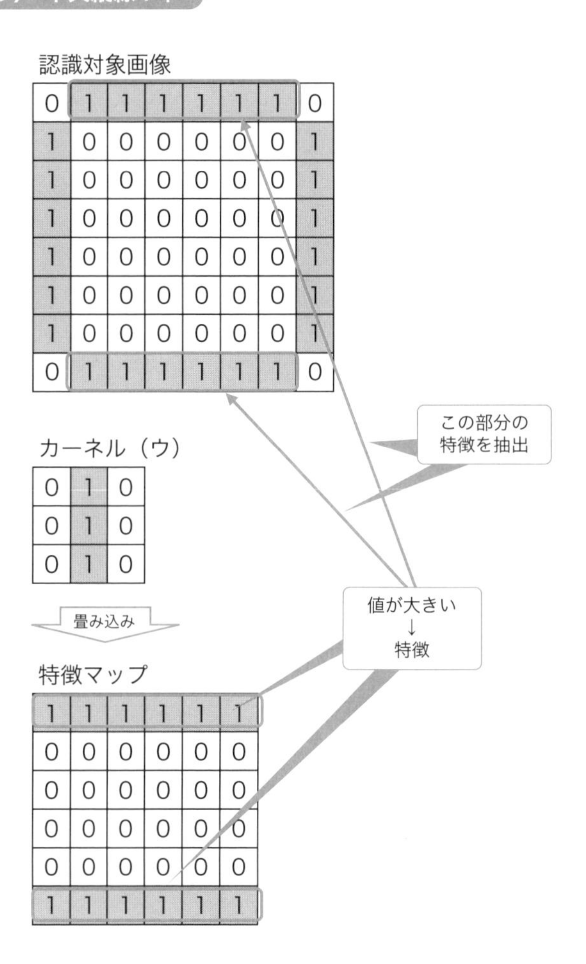

図 6-4-05 「○」画像をカーネル（ウ）で畳み込んだ結果

カーネル(エ)　左寄り縦線1本

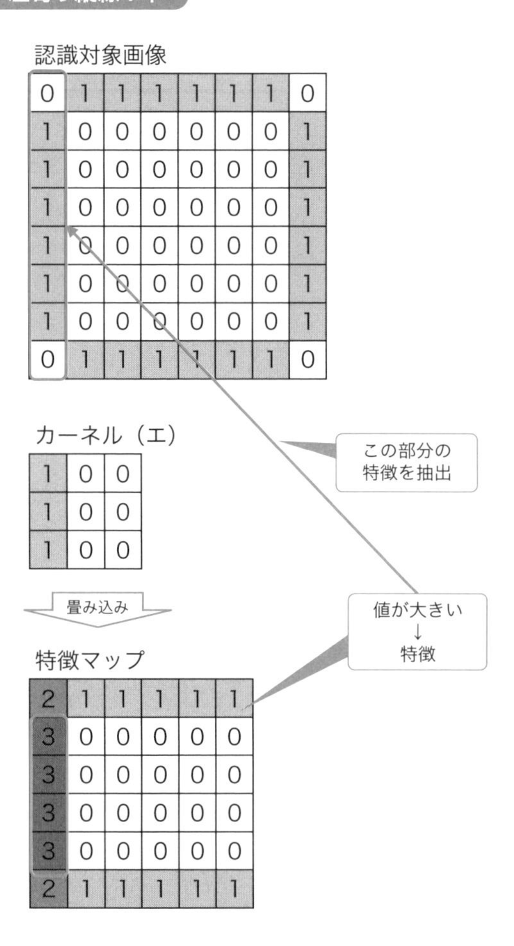

図 6-4-06 「○」画像をカーネル（エ）で畳み込んだ結果

カーネル（オ）　右寄り縦線１本

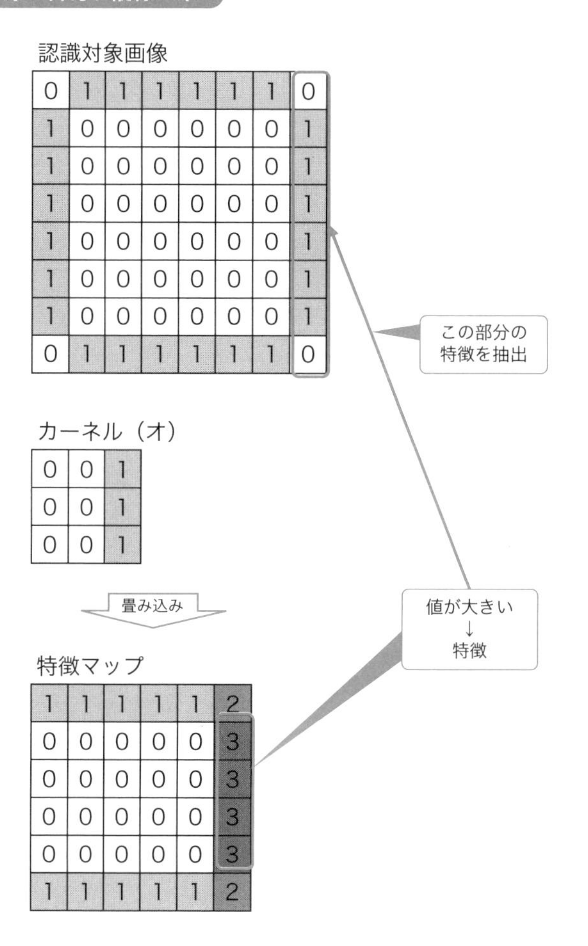

図 6-4-07　「○」画像をカーネル（オ）で畳み込んだ結果

カーネル（カ） 十文字

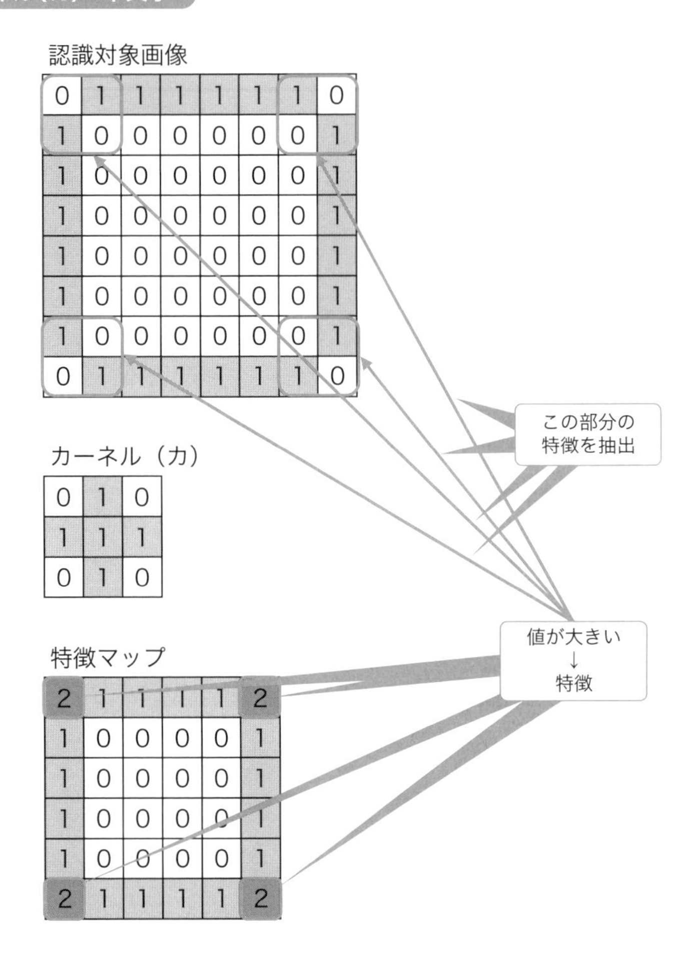

図 6-4-08 「○」画像をカーネル（カ）で畳み込んだ結果

各カーネルで「○」画像のどの部分の特徴を捉えているのかが異っていることがわかります。

特に図 6-4-05 では、

中央縦線 1 本のカーネル（ウ）では、「○」画像の縦棒の部分はあまり特徴を捉えられず、むしろ横棒の部分を特徴として捉えている。ただし、積和の結果は 1 であり、似ている度合いは小さいといった発見があります。カーネルの形状に応じて、認識対象画像のどの部分の特徴をどれだけ捉えられるのかが変わるのですね。

ということは、より適切な形状のカーネルをうまく組み合わせれば、認識精度をアップできそうです。

そこで次節では、カーネルや特徴マップについて、さらに深堀りしようと思います。

6-5 カーネルのサイズと移動距離

カーネルと特徴マップのサイズの関係

本節では、畳み込みのより詳細な仕組みとして、カーネルの大きさ（以下、カーネルサイズ）と特徴マップのサイズの関係、およびカーネルの移動距離について解説します。

最初に、カーネルのサイズと特徴マップのサイズの関係を解説します。

前節の畳み込みの例では、画像のサイズは8×8ピクセルであり、カーネルサイズは3×3ピクセルでした。それで畳み込みを行った結果、特徴マップのサイズは6×6ピクセルになりました。特徴マップは、なぜこのサイズになったのか、その理由をあらためて整理しましょう。その理由は、図6-5-01のとおりです。

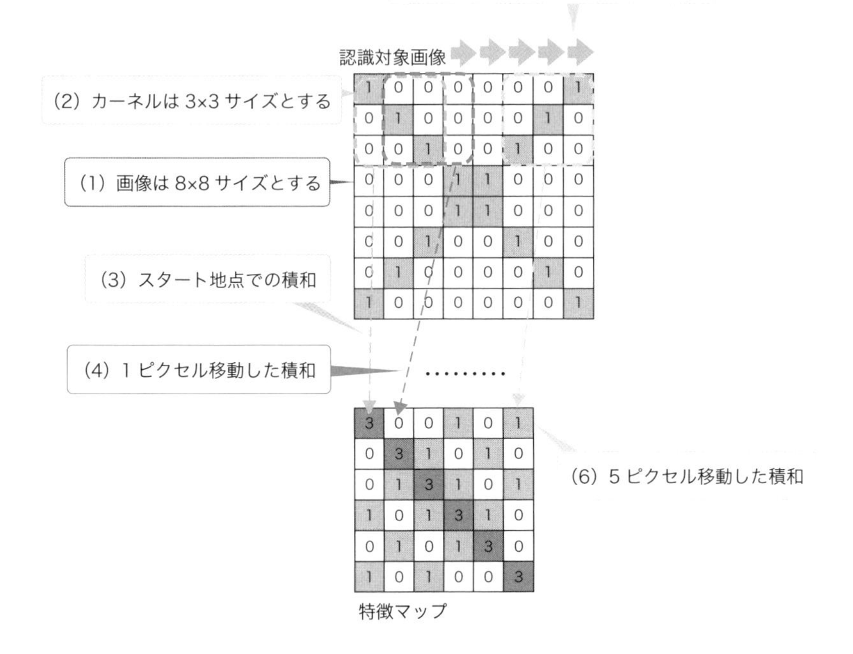

図 6-5-01　特徴マップのサイズの決まり方

3×3 のカーネルが画像の左上からスタートする際、カーネルの右端は、認識対象画像の 3 ピクセル目に位置します。

認識対象画像の幅は 8 ピクセルです。そのため、スタート地点からカーネルを 1 ピクセルずつ右に移動していくと、5 ピクセルぶん移動した時点で、カーネルの右端が認識対象画像の右端に達します。

特徴マップには、出発点での積和に、移動した 5 ピクセルぶんの積和が加わり、計 6 つの積和が並びます。ゆえに、幅が 6 となったのです。

ここまでは、6-3 節で解説しました。この「特徴マップの幅」を数式化すると、以下のようになります。

```
特徴マップの幅 ＝ 認識対象画像の幅 － カーネルの幅 ＋ 1
```

「特徴マップの高さ」も、上記の決まり方が縦方向になるだけで、原理は全く同じです。数式で表すと以下のようになります。

特徴マップの高さ ＝ 認識対象画像の高さ － カーネルの高さ ＋ 1

つまり、認識対象画像のサイズとカーネルのサイズによって、特徴マップのサイズが変わることがわかりました。

カーネルの移動距離

次に、カーネルの移動距離について解説します。

カーネルはこれまで、1ピクセルずつ移動させていました。この移動の単位を「ストライド」と呼びます。

CNNでは通常、横方向と縦方向は同じ量のストライドでカーネルを移動します。たとえば「ストライドが2」と言ったら、カーネルは横方向にも縦方向も2ピクセルずつ移動します（図6-5-02）。

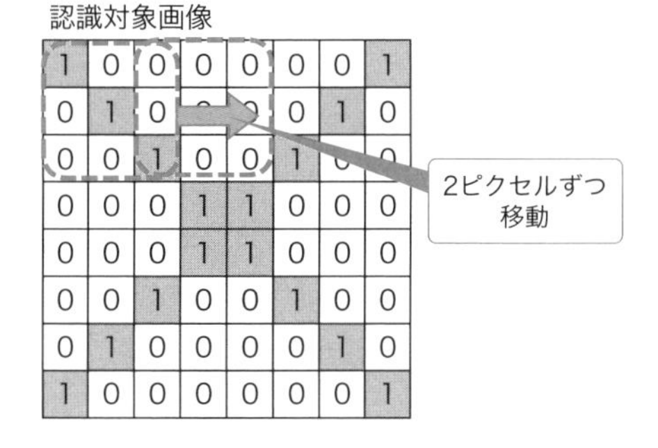

図6-5-02　ストライドが2の場合の例

ストライドを大きくすると移動する距離が増えるので、抽出できる特徴は大まかになります。一方、畳み込みの回数が減るので、処理は高速化します。

ストライドが変われば、特徴マップのサイズも変わります。数式で表すと以下のようになります。

（画像の幅 － カーネルの幅）／ ストライド ＋ 1

図6-5-02の例では、ストライドは2です。2ピクセルおきに畳み込むので、得られる特徴マップのサイズは3×3です。つまり、ストライドが大きくなると、特徴マップのサイズは小さくなります。

カーネルに“余白”を追加

また、畳み込みでは、「パディング」という手法が使われることもあります。パディングは、認識対象画像の上下左右端のピクセルをダミー的に増やす手法です。画像の周囲に“余白”を増やすイメージです。

なぜそんなことをするのかというと、画像の端のピクセルは通常、ほかの場所のピクセルに比べて、畳み込みの計算に使われる回数が少ないためです。

認識対象画像の上を、カーネルが左から右へ移動していくことをイメージしてみてください。認識対象画像の右端に達したカーネルは、そこで「Z」状に折り返します。つまり、認識対象画像の右端のピクセルは、カーネル内の中央や左端にあるピクセルで走査されることがないのです。それに比べると、認識対象画像の中央あたりにあるピクセルは、カーネル内の左右のピクセルにもしっかり走査されます。つまり、中央にあるピクセルは、畳み込みの計算に使われる回数が多いのです。

パディングで画像の周囲に“余白”を作れば、認識対象画像の上下左右端のピクセルも計算に使われる回数が増えます。つまり、画像の端まで、より特徴を抽出できるのです。また、畳み込みを何度も行うCNNでは、特徴マップのサイズが小さくなりすぎてしまうのを防ぐ目的でも使われます。

なお、増やしたピクセルの値には0が入れられるケースが多いです。値0のピクセルで、認識対象画像の周囲を囲みます。図6-5-03は、周囲を1ピクセル増やし、すべて0で埋めるパディングの例です。

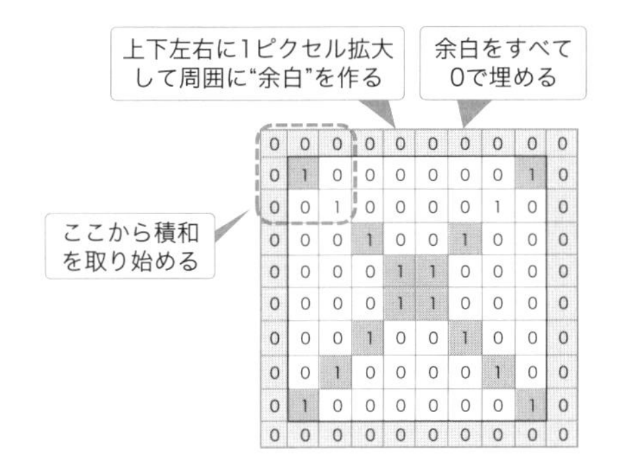

図 6-5-03 "余白"を 0 で埋めるパディングの例

6-6 畳み込みをニューラルネットワークに落とし込む

カーネルや特徴マップはどこの処理に該当するのか？

本節では、畳み込みがニューラルネットワークでどのように実現されているのかを解説します。まさに CNN（畳み込みニューラルネットワーク）の具体的な構造の解説です。

その中で、6-1 節で挙げた空間的な情報を扱う際の問題（エッジの本数が非常に多く、計算に時間がかかる）が、畳み込みで解決できることも説明します。

ここで、畳み込みの仕組みを振り返ります。

認識対象画像をカーネルで畳み込む。
畳み込みの処理とは、カーネルの範囲で認識対象画像とのピクセルの積和を求めること。
求めた積和の値を並べて、特徴マップを作成する。

この仕組みで出てくる要素は、ニューラルネットワークでは以下の箇所で処理されます。

認識対象画像 → 入力層
カーネル → 重み
特徴マップ → 隠れ層

CNN において、ノードがどのように結合しているのか、畳み込みの計算はどう行っているのかなど、具体的な構造や処理の流れを、シンプルな例を用いて解説していきます。

例は図 6-6-01 です。認識対象画像のサイズは 3×3 ピクセル、カーネルのサイズは 2×2 ピクセルとします。両画像の各ピクセルには、「行，列」の形式で場所を記してあります。「2,1」なら、2 行 1 列目のピクセルを表します。

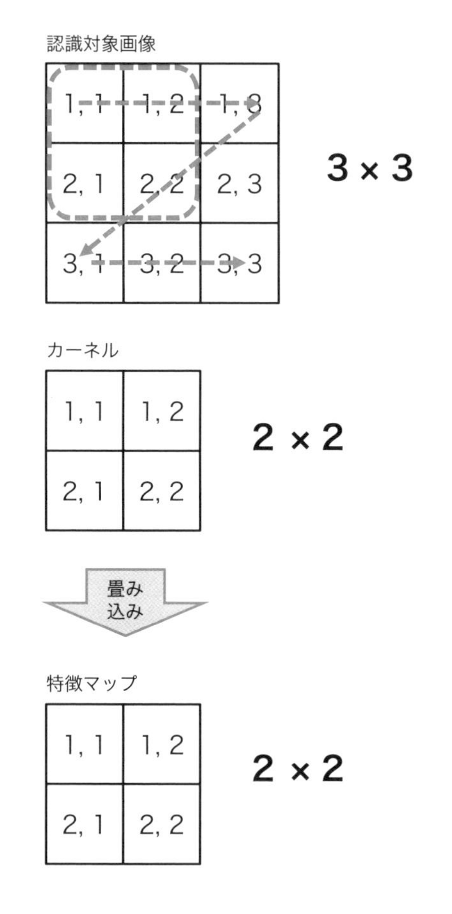

図 6-6-01　解説例に用いる認識対象画像とカーネル

この認識対象画像とカーネルで、畳み込みを行います。

ストライドを 1、パディングはなしとすると、特徴マップのサイズは 2×2 ピクセルです。横(幅)は認識対象画像が3ピクセル、カーネルが2ピクセルであり、横方向に1ピクセル移動すると右端に達します。縦方向についても同様であり、その結果、特徴マップは2×2ピクセルになります。前節で学んだ算出の式からも求められます。

この例において、認識対象画像を「入力層」、カーネルを「重み」、特徴マップを「隠れ層」に当てはめたのが、図6-6-02です。入力層と特徴マップのノード、およびカーネルについては、「行，列」の形式で画像上のピクセルの位置を示しています。

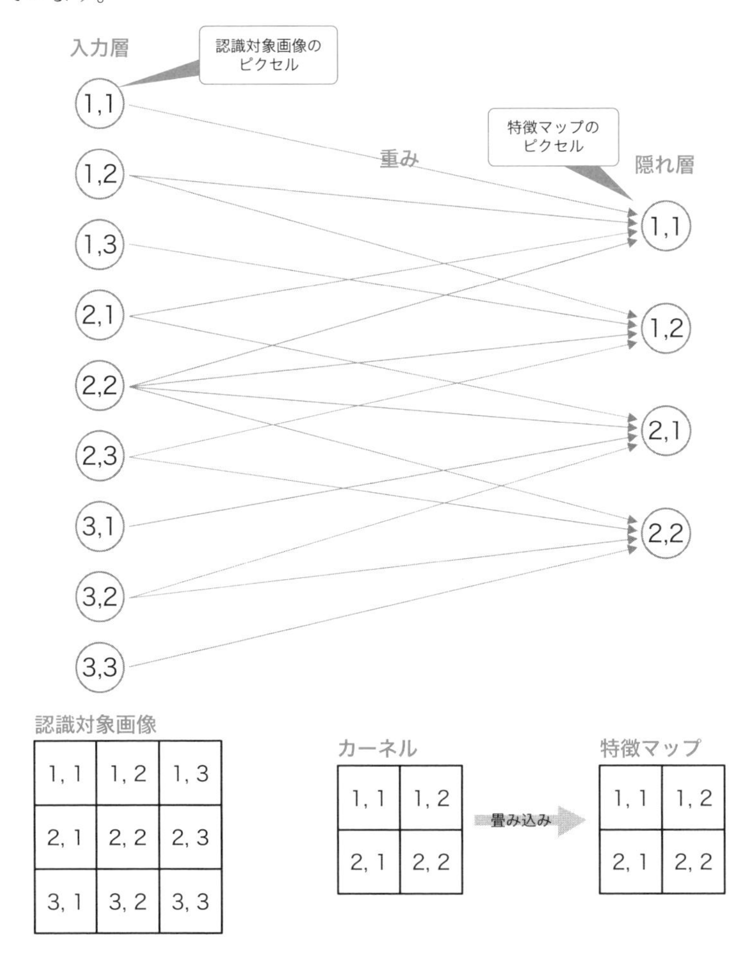

図6-6-02　認識対象画像と特徴マップのピクセルとノードの関係

6章

入力層の各ノードは、認識対象画像の各ピクセルです。サイズは3×3ピクセルなので、ノード数は3×3＝9です。隠れ層の各ノードは、特徴マップの各ピクセルです。サイズは2×2ピクセルなので、ノード数は2×2＝4です。

そのノードとノードの間を接続する線のそれぞれの重みは、カーネルの各ピクセルの値です。カーネルは2×2ピクセルなので、重みの数は2×2＝4です。それらの重みが入力層の各ノード（認識対象画像の各ピクセル）、隠れ層の各ノード（特徴マップの各ピクセル）とどのような関係になっているのか、順に解説していきます。

認識対象画像の左上を畳み込み

図6-6-03を見てください。認識対象画像の左上の領域(2×2ピクセル)にカーネル（2×2ピクセル）が位置した状態で畳み込みを行う様子を図にしたものです（図6-6-03の下)。認識対象画像の左上2×2ピクセルの領域は、入力層のノードでは、(1, 1)、(1, 2)、(2, 1)、(2, 2) の4つが該当します。図6-6-03の上では、これら4つのノードを接続するエッジ4本のみを太線で表示しました。

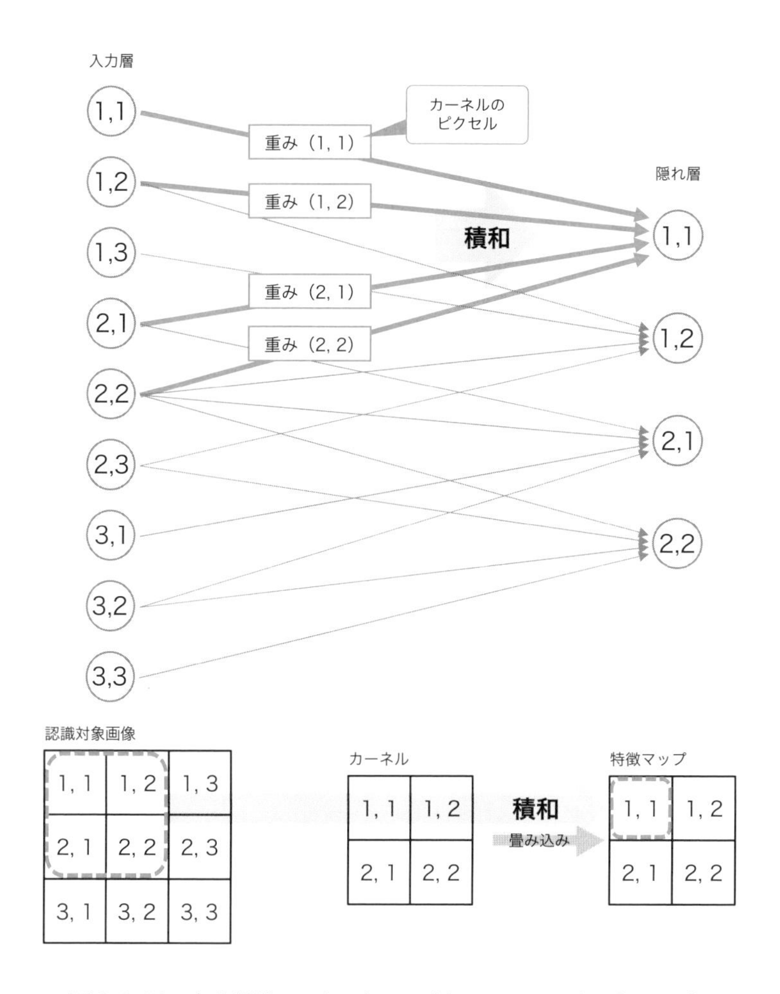

図 6-6-03　左上領域でのカーネルのピクセルとエッジの重みの関係

4本のエッジが伸びている先は、隠れ層の1つ目のノード(1, 1)です。このノードは、特徴マップの左上のピクセル（1, 1）に該当します。

そして、各々のエッジの重みが、カーネルの各ピクセルの値です。入力層の各ノードの値に、各エッジの重みを掛けて、足し合わせた結果（積和）が隠れ層の1つ目のノードの値になります。この処理がまさに、認識対象画像の左上にカーネルが位置した状態での畳み込み処理です。

カーネルが移動したらどうなる？

次はカーネルを１ピクセル右に移動した時点での畳み込みです（図6-6-04）。認識対象画像で畳み込む領域は、今度は右上の2×2ピクセルの範囲です。畳み込みで使われるピクセルのノードを接続するエッジのみ､太線で表示しています。

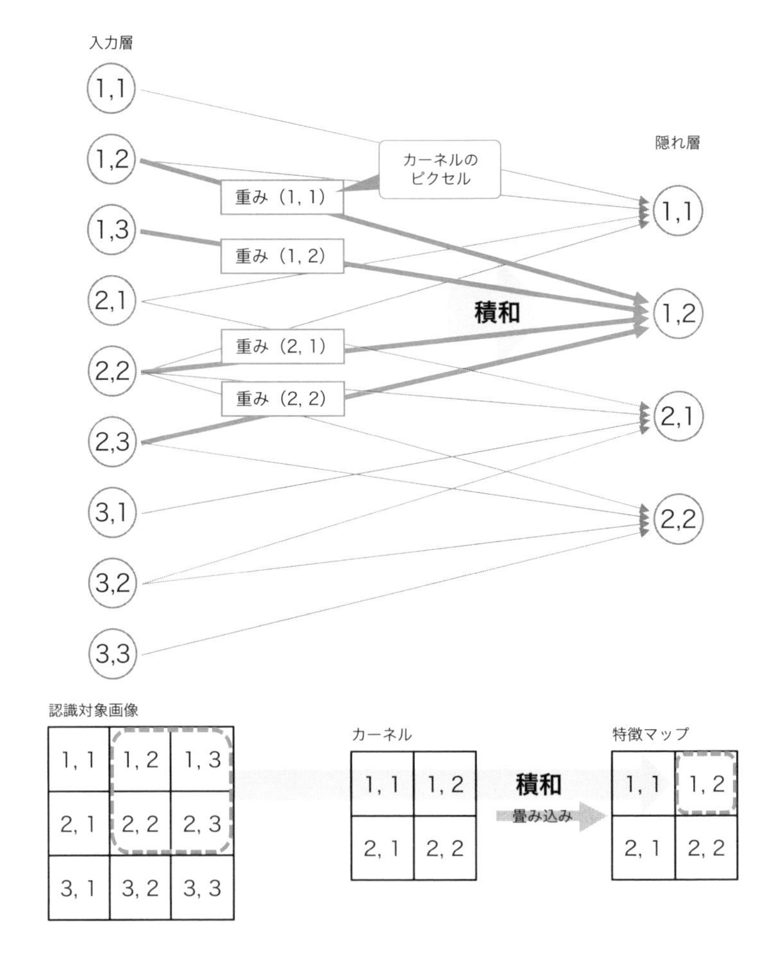

図6-6-04　右上領域でのカーネルのピクセルとエッジの重みの関係

４本のエッジがつながっている入力層の４つのノードに注目してください。これらのノードは、認識対象画像の右上2×2ピクセルの領域に該当します。場所は（1, 2）、（1, 3）、（2, 2）、（2, 3）です。カーネルが１ピクセル右に移動し、畳み込みの対象領域が１ピクセル右に移動したため、これら４つのノードが畳み込みに使われます。

４本のエッジが伸びている先は、隠れ層の２つ目のノード(1, 2)です。このノードは特徴マップの右上のピクセルです。

積和の計算に用いている重みは、カーネルの４つのピクセルの値です。畳み込みは同じカーネルを走査して行うため、積和の計算には毎回同じ重みを必ず使います。

さらに走査を続けます。先ほどカーネルが認識対象画像の右端に達したので、次は１ピクセル下の左端に移動します。この状態での畳み込みが図6-6-05です。

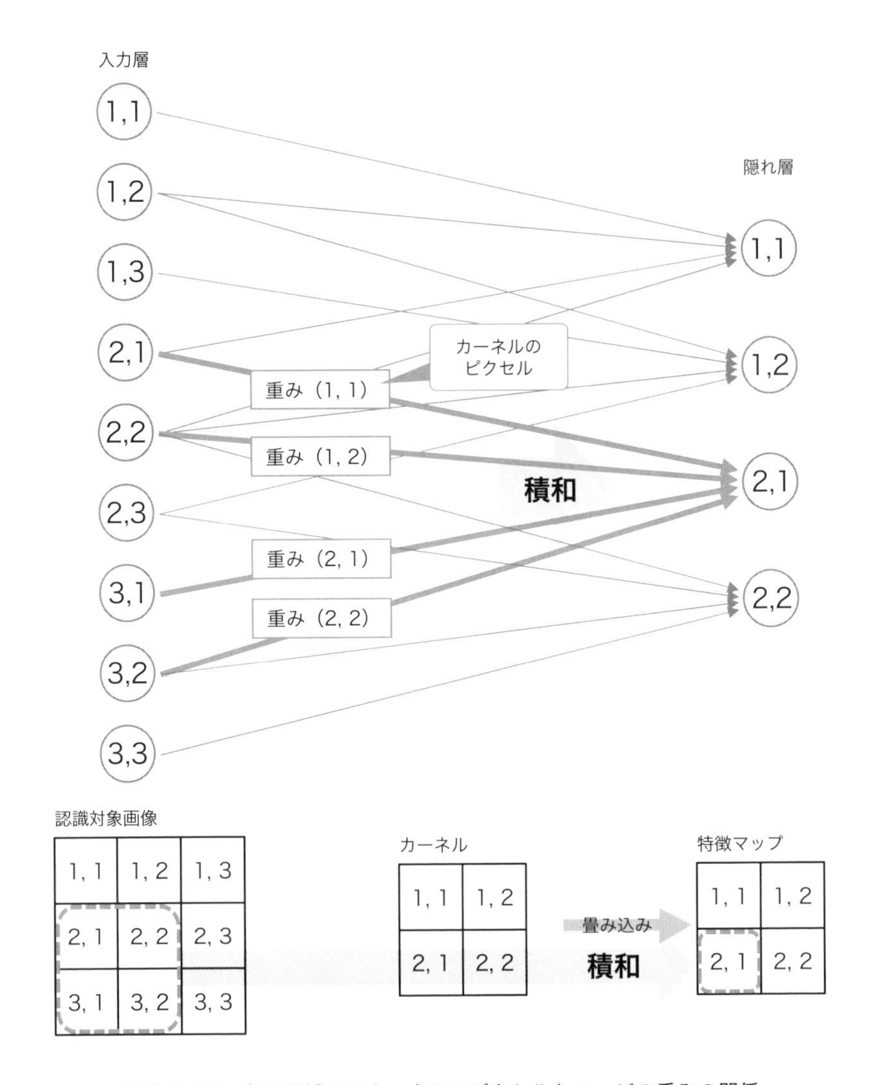

図 6-6-05　左下領域でのカーネルのピクセルとエッジの重みの関係

エッジは認識対象画像の左下 2×2 ピクセルから出ており、特徴マップの左下のピクセルにつながっています。積和の計算には同じくカーネルの重みを使っています。

最後が図 6-6-06 です。カーネルが 1 ピクセル右に移動した状態です。

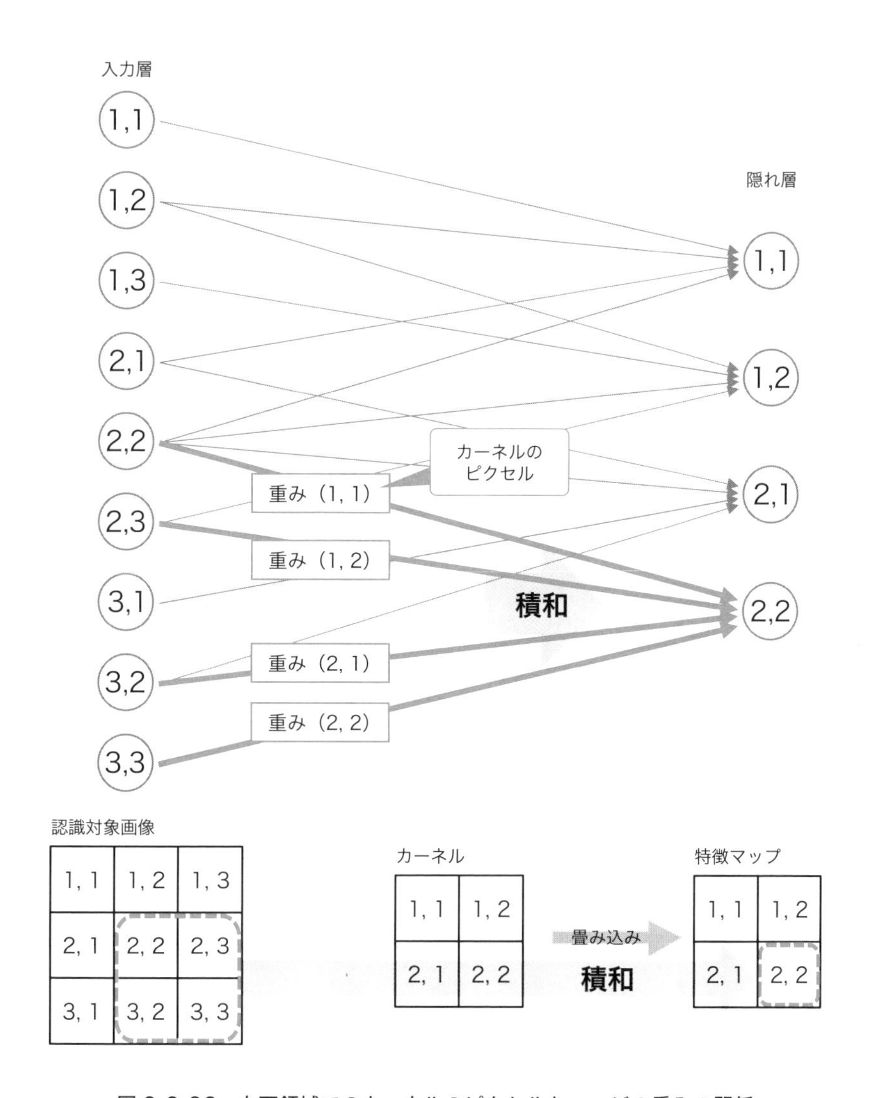

図 6-6-06　右下領域でのカーネルのピクセルとエッジの重みの関係

エッジは認識対象画像の右下 2×2 ピクセルから出て、特徴マップの右下のピクセルにつながっています。積和の計算には同じくカーネルの重みを使っています。

以上、図 6-6-03 ～図 6-6-06 がカーネルの位置ごとの畳み込みの処理です。

これらをすべてあわせたものが、畳み込みのニューラルネットワークの構造です。この特徴マップの隠れ層のことを、「畳み込み層」と呼びます。

なお、実際の処理にはバイアスもあります。認識対象画像とカーネルのピクセルの積和に、バイアスを足した値を特徴マップに渡しています。本節では解説をよりシンプルにするため、バイアスは0という前提（バイアスを足しても値が増えない）で解説しました。

カーネルの範囲だけで結合

畳み込みのニューラルネットワークの構造でポイントとなるのは、ノードの結合の形式（結び付き方）です。4章では、前の層にあるすべてのノードは、その後ろの層にあるすべてのノードと結合する、と述べました。このように、すべてのノードが結合する形式を「全結合」と呼びます。

図6-6-03から図6-6-06までを改めて見直すと、全結合にはなっていません。たとえば、入力層の（1, 1）のノードと隠れ層の（1, 2）のノードは結合していませんし、ほかにも結合していないノードがたくさんあります。このような形式を「部分結合」などと呼びます。

実は、図6-6-03～図6-6-06は、カーネルの範囲のみで結合しています。図6-6-07を見るとわかります。隠れ層(特徴マップ)の各ノードにはいずれも、エッジが4本つながっています。この本数はカーネルにあるピクセルの数と一致します。この4本のエッジの重みは、カーネルのピクセルの値になるのです。

入力層のノード（認識対象画像のピクセル）は、カーネルに該当するノードからのみエッジが出る構造になっています。カーネルは走査して移動していくため、1つのノードから複数のエッジが出ていますが、いずれもカーネルの位置に応じた領域のノードになっています。

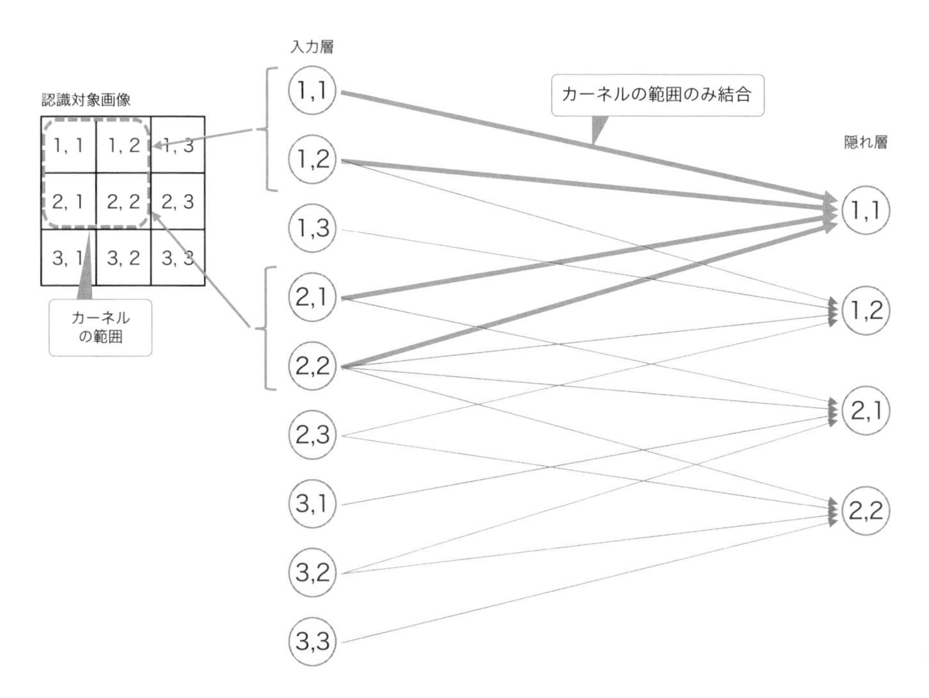

図 6-6-07　カーネルの範囲のみでノードが結合

このように、カーネルの範囲だけで結合しているということは、言い換えれば、この範囲の上下のピクセルの位置関係を踏まえて認識を行うようにニューラルネットワークを設計しているとも言えます（図 6-6-08）。

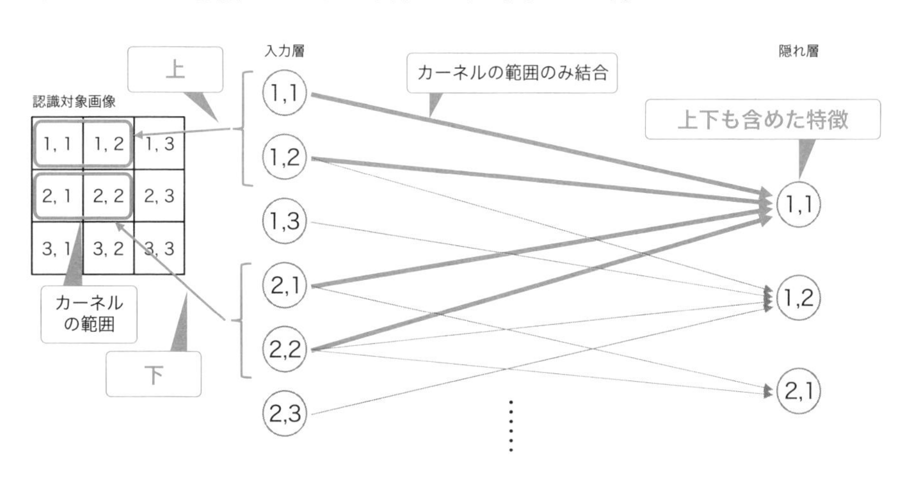

図 6-6-08　カーネルの範囲で上下のピクセルの位置関係がわかる

全結合はすべてのノードを結合します。反対に、畳み込みでの結合は全結合に比べ、結合の数、すなわち重みの数が大幅に少なくなります。結合の数が少ない——つまり、ノード間を結ぶエッジの本数が少ない——構造です（図6-6-09）。

これは、以下のように言い換えることもできます。

小さな領域（カーネル）で形状を調べていく際は、近くのピクセルだけが重要。つまり、カーネルの範囲だけを結合すればよい。一方、全結合にしてしまうと、どんなに遠いピクセルでも使おうとするため、ムダが多くなる

そのうえ、全結合は基本的に、エッジごとに異なる重みがあります。つまり、エッジの本数だけ重みがあり、それは膨大な数になります。図6-6-09の場合、重みの数（＝エッジの本数）は「入力層のノード数 × 隠れ層のノード数」です。

しかし、畳み込みでは重みはカーネルのピクセルの数だけなので、全体として重みの数ははるかに少ないのです。

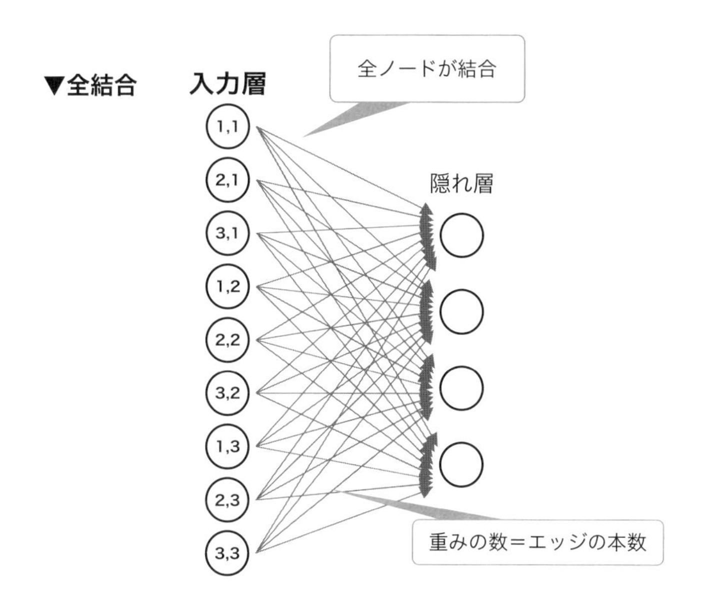

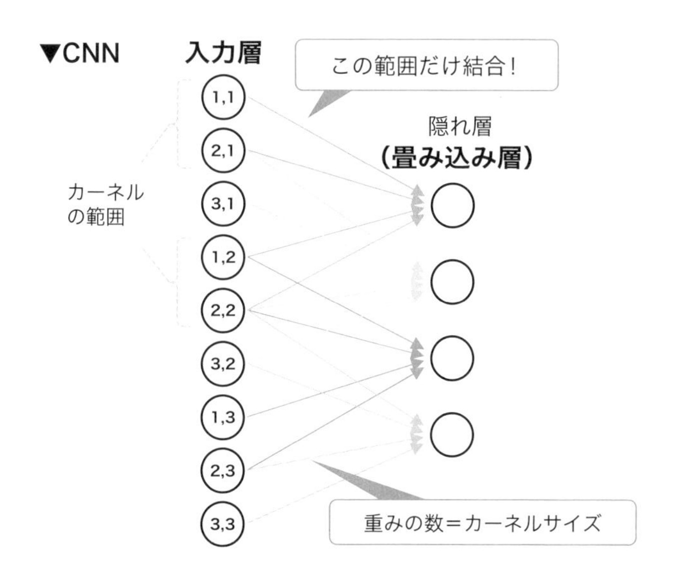

図 6-6-09　畳み込みでの結合と全結合の違い

重みが少なければ、計算量も減らせて、高速に処理できるというメリットがあります。特に画像認識では、全ピクセルの値を入力層に入れることから、多くの計算が必要になります。そのため、より高速な処理が求められるものですが、全結合だと6-1節でも述べたように、処理が遅くなります。畳み込みは処理速度の面で、全結合より優れていると言えるでしょう。

特に最適化（5章で解説）の処理は推論よりも負担が大きいのですが、最適化する必要がある重みが少ないと、そのぶん負担が減ります。

このように畳み込みは、画像のピクセルの上下の位置情報を扱え、かつ、処理も高速であるなど、全結合の欠点を補完している仕組みです。そのため、画像認識をはじめ画像を扱うAIに向いているのです。

6-7 「プーリング」で“ズレ”を吸収

範囲から最大値のみを抜き出す

前節までに、畳み込みについて解説しました。CNNは畳み込み層に加え、「プーリング層」を持つことも特徴です。本節では、プーリング層について解説します。

CNNでは通常、畳み込み層のすぐ後ろにプーリング層をセットで設けるのがセオリーです。実は、畳み込みだけでは、認識対象画像の形や位置などが少しズレているだけで特徴をうまく抽出できず、あまり正確に分類できないのです。そこで「プーリング」という処理を行います。プーリングは、畳み込み層で生成された特徴マップに対して行います。

プーリングの処理を一言で表すなら「特徴の凝縮」です。特徴マップで示している画像の特徴を、より小さなサイズのデータで表すことができるようになるのです。

具体的な処理の一例が図6-7-01です。プーリングは領域ごとに処理を行います。プーリングを行うサイズは、プログラマーが任意で決めます。ここでは、2×2ピクセルのサイズで行うことにしましょう。特徴マップの画像は6×6ピクセルと仮定します。

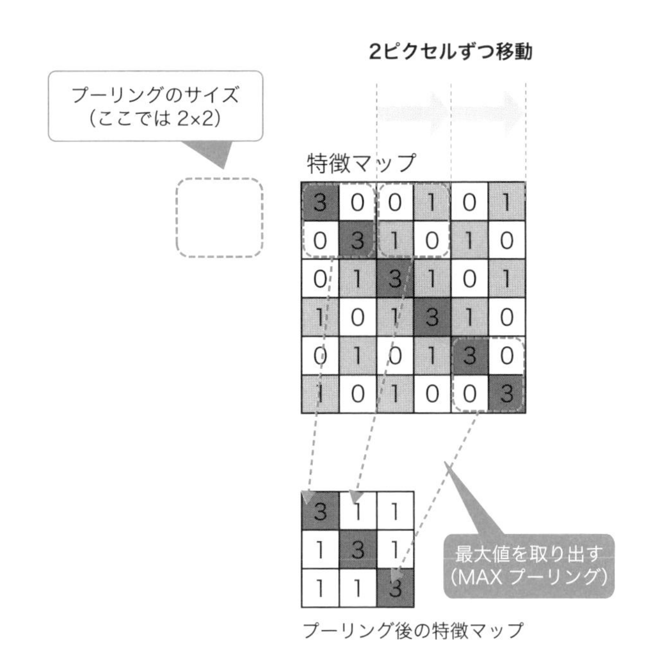

図 6-7-01　2 × 2 でプーリングする例

特徴マップの画像を左上から順に、2×2 ピクセルのサイズで順にスキャンしていき、各ピクセルの中で最大値を取り出します。カーネルとは異なり、プーリングのサイズの幅や高さの単位で移動します。2×2 でプーリングするなら、横方向も縦方向も 2 ピクセルずつ移動します。そして、取り出した各最大値をマッピングして、「プーリング後の特徴マップ」を生成します。

ここで登場した、最大値を基準にプーリングを行う方法は「MAX プーリング」と呼びます。ほかにも、平均値でプーリングを行う方法もあります。

プーリング後の特徴マップ

プーリングを行うと、特徴マップのサイズは小さくなります。2×2 プーリングを行っている図 6-7-01 の場合、幅 2 ピクセル、高さ 2 ピクセルの領域から最大値を 1 つだけ取り出すので、特徴マップの縦横のサイズは半分（3×3）になります。このサイズに、元の 6×6 の領域の特徴が凝縮されたのです。

この 2×2 の範囲で、仮に最大値が取り出されたピクセル以外の残りのピクセルの値がゼロであっても、その範囲の特徴は最大値であるという結果になります。つまり、プーリングのサイズである2×2の範囲であれば、認識用画像の形や位置などがズレても、取りこぼすことなく特徴を抽出できます。

それにより、「畳み込みの元の画像に特化しすぎる画像認識AI」にならずに済みます。「畳み込みの元の画像に特化しすぎる画像認識AI」を作ってしまうと、「学習に用いた犬猫画像では100%の精度が出せるけれども、学習させていない犬猫画像では精度が出せない」という画像認識AIになってしまいます。

また、特徴マップのサイズが小さくなることで計算量が減り、処理速度が上がるというメリットもあります。

6-8 特徴マップは複数使う

特徴マップの数が「チャンネル」の数

畳み込みに使うカーネルは、6-4節などで解説したように、複数種類を用いるのでした。6-6節で畳み込みのニューラルネットワークの構造を解説しましたが、これはカーネルが1つだけの場合でした。

では、複数種類のカーネルを使う場合、どのような構造になるのでしょうか？

そこで登場するのが「チャンネル」という概念です。チャンネルは、畳み込み層の入力と出力の両方に関係します。先に、出力から解説します。

出力におけるチャンネルとは、特徴マップの枚数です（図6-8-01）。6-4節で解説したように、カーネルの種類ごとに、作成される特徴マップは異なります。言い換えると、カーネルの種類の数だけ、特徴マップが作成されます。その枚数がチャンネルなのです。

また、カーネルの種類の数は特徴マップの枚数と等しいので、チャンネルは、カーネルの種類の数も意味します。なお、図6-8-01では、チャンネルを「ch」で表記しています。

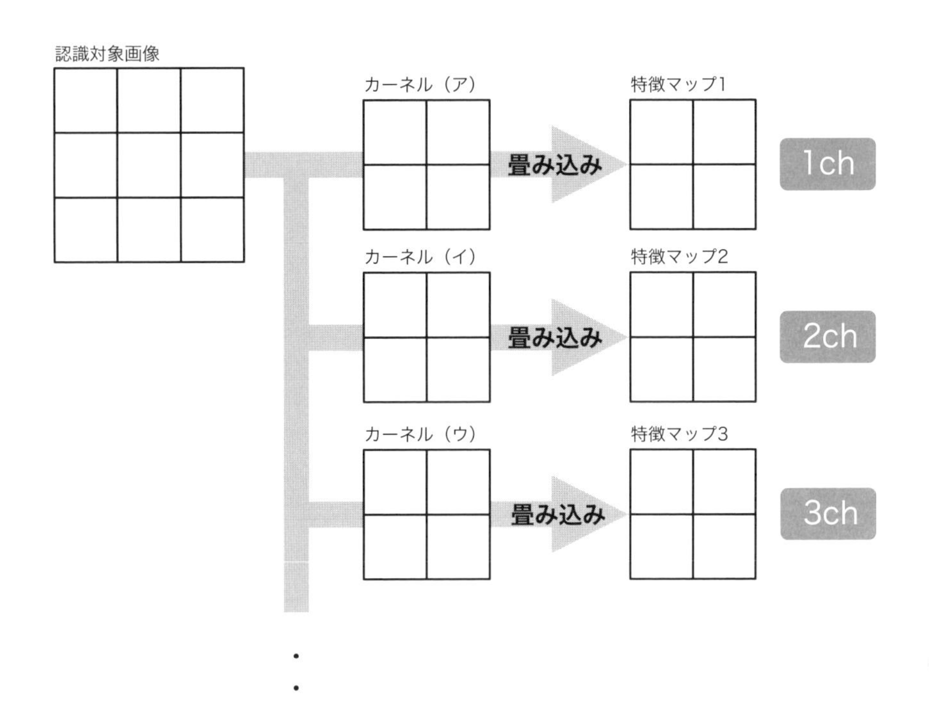

図 6-8-01　チャンネルとは、特徴マップの枚数

ここで、出力が2チャンネルの簡単な例を提示します。出力が2チャンネルということは、カーネルの種類は2種類ということです。図6-8-02を見てください。この例の前提は以下を想定しています。

認識対象画像

数　　　　：1
サイズ　　：3×3ピクセル

カーネル

数　　　　：2
サイズ　　：2×2ピクセル
ストライド：1
パディング：なし

カーネルは2種類であり、1つ目をカーネル（ア）、2つ目をカーネル（イ）とします。2種類のカーネルを使うため、特徴マップは2枚生成されます。つまり、2チャンネル出力です。

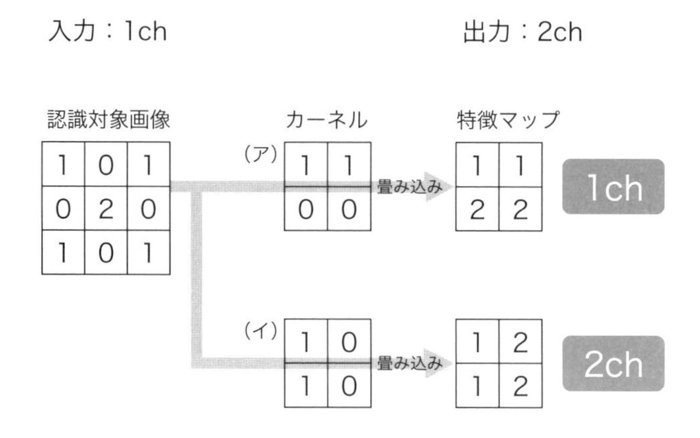

図6-8-02　2枚の特徴マップなら2チャンネルになる

このように複数種類のカーネルで畳み込むと、それぞれ特徴マップが生成され、その枚数が出力のチャンネル数になるのです。

ノードはどう結合している？

続けて、出力チャンネルとニューラルネットワークの構造について解説します。

6-6節では、畳み込みにおける結合を中心に、ニューラルネットワークの構造を解説しました。その際に用いた例は、図6-6-02の構造でした。用いたカーネルは1種類だけであり、作成された特徴マップは1枚だけです。したがって1チャンネルです。

画像認識では、複数種類のカーネルを用いて特徴マップを作成します。

では、カーネルの種類が増え、作成される特徴マップの枚数が増えたら、ニューラルネットワークはどのような構造になるのでしょうか？

図6-6-02のニューラルネットワークで見てみましょう。ここで、ニューラルネットワークの各層と、それぞれの層での要素をおさらいします。

認識対象画像　→　入力層
カーネル　→　重み
特徴マップ　→　隠れ層

思い出してほしいのは、「カーネルは重み」「特徴マップは隠れ層」という点です。この点を頭に入れて、読み進めてください。

入力層のノード（認識対象画像の各ピクセル）と、隠れ層（特徴マップの各ピクセル）がどう結合しているのかを示したのが図6-8-03です。この図では、認識対象画像、カーネル、特徴マップの中の各ピクセルには、数値の一例（0や1）を入れています。一方、各ノードの丸の中に、そのノードに入れられているピクセルの位置を「(行，列)」の形式で記しています。エッジはすべて表示すると複雑で見づらくなるので、ここでは解説のために以下のノードを結ぶエッジのみを表示しています。

- 入力層

認識対象画像でカーネルが左上に位置した際の領域のピクセルのノード

- 隠れ層

2つの特徴マップの左上のピクセルのノード

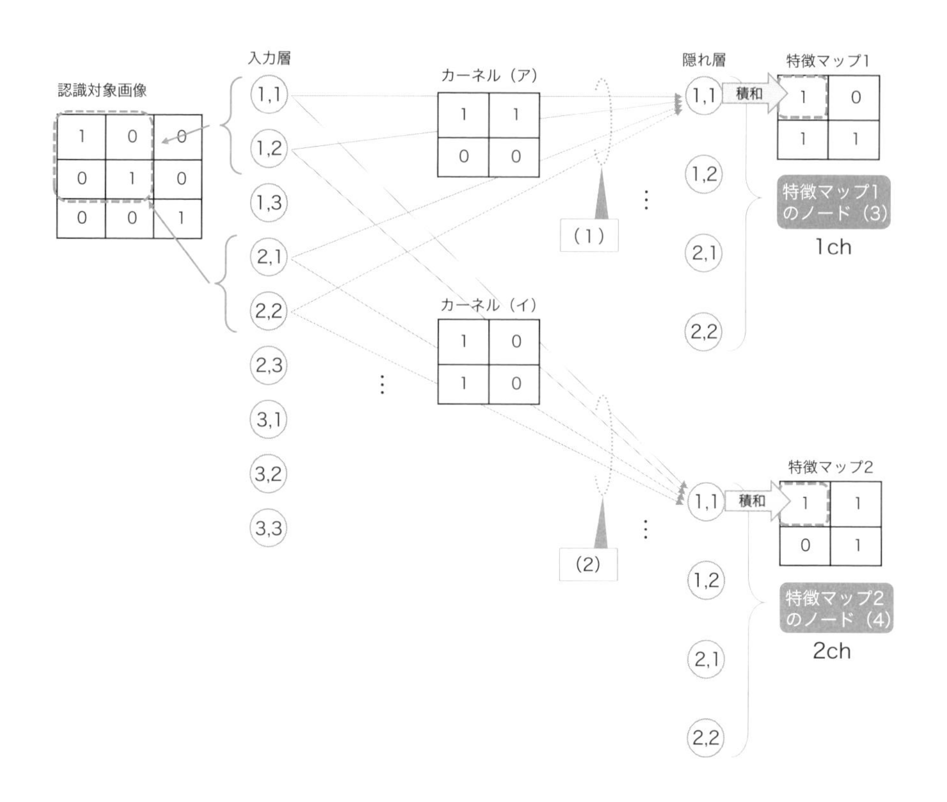

図 6-8-03　出力 2 チャンネルにおけるノードの結合

ここで図 6-8-03 の（1）のフキダシに注目してください。3×3 ピクセルの認識対象画像で、2×2 ピクセルのカーネルが左上に位置している場合の、カーネル（ア）による畳み込みの結合のエッジを示しているのが、(1) のフキダシです。認識対象画像の左上の 4 つのピクセルと、カーネル（ア）の 4 つのピクセルの積和が求められ、1 チャンネル目の特徴マップの左上に配置されています。そのノードが図 6-8-03 の（3）です。

次に、図 6-8-03 の（2）のフキダシに注目してください。認識対象画像で畳み込みの対象になるのは、フキダシ（1）と同じ左上の 4 つのピクセルです。今度はカーネル（イ）を使うので、その 4 つのピクセルとの積和が求められ、2 チャンネル目の特徴マップの左上に配置されます。そのノードは図 6-8-03 の(4) のように、1 チャンネル目のノードの下に並ぶというイメージです。

2 チャンネルの場合、このような並びと結合のノードによって、2 種類のカーネルで畳み込み、2枚の特徴マップを作成するのです。

入力も複数チャンネルにできる

次に、入力チャンネルについて解説します。入力が複数チャンネルになる典型的なケースは、カラー画像で画像認識を行う場合です。

6-1節で学んだように、カラー画像は、R（赤）、G（緑）、B（青）の三原色で色を管理しており、R、G、Bの3枚の画像が重なっているような構造でした。ニューラルネットワークの畳み込み層では、1枚のカラー画像をR、G、Bの3枚の画像に分けて、入力層に渡すのがセオリーです。その1枚1枚が入力チャンネルを表します。したがって、カラー画像は3チャンネルで入力するのです。

入力が複数チャンネルの場合、特徴マップはどのように生成されるのでしょうか。入力3チャンネル、出力1チャンネルの例で解説します（図6-8-04）。出力1チャンネルということは、先ほど学んだように、生成される特徴マップは1枚です。入力は3チャンネルでも、出力が1チャンネルなら、生成される特徴マップは1枚だけです。

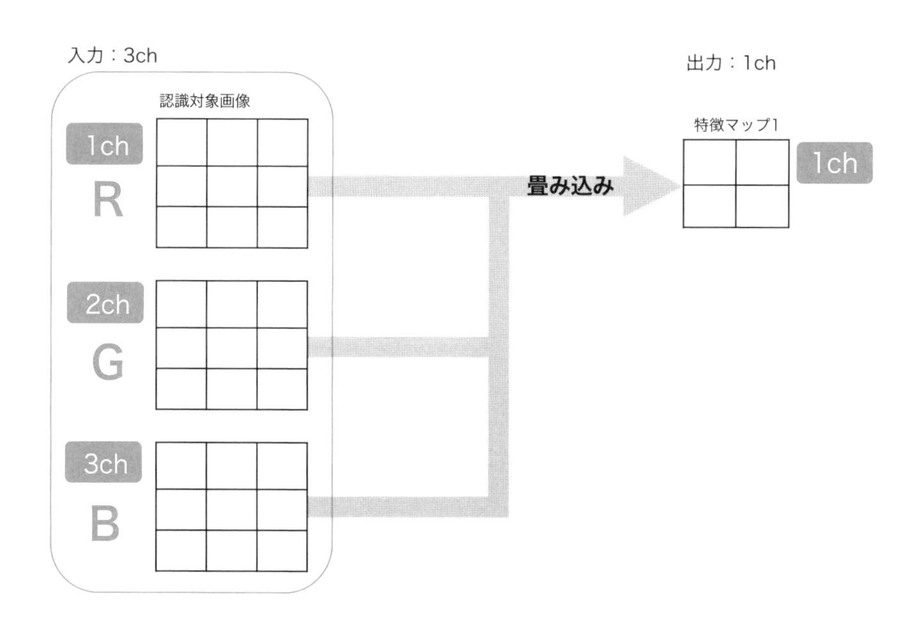

図6-8-04　入力が3チャンネル、出力が1チャンネルの例

入力が3チャンネルということは、カラー画像ならR、G、Bの3枚の画像を使うということです。それらから1枚の特徴マップを作成する流れは図6-8-05です。

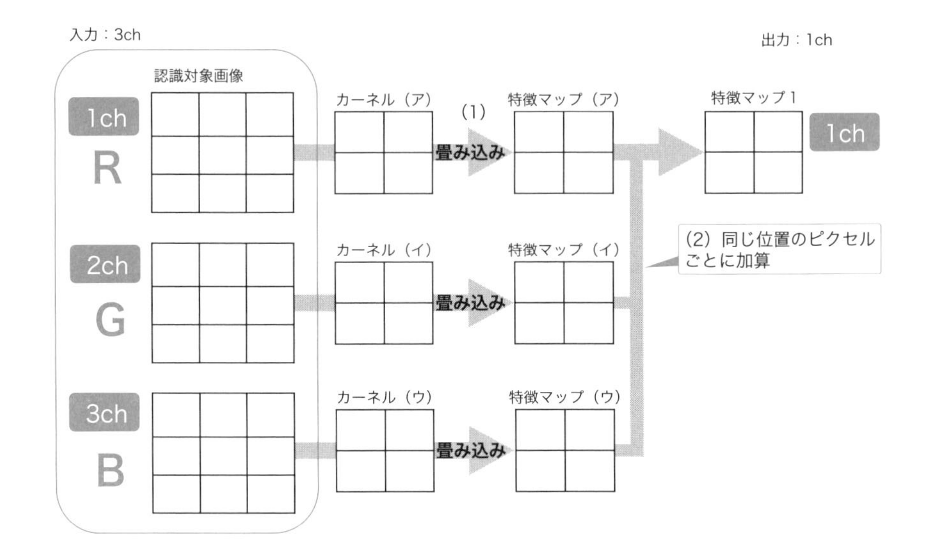

図6-8-05　RGB3チャンネルの画像で、1枚の特徴マップを作成する流れ

カーネルは入力チャンネルと同じ数、つまり3種類用います。図6-8-05ではカーネル（ア)、カーネル（イ)、カーネル（ウ）とします。

RとGとBの3枚の画像を、これら3種類のカーネルでそれぞれ畳み込みます。入力チャンネルごとに異なる種類のカーネルで畳み込むのです。

畳み込みの結果、RとGとBで計3つの特徴マップが生成されます（図6-8-05の（1))。

さて、ここからが今までと違います。

これら3つの特徴マップで同じ位置にあるピクセルの値をそれぞれ加算し、並べていきます(図6-8-05の(2))。この加算によってRとGとBそれぞれの特徴マップを統合して、1枚の特徴マップを最終的に生成します。RとGとBの色ごとの特徴マップを統合したので、カラー画像での特徴を表していると言えます。

ここで、入力3チャンネル、出力1チャンネルのケースにおける計算の具体例を、図6-8-06で示します。この例は次の前提を想定しています。

認識対象画像

チャンネル数： 3（認識対象画像をRGBの3枚に分ける）

サイズ　　　： 3×3ピクセル

カーネル

数　　　　　： 3 （ア）～（ウ）

サイズ　　　： 2×2ピクセル

ストライド　： 1

パディング　： なし

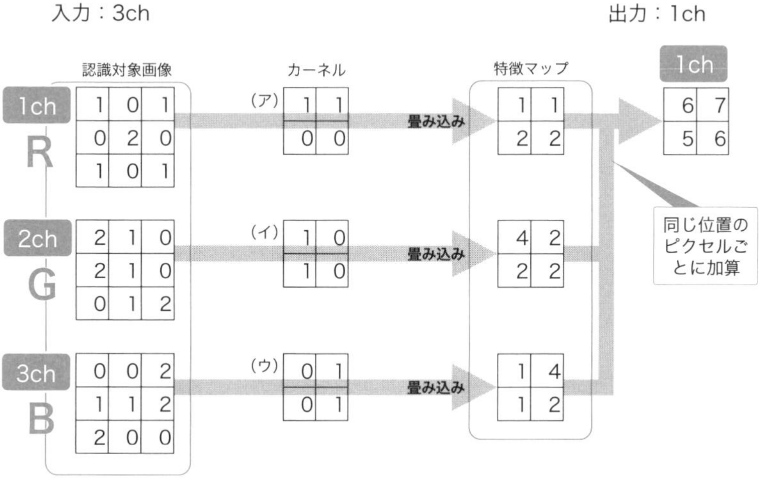

図 6-8-06　各特徴マップの同じ位置のピクセルを加算

入力3チャンネルの画像ごとに、3種類のカーネル（ア）～（ウ）で畳み込み、さらに同じ位置のピクセルごとに加算することで、出力1チャンネルの特徴マップを生成しています。

以上が入力3チャンネル、出力1チャンネルのケースにおける畳み込みの流れです。入力のチャンネルの数だけカーネルの種類を使うこと、最終的に生成される特徴マップは出力が1チャンネルなら1つだけであること、を押さえておきましょう。

入力も出力も複数チャンネル

では、入力も出力も複数チャンネルの場合はどうなるでしょうか？ 入力が3チャンネルで、出力が2チャンネルのケースで解説します。

特徴マップは出力チャンネルの数だけ生成されます。出力が2チャンネルだと、特徴マップは2つ生成されます。その際、カーネルは何種類使うのでしょうか？

先ほどの図6-8-06「入力3チャンネルで出力1チャンネル」のケースでは、カーネルは3種類使いました。出力が1つ増えて2チャンネルになると、その増えたチャンネルにもカーネルが3種類必要です。合計で6種類のカーネルを使います。

以上を、図6-8-07で解説します。ピクセルの数値が入った具体例です。

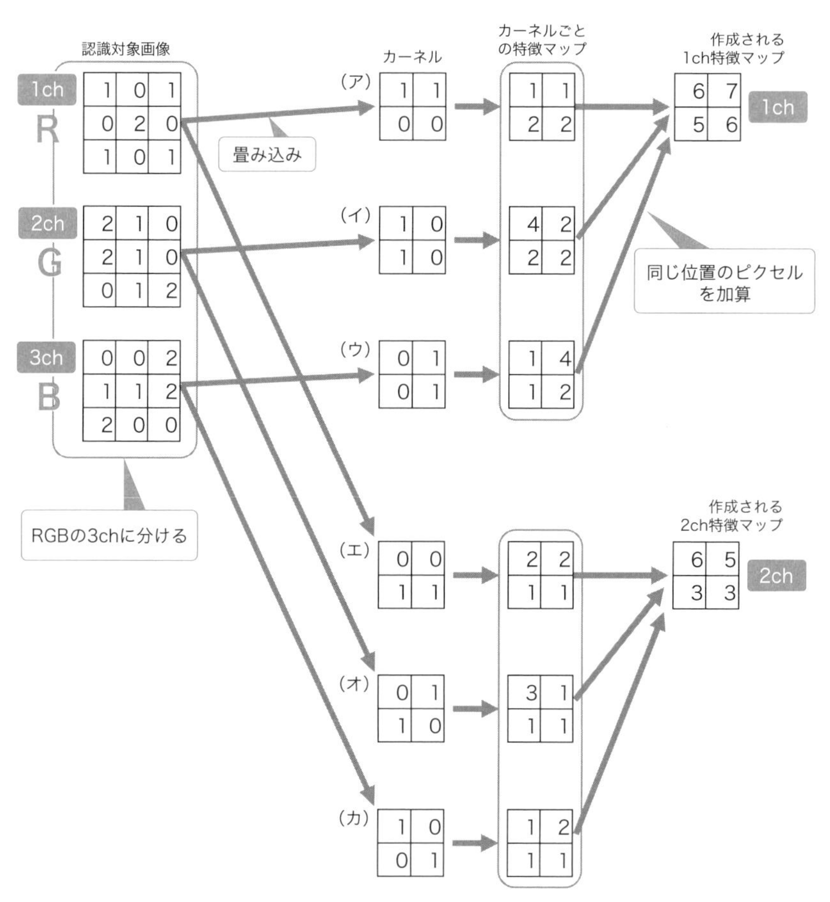

図 6-8-07　入力が 3 チャンネル、出力が 2 チャンネルの例

出力の 1 チャンネル目の部分は図 6-8-06 そのままです。カーネル(ア)～(ウ)を使い、入力 3 チャンネルである R と G と B の画像ごとに積和を求め、同じ位置の積和を足し合わせて、1 枚の特徴マップを生成しています。

出力の 2 チャンネル目の部分が、図 6-8-06 にない部分です。使用するカーネルは、カーネル（エ）、カーネル（オ）、カーネル（カ）という、これまでとは違うものを用意します。これら 3 種類のカーネル(エ)～(カ)を使い、入力 3 チャンネルの R と G と B の画像ごとに積和を求め、同じ位置の積和を足し合わせて、

1枚の特徴マップを生成しています。これが2チャンネル目の特徴マップです。1チャンネル目とは異なるカーネルを用いたので、別の特徴を表していると言えます。

以上が、「入力3チャンネルで出力2チャンネル」のケースにおける畳み込みの流れです。入力チャンネルや出力チャンネルが増えても、同様の仕組みで特徴マップを生成できます。

ここで、必要なカーネルの数を整理しましょう。図6-8-07のケースでは入力3チャンネルに対して、1つの出力チャンネルごとにカーネルが3種類必要でした。出力チャンネルは2チャンネルなので、3×2で計6種類のカーネルが必要です。

つまり、カーネルの種類（枚数）は、以下の数式で導き出せます。

カーネルの枚数 ＝ 入力チャンネル数 × 出力チャンネル

カーネルの枚数は、プログラミングをする際に必要になります。ですので、プログラマーはカーネルの枚数を算出して、プログラムに反映する必要があります。

6-9 CNNの全体的な構造

途中から全結合が入る

前節までに、CNNの核と言える畳み込み、さらにはプーリングについて解説しました。畳み込みもプーリングも層であり、ニューラルネットワークの構成要素です。

本節では、これらの構成要素を用いたCNNの全体的な構造を、犬猫画像分類のケースで解説します（図6-9-01）。

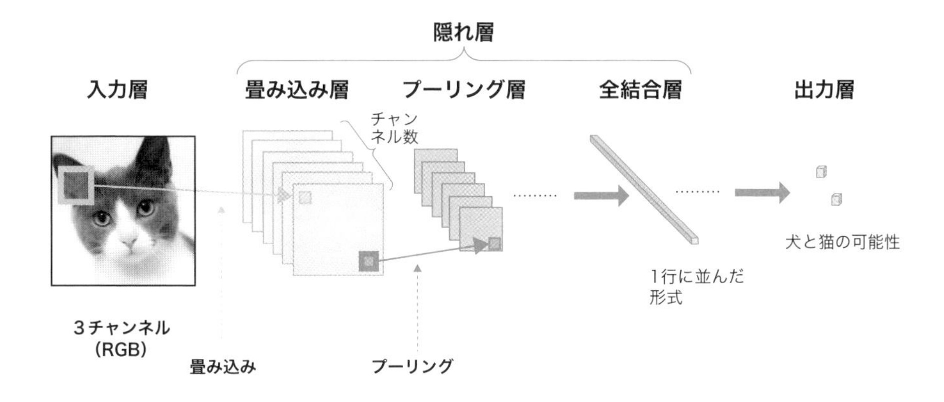

図 6-9-01　CNN の全体的な構造の例

各層のつながりと、各層で行われている処理について、解説していきます。

入力層では、ここまで解説してきたように、基本的に画像の全ピクセルを入力します。カラー画像なら R、G、B の 3 チャンネルで入力します。

隠れ層の内部には、図 6-9-01 では 3 つの層の名称が書かれています。畳み込み層、プーリング層、全結合層です。入力層に近い順に見ていきます。

まずは畳み込み層です。ここではカーネルを複数種類用いているため、出力は複数のチャンネルになります。図 6-9-01 では、6 チャンネルと仮定しています。6 枚のチャンネルを束ねて「チャンネル数」と書いてあるのがそれです。カーネルが 6 枚なので、特徴マップも 6 枚になります。

プーリング層では、プーリングを行います。プーリングの処理をおぼえていますか？ そう、特徴マップのサイズを小さくする「特徴の凝縮」を行うのでしたね。

図 6-9-01 では畳み込み層とプーリング層のセットは 1 セットしかありませんが、この畳み込み層とプーリング層のセットは複数になることがよくあります。

さらに画像認識など分類を行う CNN では通常、畳み込み層とプーリング層のセットと出力層との間に、全結合層をいくつか挟みます。畳み込み層とプーリング層で作成した特徴マップをもとに分類するには、全結合層を使った方がうまくいくからです。畳み込み層とプーリング層を使うのは特徴マップの作成までであり、その特徴マップから分類するのは全結合層の役割なのです。

畳み込み層／プーリング層	特徴マップの作成
全結合層	特徴マップを使った分類

また、畳み込み層／プーリング層と全結合層の境界では、複数の特徴マップの各ピクセルの数値を1つの行に並んだ形式にして、最初の全結合層に渡します。

出力層ですが、画像認識では最終的に得たいのは、「犬か猫か」などを予測して分類した結果です。つまり、出力層には、「分類したいクラス」(分類すべき種類)の数だけノードを作ります。

このようにCNNは、入力層から畳み込み層とプーリング層、そのあとに全結合層へと順伝播する構成です。

チャンネル数はどうやって決める？

6-8節の最後に、プログラマーはカーネルの枚数を算出して、プログラムに反映する必要がある、と述べました。出力のチャンネル数はカーネルの種類と等しいので、出力のチャンネル数も、プログラミング時に決める必要があります。

一方、入力のチャンネル数はどう決めるのでしょうか？

基本的には、ニューラルネットワークの構成から自動で決まります。

カラー画像の分類の場合、1つ目の畳み込み層では、最初はRGBで入力するので、入力は必ず3チャンネルです。

2つ目以降の畳み込み層では、入力チャンネル数は前の畳み込み層の出力チャンネル数で決まります。前後の畳み込み層において、入力チャンネルと出力チャンネルの数が異なると、データの受け渡しがおかしくなってしまうので、そろえる必要があります。そのため、前の畳み込み層の出力チャンネル数が決まれば、次の畳み込み層の入力チャンネルはその数におのずと決まるのです。

6-10 CNNでは学習はどうやる?

CNNにおける学習とは、カーネルの最適化

前節までで、CNNの畳み込みの仕組みなどを解説しました。画像認識の場合、目的の画像データを入力層に入れれば、順伝播で推論を行い、分類の結果を出力層に出します。

一方、学習はどのようになるのでしょうか。

CNNはニューラルネットワークの一種であり、通常のニューラルネットワークと同じく、学習データを使って学習します。画像認識の場合、学習用の画像を推論し、正解(ラベル)との損失を求め、最適化を実施することで学習を進めていきます。

さて、通常のニューラルネットワークにおいて、学習によって最適化されるのは、重みとバイアスでした。CNNでも、全結合層では重みとバイアスが最適化されます。では、隠れ層にある、畳み込み層とプーリング層ではどうでしょうか。

畳み込み層で最適化されるのは「カーネルの中身」です。
6-4節の畳み込みの例などでは、これまでカーネルは「右下がり斜め」や「中央縦」など、最初から"決め打ち"のものを使いました。しかし、実際に用いられるカーネルは、最初はランダムな初期値によるものです。そして、どのような中身のカーネルならばより特徴を抽出でき、より正確に分類できるのかを学習の中で求め、カーネルの中身を更新していきます。
カーネルの中身を更新するとは、一体どういうことでしょうか?
6-6節で解説したように、カーネルの各ピクセルの値は、ニューラルネットワークのエッジの重みでした。各ノードにはバイアスも含まれます。それらの重みとバイアスを、学習によって最適化していきます(図6-10-01)。この畳み込み層における最適化が、カーネルの中身の更新に該当するのです。最適化はまさに通常のニューラルネットワークと同じ方法で行えます。

一方、プーリング層では何も最適化されません。前述のとおり、単に2×2といった領域から最大値を取り出すなど、情報を凝縮するだけであり、そもそも重みとバイアスは持っていません。最適化するのは畳み込み層と全結合層だけです。

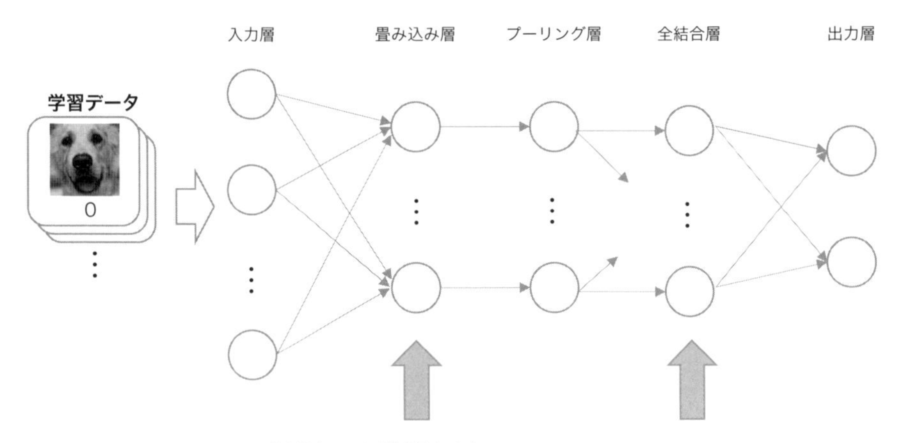

図6-10-01 CNNの学習のイメージ

学習について、まとめます。

通常のニューラルネットワークでの学習 ＝ 「重み」と「バイアス」を最適化する

CNNでの学習 ＝ 「畳み込み層」（隠れ層）では、「カーネルの中身」を最適化する
「全結合層」では、「重み」と「バイアス」を最適化する
「プーリング層」（隠れ層）では、何も最適化しない

本章ではCNNの基本を解説しました。現在、画像認識AIには「ResNet」などさまざまな種類があります。しかし、その多くはCNNがベースになっています。

つまり、将来もっと進化した画像認識AIが出てきても、CNNを理解できていれば、その知識を使って最新の画像認識AIの仕組みを理解することができるでしょう。

本章のまとめ

- 画像認識は「CNN」（畳み込みニューラルネットワーク）で行う。上下左右のピクセルの位置関係を把握して形状を調べられ、処理速度も速い。全結合のみのニューラルネットワークは処理速度が遅く、画像認識に向いていない。

- CNN には「畳み込み層」と「プーリング層」がある。画像分類の場合、その後ろに「全結合層」を設ける。

- 畳み込み層では、小さな正方形の画像である「カーネル」を使い、学習画像の各領域の特徴を計算によって抽出して「特徴マップ」を生成する。

- カーネルのサイズ、移動距離（ストライド）、余白（パディング）はプログラマーが指定する。特徴マップのサイズはそれらで決まる。

- プーリング層では、「プーリング」という処理によって、形や位置などのズレを吸収する。「MAX プーリング」などの方法がある。

- 畳み込み層では、画像は複数の「チャンネル」に分けて処理を行う。カラー画像は RGB の 3 チャンネルで入力。出力チャンネルの数だけ特徴マップが生成される。必要なカーネルの枚数は「入力チャンネル数 × 出力チャンネル数」。

- CNN の学習では、畳み込み層のカーネルの中身を最適化する。全結合層の重みとバイアスの最適化も行う。

7章

画像認識 AI のコードの意味を理解する

7章 画像認識 AI のコードの意味を理解する

前章までは、いわば AI の「理論」を解説してきました。本章ではいよいよ AI の「実践」を行います。前章で仕組みを理解した、CNN による画像認識のプログラミングを体験します。ここまでに学んできた AI の仕組みが、プログラムではどのように実装されているのかを見てみましょう。

7-1 画像認識 AI を体験

コードの意味をザックリ理解

ここからは、画像認識 AI のちょっとしたプログラムを実際に記述して、実行してみましょう。Python で CNN のプログラムのコードを書き、学習データである画像とラベル（正解）のセットによって学習を行います。そのあと、別の画像を用いて推論（分類）を行い、画像認識 AI がきちんと動作できるのかを確認します（図 7-1-01）。

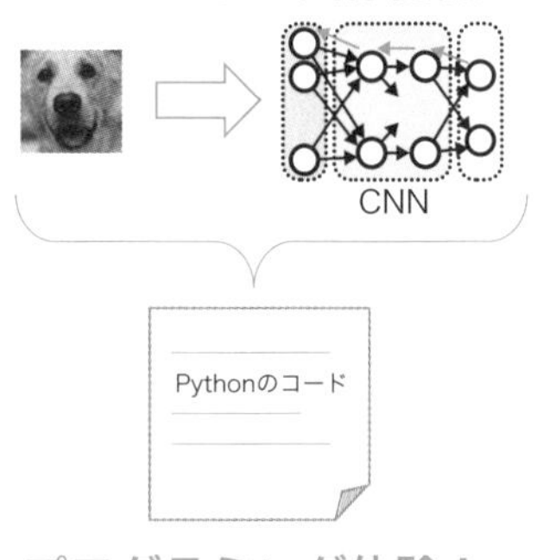

図 7-1-01　CNN による画像認識 AI を Python で体験

CNN は隠れ層が複数あるニューラルネットワークです。つまり、ディープラーニングによる画像認識を体験することになります。

ただし、ちょっとしたプログラミングとはいえ、Python の初心者には非常に難易度の高いコードです。そこで初心者は、まずはとにかくコードを自分で記述し、動かしてみて、画像を認識できるかどうかを試すだけでも十分でしょう。

コードの解説文では、「前章に出てきた仕組みがこんなふうにプログラムされるんだな」とザックリ理解していただければと思います。コード 1 行 1 行を理解できなくても、コード内に記載されているコメントを読むだけでも、処理の概要や流れがつかめます。なお、掲載しているコードは、本書サポートサイトでダウンロードできます。

「PyTorch」は Colab ですぐ使える

CNN をゼロからプログラミングしていくのは至難の業です。そこで、本書では CNN の実装に、ディープラーニングのフレームワーク「PyTorch」（パイトーチ）を用います。Facebook 社が 2016 年に発表したフレームワークで、誰でも無料で使えます。フレームワークとは 2 章で解説したとおり、プログラムの“枠組み”のようなものです。PyTorch は「TensorFlow」など他のフレームワークに比べてわかりやすく、実装も容易であり、後発でありながら人気があります。

Python のプログラムを開発する環境として、すでに 2 章で「Colab」（Google Colaboratory）の設定をしました。Colab には、この PyTorch が最初からインストールされており、すぐに使い始められます。

そして、本書では CNN の題材として、PyTorch の公式チュートリアルの「Deep Learning with PyTorch: A 60 Minute Blitz」以下の「TRAINING A CLASSIFIER」（https://pytorch.org/tutorials/beginner/blitz/cifar10_tutorial.html）をほぼそのまま用います（図 7-1-02）。

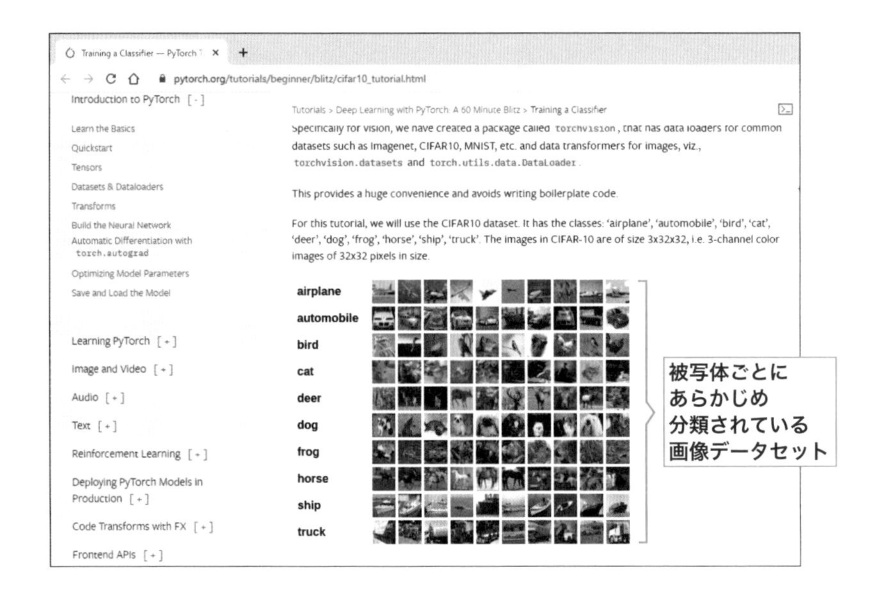

図 7-1-02　PyTorch 公式チュートリアルの Web ページ

これは CNN を使ったオーソドックスな画像認識のチュートリアル（教材）であり、コードの分量も比較的少ないので、プログラミングの初心者に最適です。

このチュートリアルでは、画像データセットに「CIFAR-10」（ https://www.cs.toronto.edu/~kriz/cifar.html ）を用いています。CIFAR-10 は、計 6 万枚にもおよぶ乗り物や動物の画像と、そのラベルを組み合わせたデータセットです。概要は、図 7-1-03 です。前処理済みのデータが、Python 向けの形式で提供されています。

- **画像は、サイズが 32×32ピクセル。RGBの3チャンネルカラー**
- **クラス数（分類の数）は以下の 10種類**
  airplane, automobile, bird, cat, deer, dog, frog, horse, ship, truck
  （飛行機、自動車、鳥、猫、鹿、犬、カエル、馬、船、トラック）
- **クラスには、ラベルとして 0~9の整数が振られている（airplaneなら 0など）**
- **学習用の画像が 50000枚、テスト用画像が 10000枚。それぞれラベルとセットになっている**

図 7-1-03　CIFAR-10 の概要

PyTorch では、簡単なコードを実行するだけで、CIFAR-10 のデータセットをインターネットから直接読み込んで使うことができます。

本章では、このCIFAR-10の学習用のデータセットを使って、飛行機、自動車、鳥、猫、鹿、犬、カエル、馬、船、トラックの画像を分類するCNNのプログラムを作成します。

7-2 学習データとテストデータを用意

最初に必要なモジュールをインポート

それでは始めましょう。コードの入力・実行を何回かに分けて順に実施し、その都度実行結果を確認しつつ、解説していきます。Colabでコードを入力・実行する方法は2章を参照してください。また、コードが行っている処理の内容は、ポイントのみを解説します。

まずは、データセットの読み込みを行います。最初にPyTorchをインポートします（リスト1）。


```
import torch
import torchvision
import torchvision.transforms as transforms
```

リスト1　必要なモジュールをインポート

Colabでは PyTorchはインストール済みですが、使うにはインポートが必要です。リスト1の「torchvision」とは、PyTorchに含まれている、画像のデータセットの操作や変換などを行うモジュールです。

リスト1の処理はモジュールをインポートするだけなので、実行しても何も表示されません（図7-2-01）。

```
[1]  import torch
     import torchvision
     import torchvision.transforms as transforms
```

図 7-2-01　リスト 1 の実行結果。何も出力されない

もし、何かしらのエラーが表示されたら、タイプミスしていないか見直して、修正してください。

以降の操作でも、コードは新規に作成したセルに入力し、都度実行します。実行したら「＋コード」ボタンでセルを作成して実行…の繰り返しです。

データセット「CIFAR-10」を読み込む

次に CIFAR-10 を読み込みます。CNN を実装する前に、必要なデータセットである CIFAR-10 を読み込んでおき、さらには変換などの前処理も行うのです。

そのコードがリスト 2 です。Colab で新しいセルを追加し、コードを入力してください。

```
# 画像変換処理
transform = transforms.Compose(                                        ┐
  [transforms.ToTensor(),                                              ├(2)
   transforms.Normalize((0.5, 0.5, 0.5), (0.5, 0.5, 0.5))])           ┘

# 学習データを読み込み
trainset = torchvision.datasets.CIFAR10(root='./data',                 ┐
                                        train=True,                    ├(1)
                                        download=True,                 │
                                        transform=transform)           ┘
trainloader = torch.utils.data.DataLoader(trainset,                    ┐
                                          batch_size=4,                ├(3)
                                          shuffle=True,                │
                                          num_workers=2)               ┘
```

```
# テストデータを読み込み
testset = torchvision.datasets.CIFAR10(root='./data',
                                       train=False,
                                       download=True,
                                       transform=transform)
testloader = torch.utils.data.DataLoader(testset,                  (4)
                                         batch_size=4,
                                         shuffle=False,
                                         num_workers=2)

# クラスのラベル名を定義
classes = ('plane', 'car', 'bird', 'cat',
           'deer', 'dog', 'frog', 'horse', 'ship', 'truck')        (5)
```

リスト２　学習データとテストデータを読み込む

実行すると、CIFAR-10のダウンロードが始まり、内部では変換などの前処理も行われます。すべて終了すると、図7-2-02のように表示されます。

```
Downloading https://www.cs.toronto.edu/~kriz/cifar-10-python.tar.gz
                                        170499072/? [00:03<00

Extracting ./data/cifar-10-python.tar.gz to ./data
```

図7-2-02　リスト２を実行し、ダウンロードや前処理が終わった状態

テストデータは何にどう使うの？

リスト２のコードを簡単に解説します。

まずはコメントに書かれている「テストデータ」について解説します。リスト２のコメントにあるように、学習データに加えて、テストデータも読み込んでいます。学習データとは文字どおり、CNNの学習に用いるデータです。では、一方のテストデータとは一体何でしょうか。

テストデータとは、作成した画像認識AI（CNN）の認識精度のテストをする

ためのデータです。本チュートリアルでは、CNNの学習が終わったあと、ちゃんと認識できるのか、どの程度正確に認識できるのかを確かめます。本書では7-5節以降で、そのためのテストを行います。テストデータはその用途に利用するデータです。

CIFAR-10は、60000枚の画像とラベルで構成されたデータセットです。その中には、学習用の「学習データ」50000枚と、テスト用の「テストデータ」10000枚があらかじめ分けて入っています。

学習からテストまでの流れを説明します。まずは学習データによってCNNの学習を行います。次にその学習済みCNNを使って、テストデータの画像を分類します。その分類（推論）結果と、テストデータに実際に付与されているラベルを比較して、どれだけ正解できたのかを調べます。つまり、すでに正解（ラベル）がわかっている画像をあえて分類してみて、どれだけ正解しているのか調べることで、認識精度を確かめるのです（図7-2-03)。

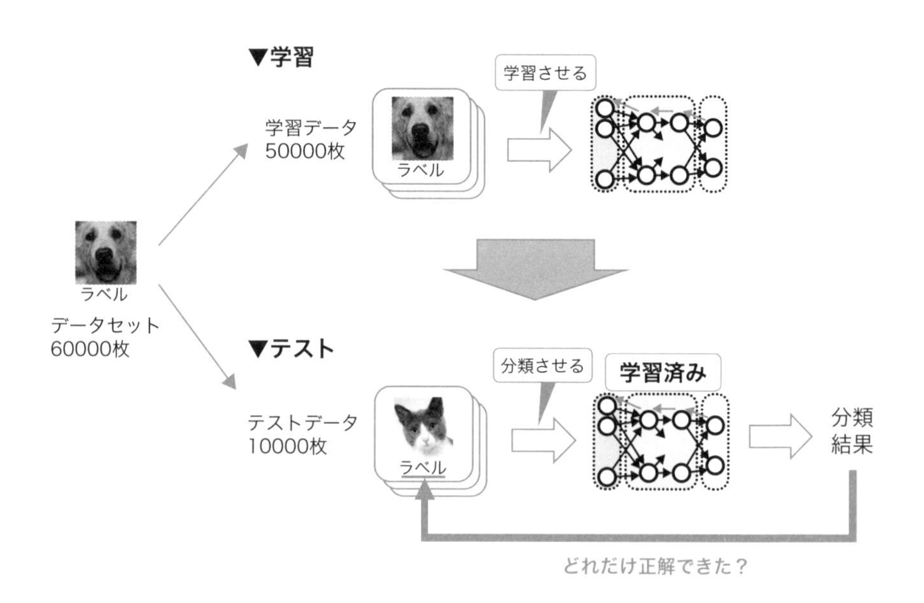

図7-2-03　学習データで学習したCNNの認識精度をテストデータで調べる

読み込み時にバッチサイズも指定

リスト２の処理の大まかな流れと、その内容のポイントを解説します。

リスト２の(1)はCIFAR-10の学習データを読み込む処理です。「torchvision.datasets.CIFAR10」という関数（厳密には同名オブジェクトの初期化のメソッド。以下同様）を使い、変数trainsetに読み込んでいます。この関数１つで、CIFAR-10の学習データを読み込めます。どう読み込むのかという、詳細な設定は引数に指定します。このようにPyTorchでは、必要な処理のほとんどが関数１つで実装できるようになっています。

読み込むと同時に変換も行っており、その変換処理は（2）で定義しています。この変換は「学習をより適切に行えるようにするための定番の処理」です。具体的には、学習に必要な計算をよりスムーズに行えるよう、数値を変換するといった処理です。

読み込んで変換したCIFAR-10の学習用データセット（変数trainsetに格納）は、さらに（3）によって、学習に適した形式にします。具体的には、ミニバッチの単位で連続して取り出せる形式です。本稿ではこの形式を「DataLoader」と呼ぶことにします。(3）では、この学習データのDataLoaderを変数trainloaderに格納し、このあとのCNNの学習の処理に使います。

（3）の処理には、「torch.utils.data.DataLoader」という関数を使います。この関数の第２引数batch_sizeには、ミニバッチのサイズ（バッチサイズ）を指定します。学習は小分けにして行うのであり、それがミニバッチでした。ここでは、バッチサイズを４とします。(3）では、第２引数batch_sizeに４を指定しています（図7-2-04)。同時に、学習の偏りを防ぐ目的で、毎回シャッフルするように第３引数で設定しています。

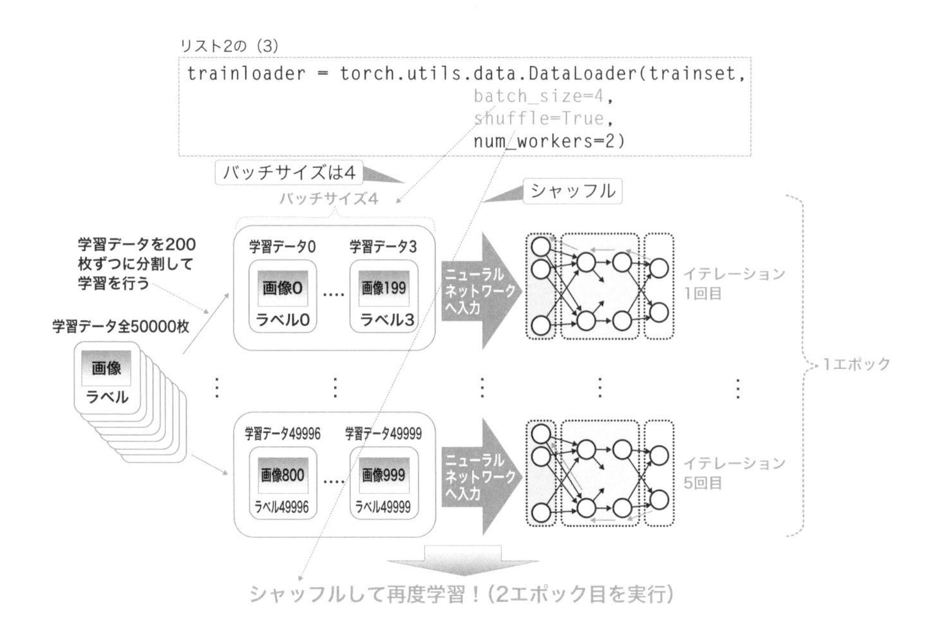

図 7-2-04　バッチサイズなどをコードで指定

(4) は CIFAR-10 のテストデータの DataLoader を用意する処理です。(3) と同じ関数を使っていますが、各引数にはテストデータ用の設定を指定しています。バッチサイズは学習データと同じ 4 を指定しています。この DataLoader を変数 testloader に格納し、このあとの CNN のテストの処理に使います。

最後に (5) にて、クラス（認識する物体の種類）のラベル名をタプル classes に定義しています。CIFAR-10 のラベルは、飛行機や自動車など 10 種類のクラスに対して、0 〜 9 の整数が振られています。整数だけでは何のクラスなのかわかりづらいので、タプル classes に同じ並びでラベル名を定義しています。

なお本書では、飛行機のラベル名は「plane」、自動車のラベル名は「car」と定義しています。CIFAR-10 公式では「airplane」「automobile」ですが、PyTorch 公式チュートリアルでは「plane」「car」と定義しているので、本書もそれに準じます。

学習データを確認してみよう

ここで試しに、学習データの画像とラベルの一部を表示してみましょう。

そのコードがリスト3です。学習データから1セットぶんの画像とラベルをランダムに取り出して表示するコードです。

```
import matplotlib.pyplot as plt
import numpy as np

def imshow(img):
  img = img / 2 + 0.5
  npimg = img.numpy()
  plt.imshow(np.transpose(npimg, (1, 2, 0)))
  plt.show()

dataiter = iter(trainloader)
images, labels = dataiter.next()

imshow(torchvision.utils.make_grid(images))
print(' '.join('%5s' % classes[labels[j]] for j in range(4)))
```

リスト3　学習データの画像とラベルをランダムに表示

リスト3の実行結果が図7-2-05です。

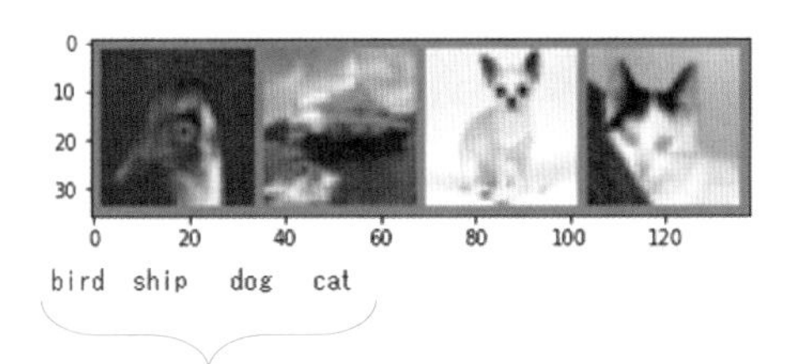

図7-2-05　ランダムに取得した学習データの画像とラベルを出力

4枚の画像がランダムに取り出され、グリッド付きで表示されます。その下には、4枚の画像それぞれに対応するラベルが表示されます。ランダムに取り出されるので、読者の皆さんのお手元の環境では、図7-2-05とは異なる画像とラベルが出力されるでしょう。

ここまでで、学習データの準備が整いました。次節ではCNNの実装に取り掛かります。

7-3 CNNを実装するコードを書く

CNNの構造

それでは、CNNを実装するコードを記述しましょう。本稿でのCNNの構成は図7-3-01とします。

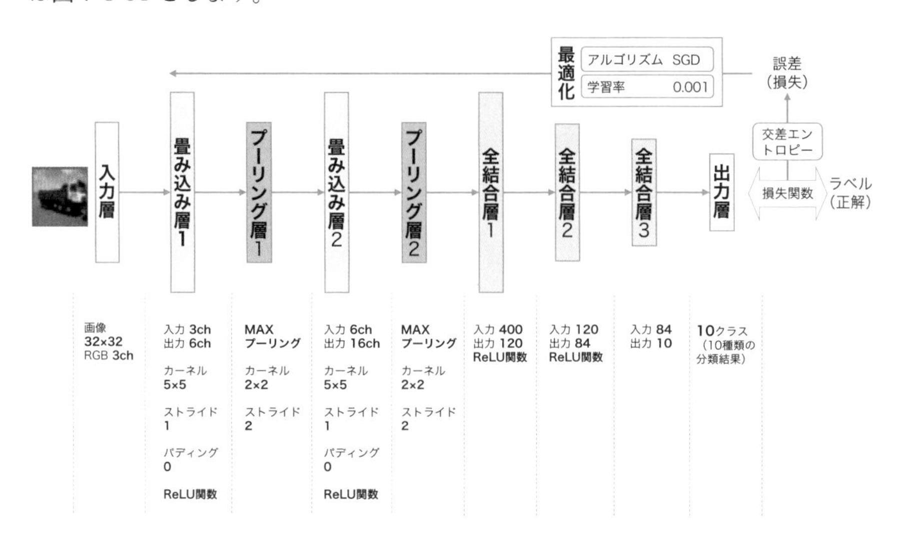

図7-3-01　実装するCNNの構成

大まかには、入力層に続けて、畳み込み層とプーリング層の組み合わせが計2つあります。入力チャンネル数と出力チャンネル数、カーネルサイズは図7-3-01のとおりとします。プーリングの方法はMAXプーリングとします。

そのあとに全結合層が計3つつながります。それぞれの入力／出力ノード数は図7-3-01のとおりとします。出力層ですが、ここで分類したいCIFAR-10のクラス数は、飛行機や鳥など計10種類です。したがって、出力層のノード数は10にします。

活性化関数はReLU関数、損失関数は交差エントロピー関数を採用します。最適化のアルゴリズムはSGD、学習率は0.001とします。

CNN の実装

図 7-3-01 の構成の CNN を実装するコードがリスト 4 です。

```
import torch.nn as nn
import torch.nn.functional as F

class Net(nn.Module):                                          ─┐
  # 各層を定義                                                   │
  def __init__(self):                                   ─┐      │
    super(Net, self).__init__()                          │      │
                                                         │      │
    # 畳み込み層 1                                         │      │
    self.conv1 = nn.Conv2d(3, 6, 5) ────────── (4)       │      │
                                                         │      │
    # プーリング層                                         │      │
    self.pool = nn.MaxPool2d(2, 2) ─────────── (5)       ├(2)   │
                                                         │      │
    # 畳み込み層 2                                         │      │
    self.conv2 = nn.Conv2d(6, 16, 5)                     │      │
                                                         │      │
    # 全結合層                                             │      │
    self.fc1 = nn.Linear(16 * 5 * 5, 120) ─┐             │      │
    self.fc2 = nn.Linear(120, 84)          ├(6)          │      │
    self.fc3 = nn.Linear(84, 10)          ─┘            ─┘      ├(1)
                                                                │
  # 構成を定義                                                   │
  def forward(self, x):                                 ─┐      │
    # 畳み込み層 1 とプーリング層                            │      │
    x = self.pool(F.relu(self.conv1(x))) ───── (7)       │      │
                                                         │      │
    # 畳み込み層 2 とプーリング層                            │      │
    x = self.pool(F.relu(self.conv2(x)))                 │      │
                                                         │      │
    # 全結合層用に並び替え                                   │      │
    x = x.view(-1, 16 * 5 * 5) ─────────────── (8)       ├(3)   │
                                                         │      │
    # 全結合層 1              ─┐                           │      │
    x = F.relu(self.fc1(x))    │                          │      │
                               ├(9)                       │      │
    # 全結合層 2               │                           │      │
    x = F.relu(self.fc2(x))   ─┘                          │      │
```

```
        # 全結合層3から出力層
        x = self.fc3(x)                          (9) (3) (1)
        return x


# CNNを生成
net = Net() ————————————————————————————— (10)
```

リスト4　CNNを実装

Colabの新しいセルを追加し、リスト4のコードを入力したら、実行してください。このコードは実行しても何も出力されない処理内容です。エラーなどが表示されなければOKです。

では、リスト4のポイントを解説していきます。PyTorchでは、CNN含めニューラルネットワークは、関数のようなもの（厳密には「オブジェクトとクラス」のクラス。巻末の「講座」参照）として実装します。ここでは、そのコードがリスト4の（1）です。

リスト4の（1）の中身は大きく2つに分けられます（図7-3-02）。

```
class Net(nn.Module):
 # 各層を定義
 def __init__(self):
  super(Net, self).__init__()
        :                                  リスト4の（2）—各層の定義
        :
  self.fc3 = nn.Linear(84, 10)

 # 構成を定義
 def forward(self, x):
  # 畳み込み層1とプーリング層
  x = self.pool(F.relu(self.conv1(x)))     リスト4の（3）—構成の定義
        :
        :
  return x
```

図7-3-02　CNNを実装するコードは大きく2つに分かれる

1つ目が（2）の「def __init__(self):」以下であり、CNNの各層をそれぞれ定義しています。

2つ目が（3）の「def forward(self, x):」以下であり、構成を定義しています。これは、各層が並ぶ順番の設定であり、入力層から順伝播でどのように処理を行い、最終的に出力層にどう出力するのか処理の流れを決めています。

畳み込み層を定義

リスト4の（2）は、CNNの各層の定義をしています。（2）の中身にある、（4）～（6）を見ていきます。

（4）は、1つ目の畳み込み層を定義する処理です。「Conv2d」関数を使い、引数には入力チャンネル数の3、出力チャンネル数の6、カーネルサイズの5を順に指定しています（図7-3-03）。

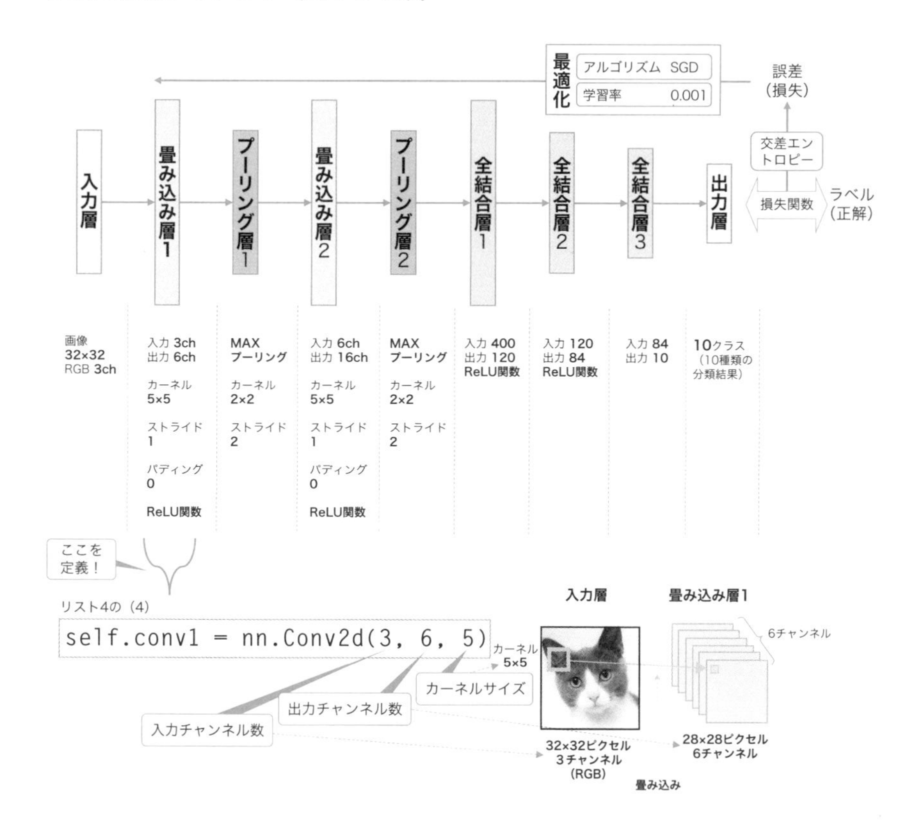

図7-3-03　畳み込み層の入力チャンネル数などをコードで指定

カーネルは正方形の1辺のサイズを指定するようになっており、ここでは5を指定することで5×5ピクセルのサイズにしています。定義した畳み込み層は変数conv1（厳密にはクラスの属性）に代入し、以降の処理で使います。

畳み込み層はこのように関数を使い、入力チャンネル数などを引数に指定するだけで、たった1行のコードで実装できてしまいます。

2つ目の畳み込み層も同様に定義し、変数conv2に代入しています。入力6チャンネル、出力16チャンネル、カーネルサイズ5×5ピクセルです。入力チャンネル数は、1つ目の畳み込み層の出力チャンネル数である6に合わせています。

なお、Conv2d関数の引数はほかにオプションとして、ストライドとパディングを指定できますが、ここでは省略しています。そのため、デフォルト値が用いられています。デフォルト値では、ストライドが1、パディングが0で畳み込みが行われます。

プーリング層と全結合層も定義

リスト4の（5）は、プーリング層を定義する処理です。MAXプーリングは「MaxPool2d」関数を使い、引数にはカーネルサイズの2（つまり2×2ピクセル）、ストライドの2（カーネルのサイズと同じ）を順に指定しています（図7-3-04）。プーリング層の実装では、プーリングを行うカーネルのサイズ、およびストライドを指定します。

定義したプーリング層は属性poolに代入し、以降の処理に使います。

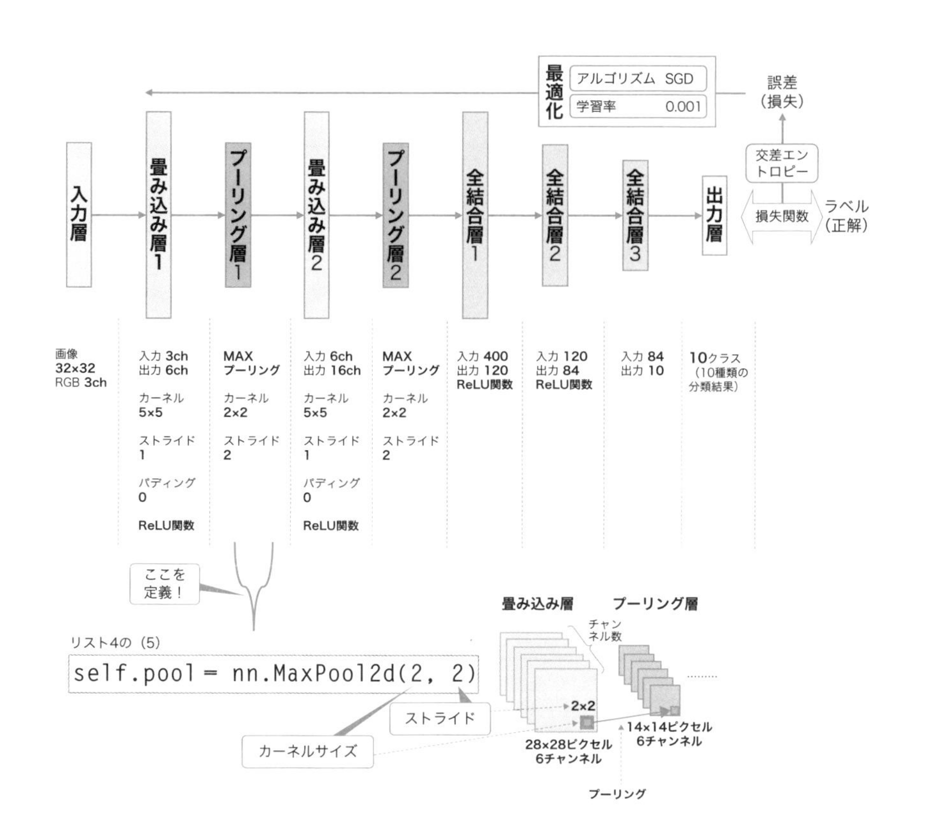

図 7-3-04　プーリング層のカーネルサイズなどをコードで指定

リスト４の（6）の３行のコードが、３つの全結合層を定義する処理です。全結合層は「Linear」関数を使い、入力と出力それぞれのサイズ（ノード数）をそれぞれ引数に順に指定します（図 7-3-05）。

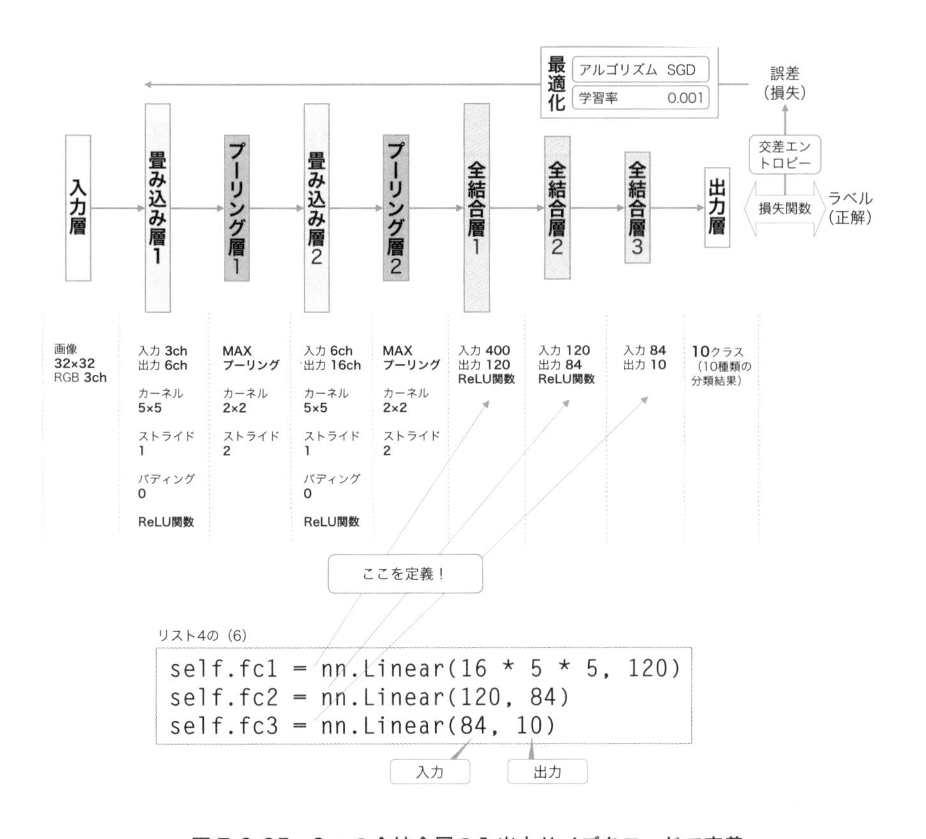

図 7-3-05　3つの全結合層の入出力サイズをコードで定義

1つ目の全結合層の入力サイズの「16 * 5 * 5」については、後述します。

2つ目の全結合層の入力のサイズは、1つ目の全結合層の出力に合わせています。

3つ目の全結合層の入力サイズも同様です。なお、3つ目の全結合層の出力サイズの10は、分類するクラス数（分類する物体の種類の数）である10です。

このように、定義した3つの全結合層は属性fc1～fc3にそれぞれ代入し、以降の処理に使います。

各層の並びと処理の流れを定義

次に、リスト4の（3）の「def forward(self, x):」以下を見ていきます。この部分は、ニューラルネットワークの構成（各層が並ぶ順番と処理の流れ）を定義しています。

リスト４の（3）にある「x」が、CNN の入力値です。この x に画像などのデータを渡すことで、処理の流れが始まります。CNN は関数のかたちで処理を行いますが、この x がその関数の引数です。引数 x に渡されたデータに対して、畳み込みなどの処理を順に行い、最終的に出力値として return で返すのです。

リスト４の（7）は、１つ目の畳み込み層とプーリング層の処理です。両者の間には活性化関数として ReLU 関数を入れています。１つ目の畳み込み層は (4) で定義した属性 conv1、プーリング層はリスト４の（5）で定義した属性 pool を使っています。ReLU 関数は「relu」という関数があらかじめ用意されているので、それを使います。

これら３つを目的の並び順に従い、入れ子のかたちでコードを記述します（図 7-3-06）。その処理結果を x に再び代入し、次の層の処理で入力に用います。２つ目の畳み込み層とプーリング層も同様です。

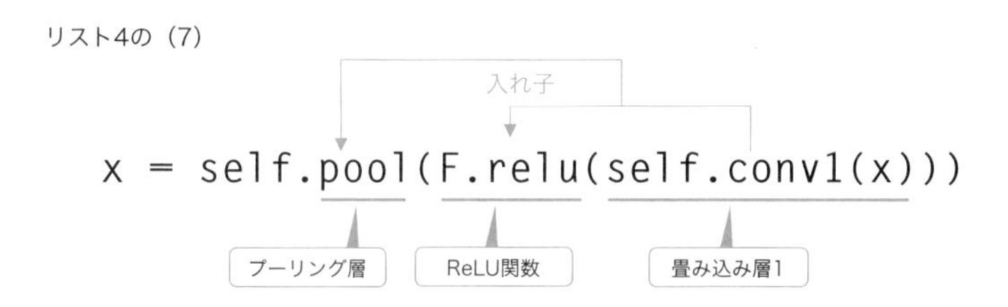

図 7-3-06　畳み込み層と活性化関数、プーリング層を入れ子で記述

リスト４の（8）は、全結合層に渡すためにデータを変換する処理です。１つ目の全結合層は属性 fc1 であり、入力はリスト４の（6）で定義したとおり、16 * 5 * 5 です。それに合わせて、リスト４の(8)では２つ目の畳み込み層とプーリング層の結果を全結合層に渡すため、16 * 5 * 5 の並びに変換しているのです。fc1 の入力が 16 * 5 * 5 なのは、その前の層である２つ目のプーリング層にて、5×5 の特徴マップが 16 チャンネルぶん出力されるからです。特徴マップのサイズの決まり方とチャンネルの数については、6-5 節に出てきましたね。

3つの全結合層の並びを定義している処理が、リスト4の（9）です。1つ目と2つ目の全結合層は、ともに活性化関数としてReLU関数を入れています。最後は前述のとおり、出力値としてxをreturnで返します。

このように定義した各層が並ぶ順番と処理の流れに従い、引数xに入力した画像が順伝播で推論が行われ、分類の結果が戻り値として得られます。なお、ここでは分類の結果は確率の形式に変換せず、飛行機や鳥などのクラス（認識する物体）である可能性の数値をそのまま出力しています。

以上が、CNNを定義する処理（リスト4の（1））の中身です。

そして、定義したCNNはリスト4の（10）の処理で生成します。リスト4の（9）まではあくまでも定義であり、いわば"設計図"に該当します。"実体"を生成しなければ使えないのであり、リスト4の（10）によって生成しています。リスト4の（10）では、「net」という名前の関数で生成するようにしています。これで以降は「net(引数)」の形式で、引数に画像データを渡すようコードを記述して実行すれば、分類の結果が戻り値として得られます。

損失関数と「オプティマイザ」の定義

CNNを定義・生成できたら、続けて損失関数と「オプティマイザ」を定義します。オプティマイザとは、最適化に用いるアルゴリズムおよびその処理です。定義するコードがリスト5です。

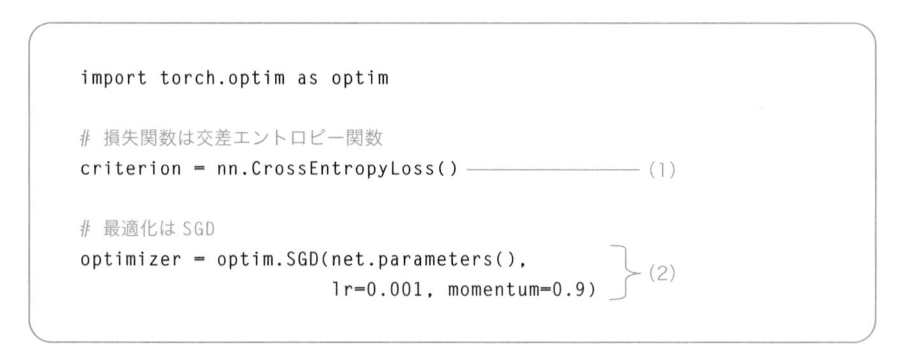

```
import torch.optim as optim

# 損失関数は交差エントロピー関数
criterion = nn.CrossEntropyLoss() ――――――― (1)

# 最適化はSGD
optimizer = optim.SGD(net.parameters(),      } (2)
                      lr=0.001, momentum=0.9) }
```

リスト5　損失関数とオプティマイザを定義

リスト5を解説します。実質2行のコードしかありません。

リスト５の（1）は損失関数を定義する処理です。図7-3-01で提示したとおり、損失関数は交差エントロピー関数を採用します。PyTorchでは、CrossEntropyLoss関数で実装できます。同関数で生成してから変数criterionに代入し、以降の処理に用います。

リスト５の（2）はオプティマイザを定義する処理です。今回はSGDを採用します。PyTorchでは、SGD関数で実装できます。同関数で生成してから変数optimizerに代入し、以降の処理に用います。SGD関数は第２引数に学習率を指定します。リスト５の(2)では、0.001を指定しています。第３引数には、モーメンタムの値として0.9を指定しています。また、第１引数に「net」を使って、「net.parameters()」と指定することで、先ほど定義したCNN「net」のパラメーター（重みとバイアス）をひも付けています。

それでは、Colabに新しいセルを追加し、リスト５のコードを入力して実行してください。このコードは実行しても何も出力されない処理内容です。エラーなどが表示されなければOKです。

このようにPyTorchでは、損失関数とオプティマイザも１～２行のコードで容易に実装できてしまいます。

7-4 学習を行うコード

学習のコードを記述して実行

前節では、「net」という名前で関数のごとく使えるCNNを定義しました。本節では、そのCNN「net」を使い、学習データを用いた学習をします。

学習のコードがリスト６です。ここではエポックは２とします。本チュートリアルでは、損失（損失関数の値）の変化がわかるよう、2000ミニバッチごとに損失の平均などを出力するようにしています。

```
# 2エポック学習
for epoch in range(2): ──────────────── (1)
  running_loss = 0.0

  # データセットの数だけ学習
  for i, data in enumerate(trainloader, 0): ──── (2)
    inputs, labels = data

    optimizer.zero_grad()

    # 学習データの画像で推論
    outputs = net(inputs) ──────────────── (3)

    # 損失関数で損失を求める
    loss = criterion(outputs, labels) ────────── (4)

    # 逆伝播で勾配を求める
    loss.backward() ───────────────── (5)

    # パラメーター更新
    optimizer.step() ───────────────── (6)

    # 2000ミニバッチごとに損失の平均値を算出・出力
    running_loss += loss.item()
    if i % 2000 == 1999:
      print('[%d, %5d] loss: %.3f' %
           (epoch + 1, i + 1, running_loss / 2000))
      running_loss = 0.0

print('Finished Training')
```

リスト6　学習を行うコード

それでは、新たなセルを追加し、リスト6のコードを入力して実行してみましょう。学習の最中は、2000ミニバッチごとに損失の平均値が「loss:」に続けて出力されます。損失関数の値が徐々に減っていき、学習が進んでいることがわかります。

学習は環境にもよりますが、数分もあれば終わるでしょう（図7-4-01）。終了すると、「Finished Training」と出力され、CNN「net」が学習済みとなり、画像の認識・分類に使えるようになります。

```
[1,  2000] loss: 2.262
[1,  4000] loss: 1.933
[1,  6000] loss: 1.729
[1,  8000] loss: 1.615
[1, 10000] loss: 1.533
[1, 12000] loss: 1.485
[2,  2000] loss: 1.424
[2,  4000] loss: 1.387
[2,  6000] loss: 1.355
[2,  8000] loss: 1.336
[2, 10000] loss: 1.304
[2, 12000] loss: 1.286
Finished Training
```

図 7-4-01　学習が終了し、「Finished Training」と出力

さて、ここで注意していただきたいのですが、読者の皆さんのお手元の環境では、損失の平均値の変化は、図 7-4-01 とは異なる結果が得られたことでしょう。以降も、いくつかの値で、図と手元では異なるケースが生じます。

その理由は、簡単に言えば、CNN の各種パラメーターの初期値がランダムに決定されることが主な要因です。これらは、ニューラルネットワークを使ったプログラムでは必ず起こります。

学習の処理の核はたった 4 行のコード

リスト 6 を記述・実行して学習の経緯と結果を確認したところで、リスト 6 のポイントを解説します。

この学習の処理のコードの大まかな構造は、2 つの for 文のループ（反復）の入れ子です。外側はエポックのループ、内側は学習用データセットのループです(図7-4-02)。内側は学習のループであり、外側は指定したエポックの回数だけ、学習のループが繰り返されます。(1) では、for 文に「range(2)」と指定することで、2 エポックに設定しています。

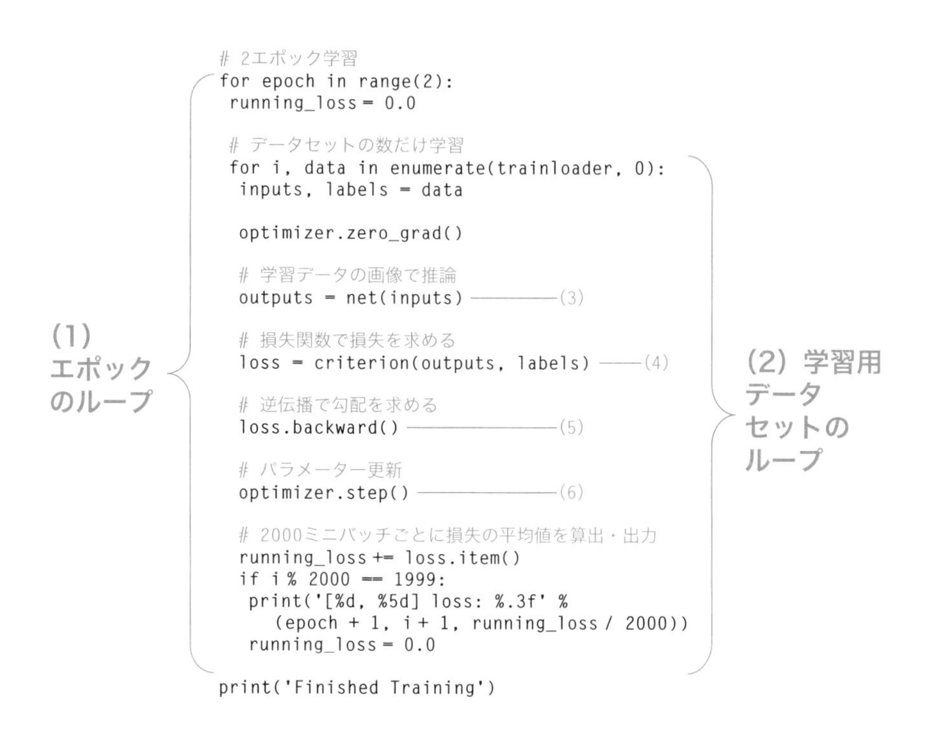

図 7-4-02　エポックのループと学習用データセットのループの入れ子（リスト 6）

外側のエポックのループに該当するのが、リスト6の（1）です。ここではエポック数に2を指定しています。

内側のデータセットのループが、リスト6の（2）です。リスト2で用意した学習データのDataLoaderである変数trainloaderから取り出します。ミニバッチのサイズを4に指定したので、4つずつ先頭から学習データ（画像とラベル）が取り出されます。

リスト6の（3）～（6）が、学習の処理の核と言えるコードです。順に見ていきましょう。

リスト6の（3）は、取り出した学習データの画像（バッチサイズで指定した4枚ぶん）をCNN「net」で推論する処理です。現時点（学習途中）におけるパラメーター（畳み込み層のカーネル、全結合層の重みとバイアスなど）のCNNによって、学習データの画像を分類したのです。

リスト6の（4）は、その結果を使い、学習データのラベル（正解）から損失関数によって損失を求めています。

そしてリスト6の（5）にて、その損失を使い、誤差逆伝播法によって勾配を求めます。

その勾配を元に、リスト6の（6）にてSGDによって各種パラメーターを更新します。この処理を学習データの数（厳密には、学習データ総数50000÷バッチサイズ4）だけ繰り返す（イテレーション）ことで最適化を行います。

学習の処理のコア部分は以上です。まとめると図7-4-03のとおりです。

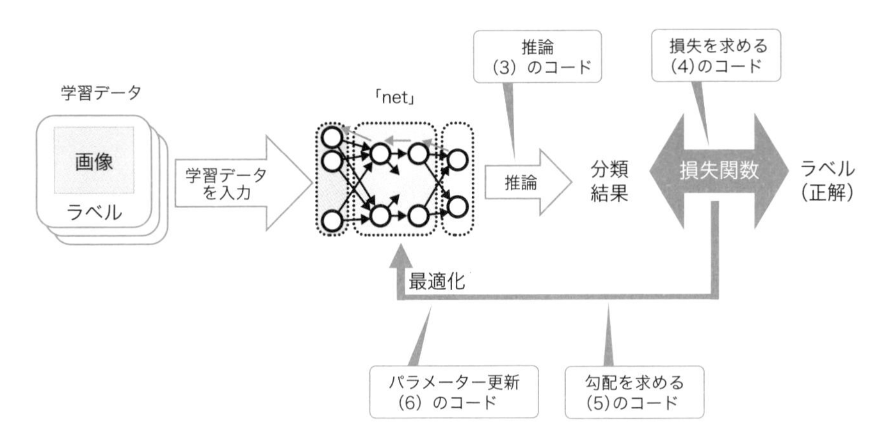

図7-4-03　学習の処理のコア部分

このようにPyTorchでは、学習データのDataLoaderを作り、CNNや損失関数やオプティマイザを用意さえしておけば、あとはリスト6の（3）～（6）のようなシンプルなコードで学習ができるのです。

リスト6の（6）より後ろのコードは、2000ミニバッチごとに損失関数の平均値を求めて出力する処理です。

以上のリスト6の（3）～（6）のコードを核とする処理が、内側のデータセットのループ（リスト6の（2））の中身です。このループの処理が前述のとおり、外側のエポックのループ（リスト6の（1））によって、指定したエポック数（ここでは2）だけ繰り返され、学習を行います。

その際、学習データはDataLoader生成の際にシャッフルするよう設定したので、エポックごとにシャッフルされます。各エポックで使われるデータセット自体は同じなので、毎回シャッフルすることで、学習に用いるデータが偏らないようにします。その結果、学習の偏りを防げます。

7-5 テストデータで画像を分類してみよう

先頭のテストデータを確認

CNNの学習が終わりました。これで画像認識AIプログラムができました。認識ができるかどうかを確認するために、テストデータを使って分類（推論）を行い、その能力を試してみましょう。

テストデータのDataLoaderは、すでにリスト2で用意しています。ここでは、そのテストデータの先頭（10000枚の画像とラベルのセットの1番目）に保存されているデータを認識・分類してみます。まずは先頭のデータを取り出します。あわせて、どのような画像とラベルなのか確認するために表示します。そのコードがリスト7です。

```
dataiter = iter(testloader)
images, labels = dataiter.next()

imshow(torchvision.utils.make_grid(images))
print('GroundTruth: ',
      ' '.join('%5s' % classes[labels[j]] for j in range(4)))
```

リスト7　先頭のテストデータの画像とラベルを表示

リスト7を入力・実行してください。すると、図7-5-01のように先頭のテストデータの画像とラベルが表示されます。

図7-5-01　先頭のテストデータの画像とラベル

リスト7のコードはリスト3と似ています。大きく違うのは、取り出して表示するのが学習データなのかテストデータなのかだけです。

なお、リスト7で表示されるテストデータは、環境や実行回数にかかわらず、毎回同じものが取り出されます。テストデータのDataLoaderは、生成時にはシャッフルしないよう設定したからです。

7章

先頭のテストデータを分類

この先頭のテストデータをCNNで分類するコードがリスト8です。筆者の環境で実行した結果が図7-5-02です。分類結果のみが4つ表示されます。先頭からテストデータの1枚目の画像に該当します。

```
outputs = net(images)                                              (1)
_, predicted = torch.max(outputs, 1)

print('Predicted: ', ' '.join('%5s' % classes[predicted[j]]        (2)
                              for j in range(4)))
```

リスト8　先頭のテストデータを分類

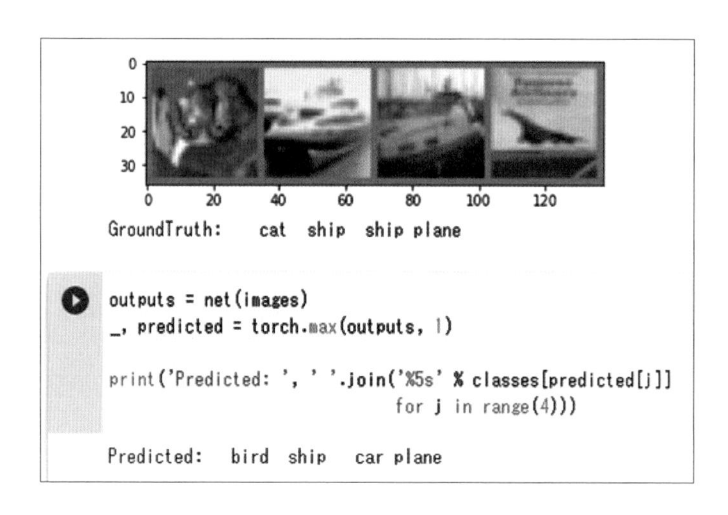

図 7-5-02　先頭のテストデータの分類結果（筆者環境での例）

図 7-5-01 で先頭のテストデータの画像と一緒に表示したラベルと比べると、1 枚目と 3 枚目が誤って分類され、残りの 2 枚は正しく分類できています。

なお、読者の皆さんのお手元の環境では、学習結果次第で分類結果が異なる場合もあります。その主な原因は、重みやバイアスの初期値がランダムに決定されるため、学習の結果も変わるからです。

それでは、リスト 8 を簡単に解説します。

(1) は CNN（「net」）を使い、分類する処理です。引数に指定している変数 images は、リスト 7 によって 4 枚の画像が格納されています。この 4 枚という数はバッチサイズです。

(2) の 2 行のコードによって、分類結果を「cat」などラベル名の形式で出力しています。CNN の出力は、10 あるクラスの中で、どのクラスである可能性が高いのかを表す数値として得られます。その出力をわかりやすくするよう、ラベル名の形式に変換しています。

2番目以降のテストデータも分類

続けて、2番目以降のテストデータも分類してみましょう。そのコードがリスト9です。

```
images, labels = dataiter.next()
imshow(torchvision.utils.make_grid(images))
print('GroundTruth: ',
      ' '.join('%5s' % classes[labels[j]] for j in range(4)))

outputs = net(images)
_, predicted = torch.max(outputs, 1)

print('Predicted: ', ' '.join('%5s' % classes[predicted[j]]
                              for j in range(4)))
```

リスト9　2番目以降のテストデータを分類

テストデータの画像とともに、分類結果の成否がわかりやすくなるよう、正解のラベル（「GroundTruth: ～」）と分類結果（「Predicted: ～」）を並べて出力するようにしています。

それでは、リスト9を入力・実行してください。筆者環境での実行結果の例が図7-5-03です。

図7-5-03　2番目のテストデータの分類結果（筆者環境での例）

このリスト9のコードは再び実行すると、そのまた次のテストデータの分類を行うようになっています。何度か繰り返し実行し、先頭以外のテストデータもいくつか分類してみるとよいでしょう。

Column》どれだけ正確に分類できるのか検証する

ここで作成した画像認識AIはどのくらいの分類精度でしょうか？ すべてのテストデータを分類した場合の正解率（画像10000枚中でどれだけ正解できたかの割合）を求めるコードがリスト10です。

```
correct = 0
total = 0

with torch.no_grad():
  # すべてのテストデータを順に分類
  for data in testloader:
    images, labels = data
    outputs = net(images)
    _, predicted = torch.max(outputs.data, 1)

    # テストデータと正解の数をカウント
    total += labels.size(0)
    correct += (predicted == labels).sum().item()

# 正解率を求めて出力
print('Accuracy of the network on the 10000 test ⏎
images: %d %%' % (
  100 * correct / total))
```

リスト10　すべてのテストデータの正解率を求める

実行すると、図7-5-04のように、正解率が出力されます。筆者環境では、55%という正解率でした。

```
Accuracy of the network on the 10000 test images: 55 %
```

図7-5-04　すべてのテストデータの正解率

さらに、すべてのテストデータの正解率をクラスごとに求めてみましょう。そのコードがリスト11です。

```
class_correct = list(0. for i in range(10))
class_total = list(0. for i in range(10))

with torch.no_grad():
  # すべてのテストデータを順に分類
  for data in testloader:
    images, labels = data
    outputs = net(images)
    _, predicted = torch.max(outputs, 1)

    # クラスごとに正解の数をカウント
    c = (predicted == labels).squeeze()
    for i in range(4):
      label = labels[i]
      class_correct[label] += c[i].item()
      class_total[label] += 1

# クラスごとの正解率を求めて出力
for i in range(10):
  print('Accuracy of %5s : %2d %%' % (
    classes[i], 100 * class_correct[i] / class_total[i]))
```

リスト 11　クラスごとの正解率を求める

実行すると、図 7-5-05 のように、クラスごとの正解率が出力されます。筆者環境では、car や frog は正解率が高く、cat や deer は低いという結果でした。

```
Accuracy of plane : 69 %
Accuracy of   car : 75 %
Accuracy of  bird : 54 %
Accuracy of   cat : 22 %
Accuracy of  deer : 37 %
Accuracy of   dog : 44 %
Accuracy of  frog : 71 %
Accuracy of horse : 61 %
Accuracy of  ship : 64 %
Accuracy of truck : 52 %
```

図 7-5-05　クラスごとの正解率

正解率をより高めるには、学習データやエポックの数を増やすなどの方法が考えられます。ただし、やみくもに増やせばよいというわけではありません。「過学習」を起こしたりする恐れもあります。過学習とは、学習データに特化しすぎた学習をしてしまい、汎用性がなくなる現象です。学習データでは正解率が高いのに、ほかのデータでは低くなってしまいます。学習データやエポックがどのくらいの数が適切なのかは、試行錯誤で求めるしかないのが現状です。

7-6 GPUを使えば学習がもっと短時間に

GPUを有効化しよう

2章で紹介したように、ColabはGPUを無料で使えるのが大きな魅力です。ここまでに作成したCNNのプログラムをGPU環境で動かしてみましょう。

その準備として、ColabのGPUを有効化します。2章で説明したとおり、ColabはデフォルトではGPUが無効になっています。図7-6-01の手順に従って有効化してください。

1. メニューバーの［ランタイム］→［ランタイムのタイプを変更］をクリック

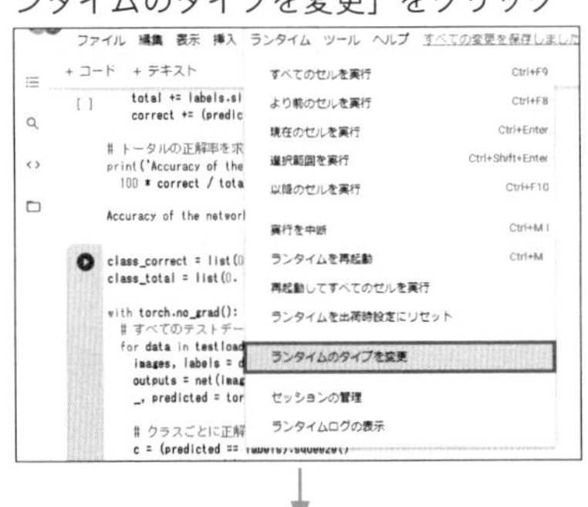

2.「ノートブックの設定」ダイアログが開く。「ハードウェアアクセラレータ」のドロップダウンから［GPU］を選び、［保存］をクリック

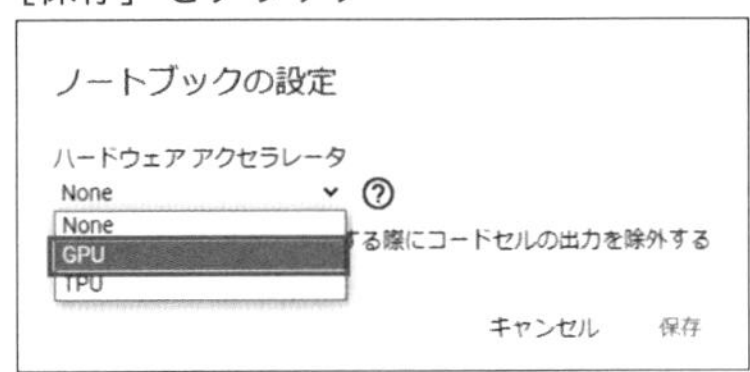

図7-6-01　GPUを使うための設定手順

ここで注意が必要なのが、GPU を有効化すると、これまで読み込んだモジュールやデータなどがすべてリセットされてしまうことです。そのため、リストの実行を最初からやりなおす必要があります。まずはリスト 1 ～ 5 を実行しなおしてください。

実行しなおせたら、GPU がちゃんと有効化できたかを、リスト 12 で確認しましょう。

```
print(torch.cuda.is_available())
```

リスト 12　GPU を有効化できたか確認

リスト 12 を実行し、図 7-6-02 のように True が出力されたなら、GPU が有効化されたことが確認できます。

```
True
```

図 7-6-02　GPU が有効化されたら True が出力される

PyTorch で GPU を使うには

GPU を使う場合は、ここまで紹介したコードに少しだけ追加・変更が必要です。

まずは、リスト 13 を新しいセルに入力・実行してください。

```
device = torch.device("cuda:0" if torch.cuda.is_available() ⏎
else "cpu")
print(device)
```

リスト 13　GPU を使うために必要なオブジェクトを生成

このコードは「GPU を使うために必要なオブジェクトを生成する」という意

味です。図 7-6-03 のように出力されれば OK です。

```
cuda:0
```

図 7-6-03 「cuda:0」と出力されれば OK

続けて、リスト 14 を実行してください。こちらは CNN（前節までのコードでは「net」の名前で使っていた）で GPU を使えるようにするためのコードです。

```
net.to(device)
```

リスト 14 CNN で GPU を使用可能にする

実行すると、図 7-6-04 のように CNN の構成が出力されます。これで GPU が CNN で使えるようになりました。

```
net.to(device)

Net(
  (conv1): Conv2d(3, 6, kernel_size=(5, 5), stride=(1, 1))
  (pool): MaxPool2d(kernel_size=2, stride=2, padding=0, dilation=1, ceil_mode=False)
  (conv2): Conv2d(6, 16, kernel_size=(5, 5), stride=(1, 1))
  (fc1): Linear(in_features=400, out_features=120, bias=True)
  (fc2): Linear(in_features=120, out_features=84, bias=True)
  (fc3): Linear(in_features=84, out_features=10, bias=True)
)
```

図 7-6-04 CNN で GPU が使えるようになった

学習の処理を GPU で行う

GPU が使えるようになったので、学習・分類するための各リストを実行していきましょう。ここまで紹介したリストを実行していくのですが、学習を実行するリスト 6、分類を行うリスト 8 ～ 11 は、GPU を使うために一部を書き換えて実行する必要があります。

まず、学習を実行するリスト 6 の（2）の箇所を、以下のように書き換えます。

書き換えたら、リスト 6 を実行します。これで学習の処理が GPU で行われます。

▼変更前

```
# 2 エポック学習
for epoch in range(2):
  running_loss = 0.0

  # データセットの数だけ学習
  for i, data in enumerate(trainloader, 0):
    inputs, labels = data

    optimizer.zero_grad()
         .
         .
         .
```

↓

▼変更後

```
# 2 エポック学習
for epoch in range(2):
  running_loss = 0.0

  # データセットの数だけ学習
  for i, data in enumerate(trainloader, 0):
    inputs, labels = data[0].to(device), data[1].to(device)

    optimizer.zero_grad()
         .
         .
         .
```

変更した箇所

出力内容は GPU を使わない場合と変わりませんが、GPU による高速化で、処理に要する時間が短縮されます。筆者の環境では、GPU を使わない場合（CPU）は 2 分 30 秒ほど要していたのが、2 分ほどに短縮されました。参考までに 10 エポックでも試したところ、約 8 分となりました（リスト 6 の「range(2)」を「range(10)」に変更）。GPU を使わない場合（CPU）は約 13 分でしたので、3 分の 2 以下に処理時間が短縮されました。

なお、Colab の無料プランでは、高速な GPU が必ず利用できるとは限りません。そのため、高速化の効果があまり得られないケースもあります。

7章

分類もGPUで行う

学習の処理をGPUに対応させたところで、分類もGPUで処理できるようにしましょう。リスト8〜11を書き換えます。

まず、リスト8とリスト9を書き換えます。

コードの「outputs = net(images)」の部分を、「outputs = net(images.to(device))」と書き換えてから実行してください。

リスト8は1行目です。

▼変更前

```
outputs = net(images)
_, predicted = torch.max(outputs, 1)
        .
        .
        .
```

↓

▼変更後

```
outputs = net(images.to(device))  ←変更した箇所
_, predicted = torch.max(outputs, 1)
        .
        .
        .
```

リスト9は6行目です。

▼変更前

```
images, labels = dataiter.next()
imshow(torchvision.utils.make_grid(images))
print('GroundTruth: ',
      ' '.join('%5s' % classes[labels[j]] for j in range(4)))

outputs = net(images)
_, predicted = torch.max(outputs, 1)
        .
        .
        .
```

↓

▼変更後

```
images, labels = dataiter.next()
imshow(torchvision.utils.make_grid(images))
print('GroundTruth: ',
      ' '.join('%5s' % classes[labels[j]] for j in range(4)))

outputs = net(images.to(device))◀―変更した箇所
_, predicted = torch.max(outputs, 1)
        .
        .
        .
```

次に、リスト10とリスト11を書き換えます。

コードの「images, labels = data」の部分を、「images, labels = data[0].to(device), data[1].to(device)」と書き換えてから実行してください。

リスト10は7行目です。

▼変更前

```
correct = 0
total = 0

with torch.no_grad():
  # すべてのテストデータを順に分類
  for data in testloader:
    images, labels = data
        .
        .
        .
```

↓

▼変更後

```
correct = 0
total = 0

with torch.no_grad():
```

```
  # すべてのテストデータを順に分類
  for data in testloader:
    images, labels = data[0].to(device), data[1].to(device)
          .
          .
          .
```

変更した箇所

リスト11は7行目です。

▼変更前

```
class_correct = list(0. for i in range(10))
class_total = list(0. for i in range(10))

with torch.no_grad():
  # すべてのテストデータを順に分類
  for data in testloader:
    images, labels = data
          .
          .
          .
```

↓

▼変更後

```
class_correct = list(0. for i in range(10))
class_total = list(0. for i in range(10))

with torch.no_grad():
  # すべてのテストデータを順に分類
  for data in testloader:
    images, labels = data[0].to(device), data[1].to(device)
          .
          .
          .
```

変更した箇所

以上で、GPUを使って分類が行われ、結果が表示されます。結果そのものはGPUを使わない場合と変わりませんが、GPUによって処理は高速化されています。

もっとも、リスト8～11はいずれも処理が比較的軽いため、GPUによる高速化の恩恵はあまり体験できないかもしれません。もっとサイズが大きな画像を大量に使った学習など、重い処理ほど恩恵があるでしょう。

本章のまとめ

- AI のプログラムは、「PyTorch」などのフレームワークを利用すると、より容易に作成できる。

- 学習用とは別にテスト用のデータセットも用意し、学習済み AI の推論精度の検証に用いる。

- ニューラルネットワークの各層の種類や並び順、入出力数など CNN の構造、損失関数や最適化の方法などはプログラマーが決める。

- PyTorch では、画像認識 AI は以下のようにプログラミングする。
  ・データセットの読み込みから、畳み込み層やプーリング層や全結合層の定義、損失関数の指定、勾配の算出と最適化、バッチサイズの設定などまで、すべて専用の関数 1 つでできる
  ・各層の中身とニューラルネットワークの構成は、関数のようなもの（クラス）として定義。引数に画像データを渡せば、推論（分類）の結果が戻り値として得られる
  ・エポック数は for 文で繰り返す回数として指定する

- GPU を使うと、学習がより短時間でできる。GPU を使う場合、コードには、GPU を使うための記述が必要となる。

8章

自然言語処理の仕組み

8章 自然言語処理の仕組み

ディープラーニングは現在、画像認識のみならず、翻訳など言葉を処理するような分野でも活躍しています。こういった処理のことを「自然言語処理」(Natural Language Processing、NLP) と呼びます。本章では、ディープラーニングを用いた自然言語処理の仕組みの基礎を解説します。

8-1 自然言語処理とは

機械翻訳などで実用化

自然言語処理は、コンピューターが人間の言葉を理解したり、文章を作ったりするための技術であり、近年はその有力な手法としてディープラーニングが用いられています。

自然言語処理はたとえば、以下のような用途に使われており、実際にサービスなどで実用化されています（図 8-1-01)。

機械翻訳

例：日本語の文章を英語に翻訳する

文章分類

例：自社製品に対する顧客からのメールや SNS の投稿を、良い評価のものと悪い評価のものに分類する

チャットボット

例：航空券予約 Web サイトで、ユーザーからの質問に自動で答える

▼機械翻訳

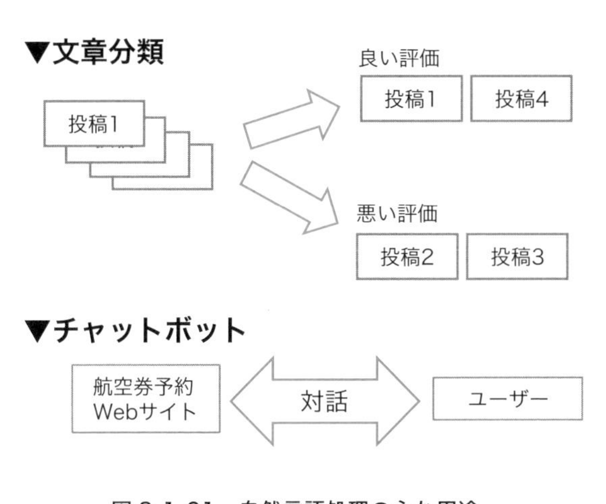

図 8-1-01　自然言語処理の主な用途

機械翻訳とは、文章の意味を理解したあと、その文章を別の言語に置き換える（翻訳する）ことを指します。

文章分類とは、文章の意味をコンピューターが理解し、その文章の内容を何らかの基準で判定して分類することを指します。たとえば、通販サイトでの商品の評価の投稿を、「良い評価」（ポジティブ）と「悪い評価」（ネガティブ）に分ける処理などです。

チャットボットは、質問の文章の意味を理解したうえで何らかの回答をしています。これは、回答文という文章を、質問文という文章から自動で生成する処理を行っているのです。

このように、自然言語処理とは、元となる文章を入力し、その意味をコンピューターが理解したあと、分類や生成などを適宜行って出力する、という処理の流れのことです。

こういった自然言語処理は、ディープラーニング以前の時代から開発されてきましたが、ディープラーニングの導入によって飛躍的な性能向上を果たしました。たとえば、インターネットの翻訳サービスがある時期を境に翻訳精度が劇的に向上したのは、ディープラーニングを導入したからだと言われています。

また、先ほど挙げた例はすべて入力も出力もテキストですが、音声をテキスト化する音声認識など、音声や画像を含めた分野などにも、自然言語処理が使われています。

次節から、ディープラーニングによる自然言語処理の仕組みの基礎を順に解説していきます。

8-2 単語の意味を理解させる仕組みの基礎

はじめの一歩は単語の分割

本節では、単語の意味をコンピューターに理解させる仕組みの基本を解説します。

文章は、複数の単語で構成されています。よって、コンピューターに文章の意味を理解させるには、文章を構成する各単語の意味を理解させる必要があります。単語の意味を理解させる仕組みは、自然言語処理の土台となる仕組みと言えるでしょう。

単語の意味を理解させるには、前処理が必要です。まずは、入力された文章を単語ごとに分割します。

たとえば、「私は赤い自転車に乗る」という文章なら、図8-2-01のように6つの単語に分割します。この例にはありませんが、文末の「。」も1つの単語と見なします。

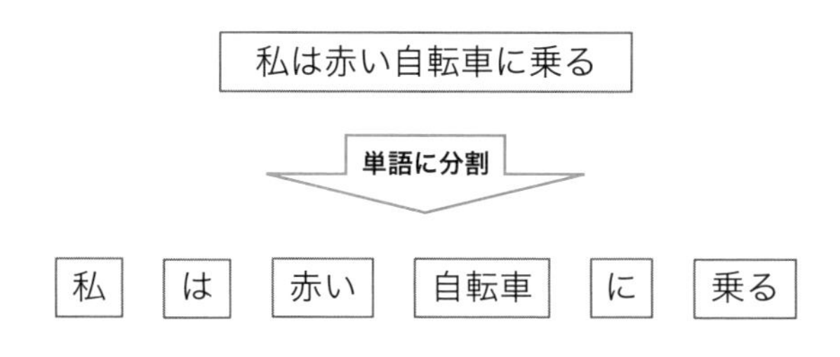

図 8-2-01　文章を単語に分割

英語の文章なら、単語と単語の間はスペースやカンマで区切られているため、容易に分割できます。しかし、日本語の文章では、そういった明確な区切りが単語と単語の間にありません。日本語の自然言語処理が難しいと言われてきたのは、こうした点もあります。

ではどうするのかというと、単語の「辞書」となるファイルを別途用意しておき、それをもとに分割するなどの方法が用いられます。プログラミングの場合は、文章を分割するためのライブラリがあります。Python にもそうしたライブラリがあるので、それを利用して分割します。

次に、分割した単語を列挙します。その際、図 8-2-01 の例では該当しませんが、もし 1 つの文章に同じ単語が複数個含まれていたら、1 つの単語としてカウントし、重複しないようにします。

そして、列挙した単語に対して、連番を振っていきます（図 8-2-02）。ここでは例として、1 から始まる整数を振っています。

図 8-2-02　分割して列挙した単語に連番を振る

コンピューターは、原則として数値しか扱えません。人間の言語をそのままでは扱えないので、各単語に連番を振り、その連番によって扱えるようにしているのです。この連番は、単語を識別するIDのような役割です。

前処理は以上です。

単語の意味を数値の組み合わせで表現

単語の意味をコンピューターに理解させるためによく使われるのは、単語の意味を「単語の特徴を表す複数の数値の組み合わせで表す」という方法です。その考え方および原理を説明しましょう。

たとえば、野菜の単語である「トマト」「ピーマン」「キュウリ」「ナス」があるとします。特徴を表す数値は以下の2種類と仮定します。

細長さ

形状の「細長さ」を表す数値。数値が大きいほど細長く、小さいほど細長くない（＝丸い）。

緑

色の「緑」を表す数値。数値が大きいほど緑色であり、小さいほど緑色ではない（＝反対色である赤）。

これら特徴の数値「細長さ」「緑」を使って、「トマト」「ピーマン」「キュウリ」「ナス」を表した例が図8-2-03です。

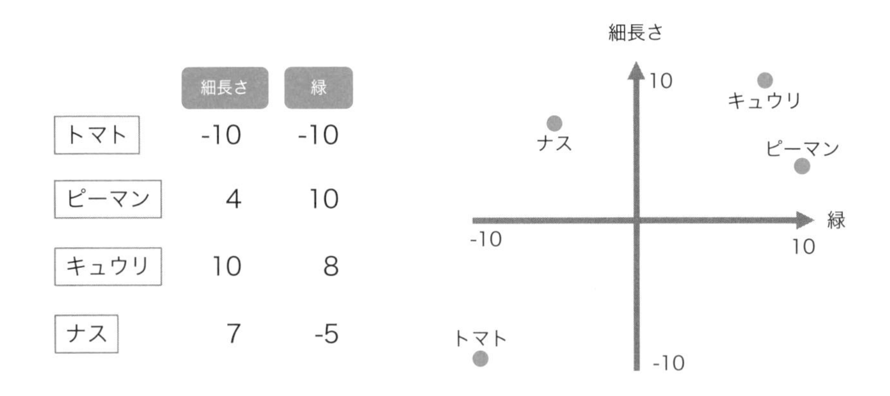

	細長さ	緑
トマト	-10	-10
ピーマン	4	10
キュウリ	10	8
ナス	7	-5

図8-2-03 「細長さ」と「緑」を特徴に、単語を数値で表す

これで、「細長さ」と「緑」という２種類の特徴を表す数値の組み合わせによって、４つの野菜の単語の意味を表せました。このことを単語ごとに「(細長さの数値，緑の数値)」の形式で記述すると、以下のようになります。

```
トマト　 (-10, -10)
ピーマン (4, 10)
キュウリ (10, 8)
ナス　　 (7, -5)
```

この例では、特徴は「細長さ」と「緑」という２種類だけですが、特徴の種類を増やしていけば、より複雑な意味の単語も表せるようになるでしょう。その場合、「(数値 1, 数値 2, 数値 3…)」といったかたちなります。さらに、各々の数値についても、整数ではなく小数にするなど、より幅広い値を取りうるようにすれば、もっと複雑な意味の単語も表せます。

このように、特徴を表す複数の数値の組み合わせを使って単語の意味を表す方法のことを、自然言語処理では「分散表現」と呼びます。分散表現は数値を組み合わせたものですから、コンピューターで容易に扱えます。また、それぞれの特徴を表す数値がより適切な値であるほど、その単語の意味をより正確に表せます。

単語の足し算や引き算もできる

分散表現を使えば、単語の意味を複数の数値の組み合わせで表せることがわかりました。数値ということは、当然、足し算や引き算といった計算ができます。

分散表現が優れているのは、「単語の足し算や引き算」を行うことで、「意味の足し算や引き算」ができるところです。

ここで例として、「王」（英語で「king」）という単語を用います。この「王」から単語「男性」（man）を引き、「女性」（woman）を足すと、「女王」（queen）になります。

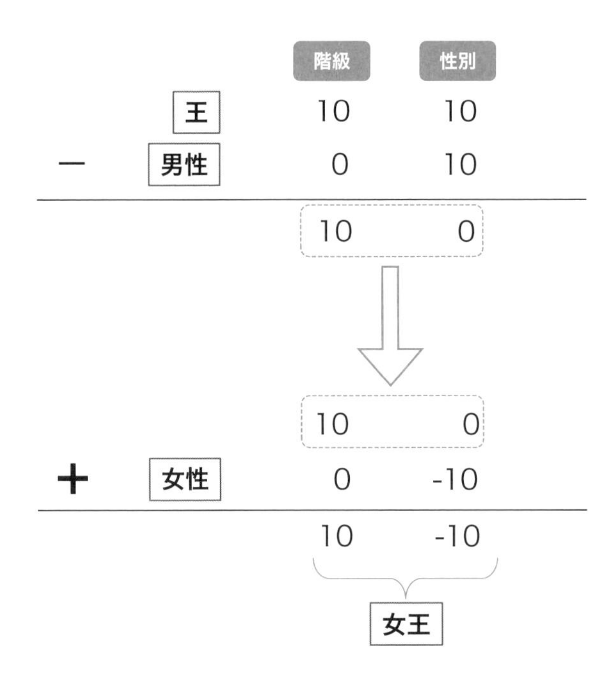

図 8-2-04　分散表現は単語の足し算や引き算が可能

この計算のイメージは図 8-2-04 のとおりです。

単語の特徴の項目は、「階級」と「性別」の２種類とします。

同図では、特徴「階級」は 10 に近いほど王族、-10 に近いほど平民とします。

一方、特徴「性別」は 10 に近いほど男性、-10 に近いほど女性を意味すると仮定します。

単語「男性」も「女性」も、意味的に階級と直接関係ないとして、特徴「階級」の数値は 0 と仮定します。

計算の過程を見ていきましょう。

単語「王」から「男性」を引くと、特徴「性別」から「男性」を表す数値が 0 になります。

もう1種類の特徴「階級」は引く数字が0なので、元の数値のままです。
その状態に単語「女性」を足すと、特徴「性別」が「女性」の数値になります。
特徴「階級」の数値は大きいままであり、特徴「性別」が「女性」に変わったので、「女王」という計算結果が得られました。

単語の足し算や引き算によって、各単語の意味をもとに別の単語（つまり、別の意味）を導き出せることになります。

特徴の数値はどうやって決める？

さて、ここまでで分散表現の考え方と原理を理解できたかと思います。
しかし、ここで疑問が湧いてきませんか。以下の2つはどうやって決めるのでしょうか。

(A) 特徴の項目
(B) 特徴の数値

(A) は、「そもそも特徴の項目として何に注目するか」ということです。
「王」の場合は、「階級」と「性別」という項目があれば表せます。「年齢」という項目を作ったとしても、それは「王」を表すことはできません。すごく若い王もいれば、年寄りの王もいるからです。
(B) は、「その特徴の数値の設定は、適切なものか」ということです。
「野菜」の場合は、「細長さ」と「緑」という2種類の特徴の数値を、-10～10で設定しました。「王」の場合は、「階級」と「性別」を-10～10で数値を設定しました。しかし、この数値が適切かどうかは、どうやって決めるのがいいのでしょうか。

ディープラーニングでは、(A) も (B) も学習によって、コンピューター自身に決めさせます。その仕組みを次節で解説します。

8-3 単語の意味を学習させるには

周囲の単語から意味を導き出す

　では、

(A) 特徴の項目
(B) 特徴の数値

をどうやって決めるのかを、見ていきましょう。

　前節の最後に、(A) も (B) も学習によってコンピューター自身に決めさせると述べました。最初に、その元となる考え方を解説します。次に、学習の仕組みを解説します。

　まずは、元となる考え方です。

　そもそも、分散表現という仕組みでは、次の考え方に基づいて単語の意味を決めています。

単語の意味は、周囲の単語によって決まる

　これは、

同じ文章内において、目的の単語の周囲で頻繁に使われる単語を調べることで、目的の単語の意味（何なのか）が決まる

という考え方です。

　その単語が、文章の中でどのような文脈で使われているのかを調べて、その単語の意味を決めるのです。一般的には、同じ文章の中でも、「目的の単語と関係が深い単語は近くに登場」し、「関係が浅い単語は離れた位置に登場」する傾向があるものです。この傾向を利用するのです。

ここでは、例として、「さくさくで香ばしいパンは美味しい」という文章を使います。「さくさく」「で」「香ばしい」「パン」「は」「美味しい」と6つに分割したと仮定します（図8-3-01）。

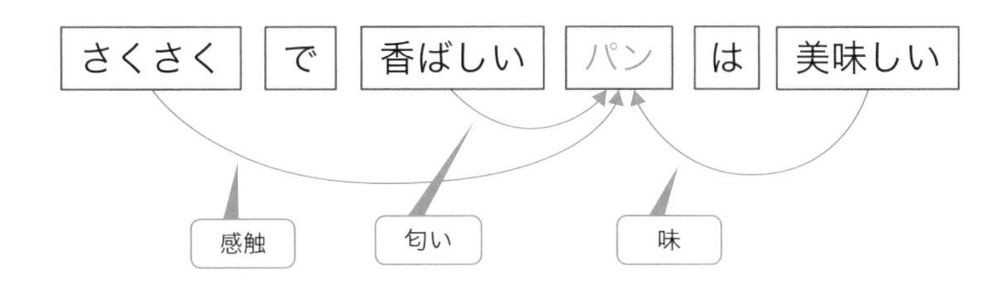

図8-3-01　単語の意味は周囲の単語で決まる

「パン」という食べ物の単語の周囲には、「香ばしい」など匂いや見た目、食感などパンを表す単語が頻繁に使われるでしょう。他にも「美味しい」や「食べる」など、比較的関係が深い単語がよく登場します。

それら周囲の単語から、「パン」の意味（パンとは何なのか）を導き出します。単語「さくさく」で感触（食感）、「香ばしい」で匂いといった属性がわかり、「美味しい」は味を表し、食べるものであることもわかるでしょう。

一方、「自転車」という単語なら、周囲には「香ばしい」や「美味しい」といった単語は登場しないものです。この2つの単語からでは、「自転車」とは何なのか、はわからないでしょう。このことも、周囲の単語によって意味が決まるという考え方に当てはまります。

加えて、周囲にどの単語が頻繁に使われるのかを調べる際、その範囲もポイントです。目的の単語からどの程度離れた距離まで調べるのかということです。ここで言う距離とは、「単語いくつぶん離れているか」という意味です。

別の文章を例に解説します。図8-3-02の「私は赤い自転車に乗る」という文章で、「自転車」という単語の意味を周囲の単語から決めたいとしましょう。まずは、この文章を「私」「は」「赤い」「自転車」「に」「乗る」と6つに分割します。

もし、「自転車」の周囲1つぶんの距離の単語だけならば、「赤い」と「に」の計2つの単語を使って、「自転車」の意味を導き出します。

8章

周囲２つぶんの距離の単語ならば、「は」と「赤い」、「に」と「乗る」の計４つの単語から、「自転車」の意味を導き出します。

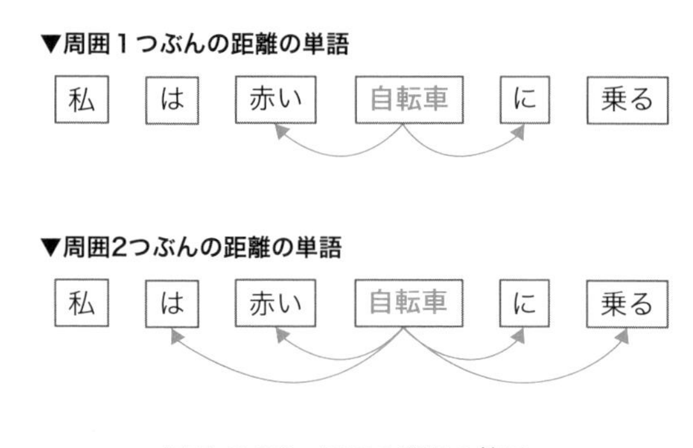

図 8-3-02　周囲の単語の範囲

周囲１つぶんの距離の単語だけだと、「に」はほとんど意味がなく、「赤い」だけから「自転車」の意味を導き出さなければなりません。これでは、何かしらの色があるといった程度の情報しか得られず、導き出すのは難しいでしょう。

周囲２つぶんの距離の単語となると、今度は「乗る」も含まれるので、乗り物の一種であることが導き出せるでしょう。

このようにしていくと、「自転車とは何なのか」が、周囲の単語からわかっていき、「乗り物の一種である」という「意味」が浮かび上がってきます。

しかし、単語の距離の範囲は広ければ広いほどいい、というわけではありません。広すぎると、今度は目的の単語から離れすぎてしまい、関連性が薄くなる可能性が高まります。通常は５単語程度の範囲が採用されます。図 8-3-02 の例の場合、単語の「私」は「自転車」から３つ離れています。「私」は「自転車に乗る人間の一種」くらいの関連性はあるかもしれませんが、自転車そのものを表す単語としては関連性は低いでしょう。

このように、「自転車」の周囲の単語から「自転車」の意味（自転車とは何なのか）を導き出します。そして、「私は赤い自転車に乗る」以外にも、「自転車」を含む文章を学習データとしていくつも与え、周囲の単語から関連性を得ることを重ねていくことで、「自転車」の意味をより正確に導き出せます。

単語の分散表現の (A)「特徴の項目」と (B)「特徴の数値」を決める仕組みは、以上のような考え方に基づいています。このアルゴリズムを「word2vec」と呼びます。

ちなみに「word2vec」の「word」は文字どおり「言葉」を意味します。「2」は英語の「to」の当て字であり、この場合は変換を意味します。「vec」は「ベクトル」という専門用語の英語の省略形です。ベクトルとはザックリ言えば、数値の組み合わせのことです。したがって、「word2vec」は「言葉をベクトル (数値の組み合わせ) に変換する」という意味です。分散表現は先述のとおり、単語の意味を数値の組み合わせで表すので、単語の意味をベクトルで表していると言えます。

特徴の項目と数値を決める学習の仕組み

次に、word2vec で単語の分散表現の (A)「特徴の項目」と (B)「特徴の数値」を決める学習の基本的な仕組みを見ていきます。

その仕組みのイメージは“穴埋め”です。例を挙げて解説しましょう。学習データとして、「私は赤い自転車に乗る」という文章があり、単語「自転車」の分散表現の各数値を決めたいと仮定します。この各数値が単語「自転車」の意味を表します。

この文章で、単語「自転車」をワザと隠してみます。そして、隠した単語は何なのか、周囲の単語から推論してみましょう (図 8-3-03)。

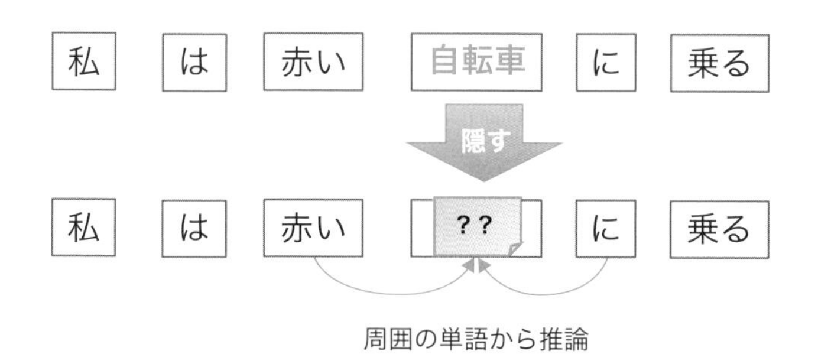

図 8-3-03　学習データの文章で、1 つの単語を隠す

8章

周囲の単語の距離は任意ですが、ここでは周囲1つぶんの距離の単語を使うと仮定します。すると、「自転車」の1つ前の「赤い」、1つ後ろの「に」という計2つの単語から推論することになります。

ワザと隠した単語「自転車」の推論は、ニューラルネットワークで行います。より正確に推論できるよう、ニューラルネットワークの重みを学習することが、単語「自転車」の分散表現の（A）「特徴の項目」と（B）「特徴の数値」を決めることにつながります。

一体どういうことか、順に解説していきます。

ニューラルネットワークの基本的な構造と処理の流れの一例が、図8-3-04です。隠された単語を周囲の単語から推定することを、ニューラルネットワークで行います。実際にはもっと複雑ですが、この構造がベースです。

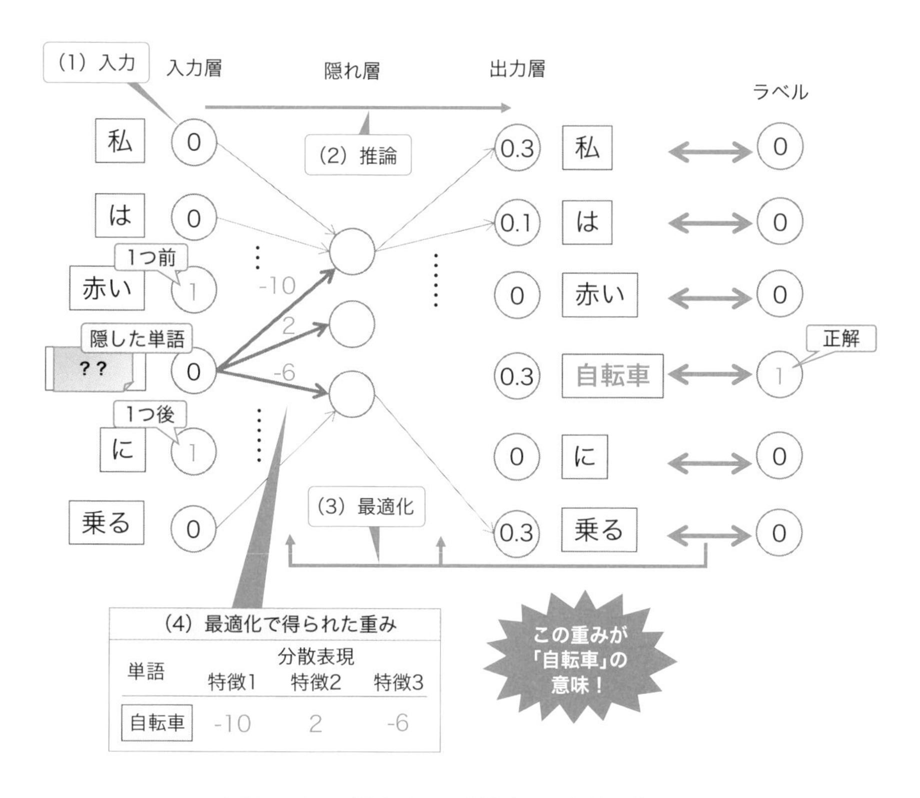

図 8-3-04 「自転車」の分散表現の数値を決める

入力層のノード数は、文章の単語の数だけ用意します。ここでは「私」「は」「赤い」「自転車」「に」「乗る」と6つに分割したので、入力層のノード数は6です。出力層のノードも入力層と同じく、文章の単語の数だけノード数を用意します。

周囲いくつぶんの距離の単語を推論に使うのかは、プログラムを作成するプログラマーが決めます。図 8-3-04 では、周囲1つぶんとしています。

隠れ層は1つだけです。入力層、出力層とそれぞれ全結合します。なお、図 8-3-04 ではエッジの一部を省略しています。

隠れ層のノード数は、単語の特徴の項目数ぶん用意します。ここでいう単語の特徴の項目とは、前節での野菜の例ならば、「細長さ」と「緑」の2つです。単語の特徴の項目数も、プログラマーが決めます。図 8-3-04 では、3つとしています。

ニューラルネットワークの基本的な構造は以上です。続けて、処理の流れを解説します。

入力層の各ノードには、学習データの文章のうち、隠した単語の推論に用いる周囲の単語のみ、1を入力します（図8-3-04の（1））。残りの単語のノードは0を入力します。この例では、単語「自転車」を隠し、周囲1つぶんの距離の単語である「赤い」と「に」のノードに1を入力し、その他は0を入力します。隠した単語のノードも0を入力します。

次に、推論を行います（2）。推論の結果として、出力層の各ノードには、該当する単語が隠した単語である確率の数値が得られます。図8-3-04では例として、「私」と「自転車」と「乗る」の確率を0.3（30%）、「は」の確率を0.1（10%）、「赤い」と「に」の確率を0（0%）と推論したと仮定しています。本来は「自転車」の確率が一番高くなるよう推論したいのですが、この段階では「私」と「自転車」と「乗る」の確率は同じ0.3です。

そこで、「自転車」を推論できるよう学習します。まずは、この推論の結果とラベル（正解）から損失を求めます。つまり、推論結果とラベルで答え合わせをします。

ラベルは確率の形式で用意します。ここでは、隠した単語は「自転車」であるため、「自転車」である確率が1（100%）、その他の単語は0（0%）と用意します。あとはより高い確率で「自転車」を推論できるよう、学習によって重みを最適化していきます（3）。

最適化で得られた重みの中で、入力層と隠れ層を結ぶエッジの重みが、単語「自転車」の分散表現の各数値です（4）。隠れ層のノード数は特徴の項目数であり、ここでは3としたのでした。そのため、入力層の1つのノードから3本のエッジで隠れ層の各ノードと結合します。この3本のエッジの重みが、単語「自転車」の分散表現の各数値です。図8-3-04では例として、学習した結果、-10、2、-6という重みの数値が得られたと仮定しています。このように、分散表現の（B）「特徴の数値」は学習によって決めるのです。なお、隠れ層と出力層の間の重みも使うケースもあります。

そして、(A)「特徴の項目」も学習で決めます。図8-3-04の3つの重みそれぞれが何を意味しているのかは、人間にはわかりません。

「隠れ層のノード数は、単語の特徴の項目数ぶん用意します」と述べましたが、3つという特徴の項目数（重みの数）を決めるのはプログラマーですが、その3つが何を示しているのかは、プログラマーにもわからないのです。

前節の野菜の分散表現の例では、「細長さ」などの(A)「特徴の項目」を人間（ここでは筆者である私）が決めていましたが、word2vecではニューラルネットワークが学習の中で自動で決めます。さらに前述のとおり、それぞれの(B)「特徴の数値」（各重み）も、学習によって自動で決めます。各重みがどんな特徴を表す項目なのか、その数値が何を表すのかが人間にわからなくても、結果的に単語の意味をコンピューターが理解できればよいのです。

なお、word2vecではバイアスは用いません。また、重みは入力層と隠れ層の間だけでなく、隠れ層と出力層の間にもありますが、一般的には入力層の重みのみが用いられます。

長くなりましたが、以上が、(A)「特徴の項目」と(B)「特徴の数値」をどうやって決めるのか、の解説となります。単語の分散表現の特徴の項目と数値——言い換えると「単語の意味」——が学習によって決まることが理解できたかと思います。

8章

複数の文章で学習するとどうなる？

ここまでは、単語の意味の学習を、1つの文章「私は赤い自転車に乗る」だけを使ったケースで解説しました。

では、複数の文章を使った学習では、どうなるでしょうか？ 説明していきましょう。

たとえば、1つ目の文章に続けて、2つ目の文章として「その自転車は昨日買った」があり、5つの単語「その」「自転車」「は」「昨日」「買った」に分割したとします。

これら5つの単語の中で、「自転車」と「は」は1つ目の文章にも登場しています。そのため、列挙する際、「自転車」と「は」は除き、「その」と「昨日」と「買った」の3つのみを取り上げます。

それら３つの単語の連番は、１つ目の文章の単語６つに続けて、７〜９を振ります（図 8-3-05）。２つ目の文章を単語の連番で表すなら「７４２８９」となります。

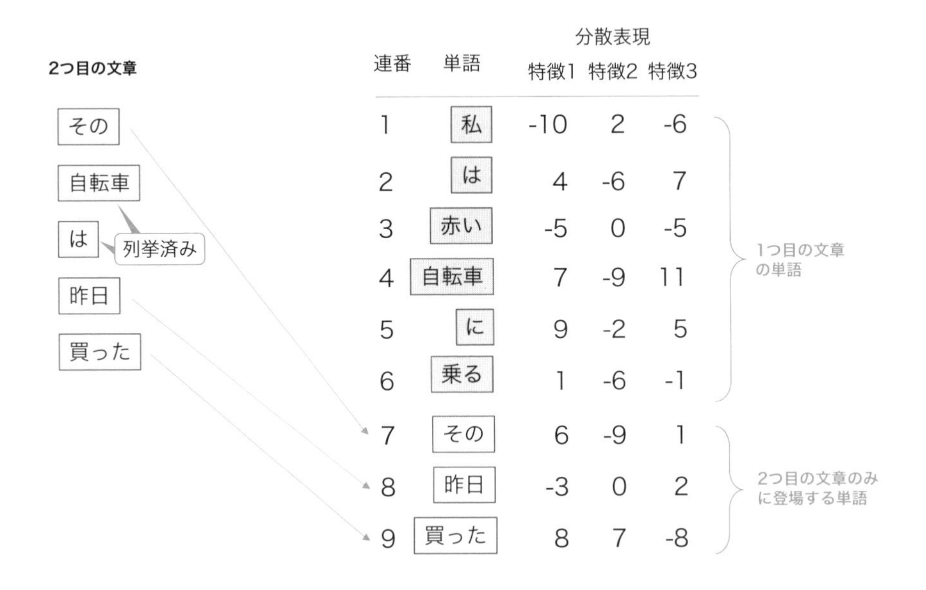

図 8-3-05　２つの文章で学習する例

この場合の学習では、文章の単語数は合計９になるので、ニューラルネットワークの入力層と出力層のノード数は９にします。

学習でやること自体は、文章が１つの場合と同じです。目的の１つの単語を隠して、周囲の単語から推論して重みを最適化します。文章が２つの場合は、この処理を２つの文章で行う点が異なります。「自転車」と「は」は２つの文章に登場するので、２つの文章で学習します。１つの文章だけの学習よりも、より意味が正確になります。

このような単語は“ボキャブラリー一覧表”のようなかたちで管理し、それぞれが分散表現の形式で意味のデータを持ちます。ボキャブラリーが増えるほど、ニューラルネットワークの入力層と出力層のノード数が増えます。

また、文章が１つだけのケース（図 8-3-04 などの場合）では、文章における単語の位置と連番が一致しましたが、複数の文章だと“ボキャブラリー一覧表”

のかたちになるので、単語の位置と連番はほとんどが一致しません。

8-4 文章の意味を理解させる仕組みの基本

単語の意味に加え、並びも考慮する

前節では、分散表現によって、単語の意味をコンピューターに理解させる仕組みを解説しました。

次は、文章の意味をコンピューターに理解させる仕組みを解説します。

実は、word2vec による分散表現では、単語の意味を周囲の単語によって決めていますが、単語の順番は考慮されていません。前節の例では、「私は赤い自転車に乗る」という文章において、「自転車」という単語の意味は、周囲 1 つぶんの距離の単語を使った場合は、「赤い」と「に」で決まります。この場合、「赤い」と「に」のいずれが「自転車」の前なのかは、考慮されていないのです。

同様に、周囲 2 つぶんの距離の単語とするなら、「は」と「赤い」、「に」と「乗る」で決まりますが、この場合も「は」と「赤い」、「に」と「乗る」が「自転車」の前なのか後ろなのかは考慮されていません。単語の並び（順番）は無視されるのです。図 8-3-05 で示したように、単語の意味は“ボキャブラリー一覧表”のようなかたちで保持されるだけであり、どちらが前に出てきたか、といったことは考慮されないのです。

しかし、一般的に文章の意味は、各単語の意味とともに、それらの単語の並び(順番)でも決まります。特に多義語や代名詞はその傾向がより顕著です。あれ、それ、これ、どれ…などという代名詞は、その前に出てきた名詞を指すものであり、文章を理解する際には、文章の中での並び（順番）が重要なことがわかるでしょう。

ですが、今説明したように、word2vec による分散表現では、単語の並びは考慮されません。

よって、文章の意味をコンピューターに理解させるには、単語の並びを扱え

る別の仕組みが必要です（図 8-4-01）。

また、ある程度以上の数の単語で構成された長い文章では、最初の方に登場する単語と、最後の方に登場する単語の関係が強い場合も多々あります。文章の意味を理解させるには、このように距離が遠い単語の関係を踏まえることも必須です。しかし、分散表現だけではそれに対応できないのです。

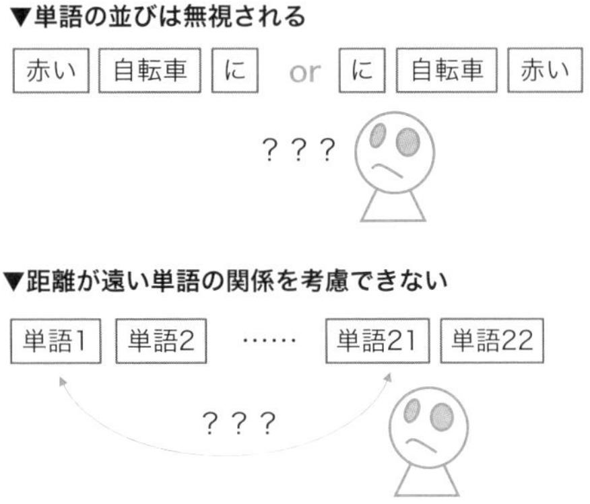

▼単語の並びは無視される

赤い 自転車 に or に 自転車 赤い

？？？

▼距離が遠い単語の関係を考慮できない

単語1 単語2 …… 単語21 単語22

？？？

図 8-4-01　分散表現だけでは、文章の意味の理解は難しい

文章の長さの変化にも対応

加えてやっかいなのが、文章は、文章ごとに長さが異なるという点です（図 8-4-02）。当たり前ですが、長い文章では含まれる単語の数が多く、短い文章では少なくなります。このように、長さが変わる性質のことを、専門用語で「可変長」と呼びます。

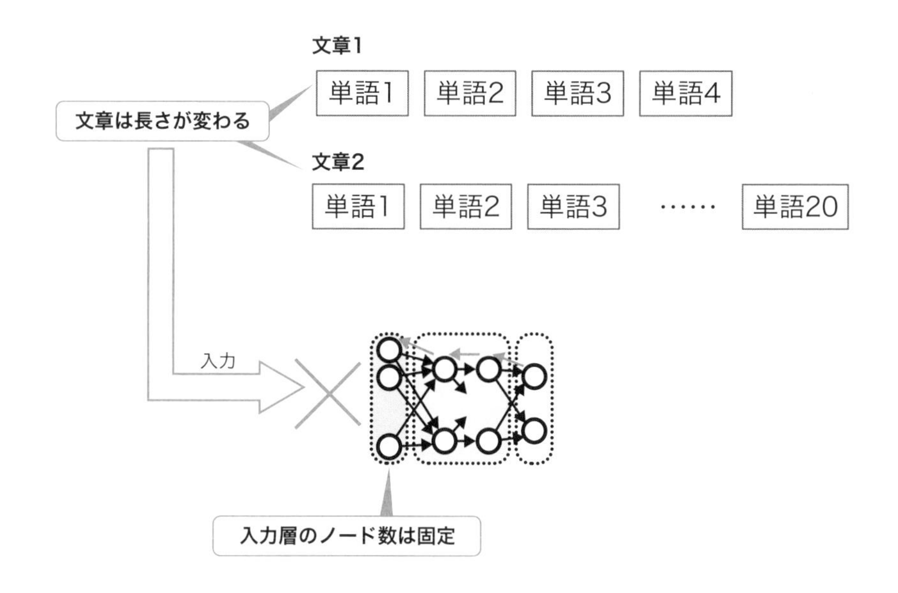

図 8-4-02　文章の長さの変化への対応が難しい

文章をコンピューターに理解させる際、ニューラルネットワークを使い、単語ごとに処理をします。その際、通常のニューラルネットワークでは、文章の単語の数が変わることに対応するのは非常に困難なのです。

なぜでしょう。その主な原因は、入力層のノード数にあります。

ニューラルネットワークで画像認識を行うことを考えてみましょう。学習データとして用意した画像のサイズがバラバラでも、リサイズをかけて大きさ（ピクセル数）をそろえられます。その大きさに合わせて、入力層のノード数を用意すればOKです。画像は多少リサイズしても、写っているものの内容は大きくは変わりません。

しかし、文章のサイズを入力層のノード数にあわせて変えてしまう（入力する単語の数を変えてしまう）と、元の文章の意味が変わってしまいます。これでは、文章の意味を理解する以前の問題です。

そこで用いられるのが「RNN」(Recurrent Neural Network)です。RNNなら、文章の長さの変化に対応できます。それでは、RNNの仕組みを解説しましょう。

循環するニューラルネットワーク「RNN」

RNNは「循環するニューラルネットワーク」です（「再帰型ニューラルネットワーク」とも呼ばれます）。「循環する」とは、どういうことでしょうか。

一般的な言葉として、「循環」は「繰り返し回り続ける」といった意味です。ある地点から出発し、何かしらの経路を通り、時間を経て元の出発点に戻り、再び同じ経路を通って…という流れです。RNNもそのような流れで処理するニューラルネットワークです。

通常のニューラルネットワークは、入力層にデータが入力されたら、隠れ層を通って出力層に推論の結果を出力します。

一方、RNNでは、いったん推論の結果を出力したのち、再び同じニューラルネットワークに戻ります。これがRNNの大きな特徴です。推論の結果を出力すると同時に、循環における次の繰り返しで同じニューラルネットワークの入力層に戻り、再び推論の結果を入力します。

次の繰り返しでは、入力層には“次のデータ”が前回の推論の結果と一緒に入力されます。ここで言う“次のデータ”とは、たとえば文章なら次の単語（1つ後ろの単語）です。最初に文章の先頭の単語を入力したなら、次は2番目の単語を入力します。このように「次の繰り返し」では、「次のデータと前回の推論の出力結果」が同時に入力され、それらをあわせて次の推論を行います。

もう少し具体的に解説しましょう。図8-4-03を見てください。入力データは「単語1」～「単語4」の4つ、循環における繰り返しを4回と仮定し、処理の流れを図示しています。循環するということは、RNNは「1つの同じニューラルネットワークが複数つながったもの」と見なせるため、同図の右側のように展開して考えるとより理解しやすいでしょう。

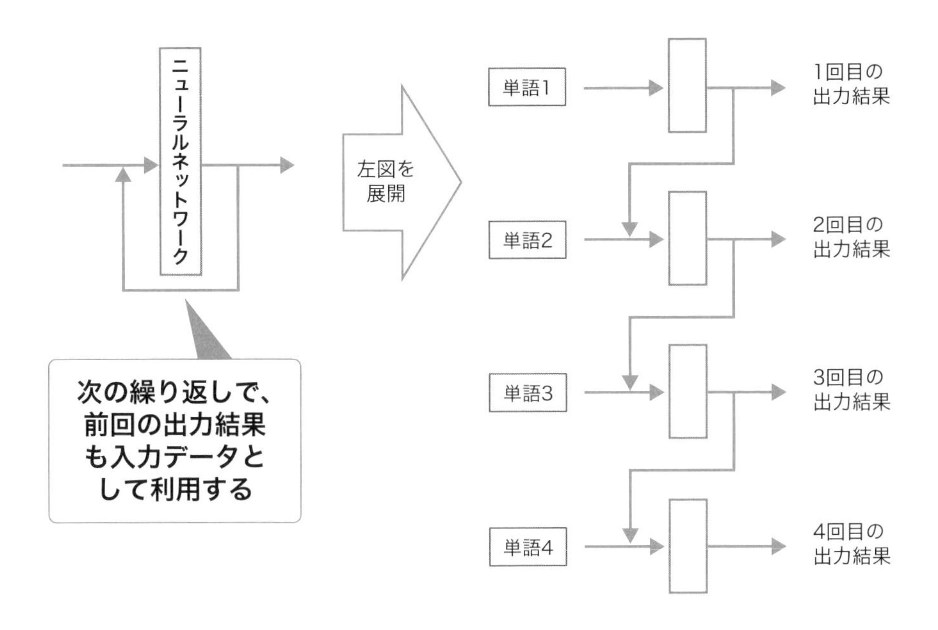

図 8-4-03　RNN を展開して処理の流れを追う

図 8-4-03 の処理の流れを見ていきます。

1 回目では、単語 1 を入力します。すると、ニューラルネットワークによる推論の結果が出力されます。この推論の結果は出力層に出力されると同時に、2 回目に用いられます。

2 回目では、2 番目のデータである単語 2 を入力すると同時に、1 回目の「単語 1 の推論の出力結果」も入力されます。その際、「単語 1 の推論の出力結果」は、単語 2 の後ろに並べて一緒に入力されます。2 回目の出力結果は、「単語 2」と「単語 1 の推論の出力結果」をあわせたデータを入力して、推論されたものです。

3 回目以降も同様に続きます。必要な回数だけこれを繰り返し、最終的な推論の結果が出力されます。何回繰り返すのかは、文章ならば含まれる単語の数など、入力データの長さによって決まります。図 8-4-03 では、入力データは単語 1 ～単語 4 の 4 つであったため、処理の回数は 4 回なのです。

入力されるデータは繰り返しのたびに変わりますが、常に同じニューラルネットワークを通っていることもポイントです。同じニューラルネットワークということは、同じパラメーター（重みとバイアス）を毎回使います。

RNNにおける重みは大きく分けて、新たに入力されたデータの演算（積和）に使うものと、前回の結果の演算に使うものの2種類があります。前者と後者の演算結果を足し合わせ、さらにバイアスも足したものが、1回の繰り返しにおける出力結果です。

RNNはこのように、同じ1つのニューラルネットワークを繰り返して使います。文章ならば、含まれる単語の数に応じて繰り返す回数を増減させることで、文章の長さの変化に対応できます。さらにRNNは可変長にデータ全般に対応できるので、文章のみならず、音声などにも用いられます。

以上が、RNNの基本的な仕組みです。

RNNで文章の意味を理解させる

RNNを使って、文章の意味をコンピューターに理解させる仕組みを解説します。その全体像および処理の流れが（図8-4-04）です。

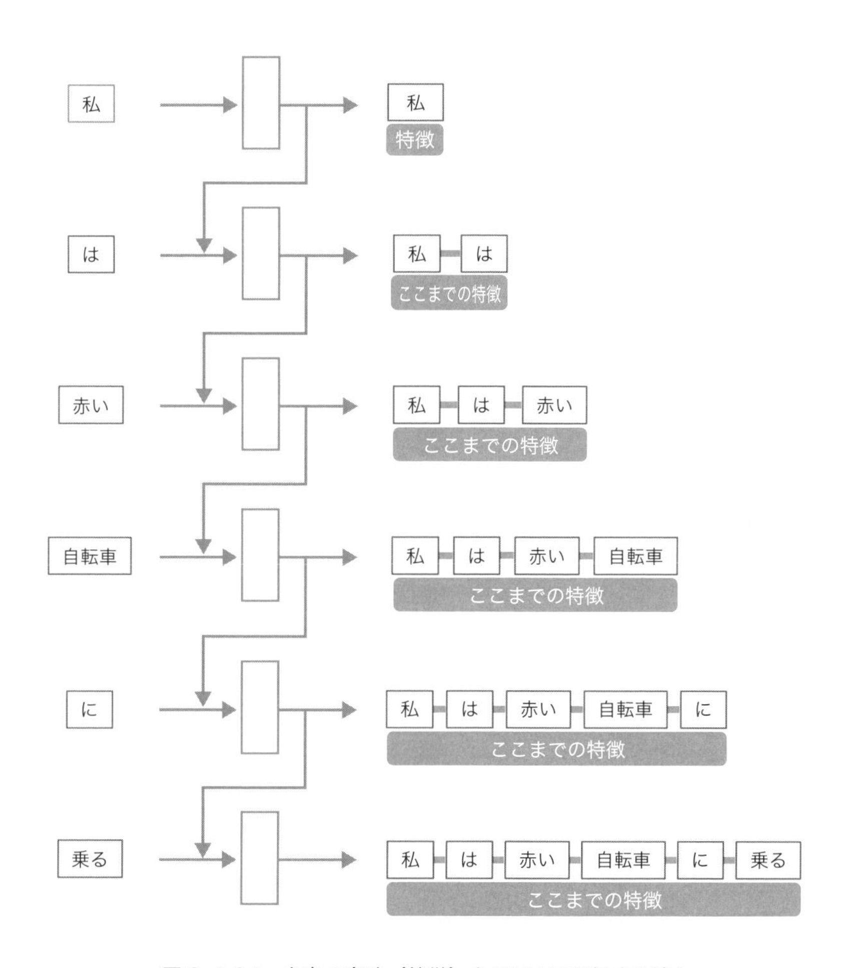

図 8-4-04　文章の意味（特徴）を RNN で取得する流れ

例に用いる文章は前節までと同じく「私は赤い自転車に乗る」です。「私」「は」「赤い」「自転車」「に」「乗る」の6つの単語に分割します。

1回目では、先頭の単語である「私」が入力されます。この出力結果は、1つの単語「私」だけの文章の特徴です。

2回目では、2番目の単語である「は」が新たに入力されます。加えて、1回目の出力結果（「私」の特徴）も同時に入力されます。ここで出力されるのは、先頭の「私」が先にあり、その後ろに2番目の「は」があるという並び（順番）で単語がつながった状態での文章の特徴です。つまり、並び順も考慮された特徴です。

3回目以降も同様です。最後である6回目では、最後の単語「乗る」が入力されます。出力される特徴は､6つの単語「私」「は」「赤い」「自転車」「に」「乗る」がこの並び（順番）でつながったものです。つまり､「私は赤い自転車に乗る」という文章の特徴が、単語の順番も考慮したうえで得られたのです。

これで、RNNによって図8-4-04に示した処理の流れで、文章「私は赤い自転車に乗る」の特徴が得られました。あとはその特徴を用いて、英語への翻訳などを行います。

なお、本節で解説したRNNのままだと、文章が長くなるほど、最初の方に登場した単語の関係をおぼえておくのが苦手になるなどの欠点が残ります。そこで、それらを改善した「LSTM」（Long Short-Term Memory）が通常は用いられます。上記の欠点を解決するために様々な工夫が施された、RNNの発展形というべき仕組みです。

8-5 2つのRNNをつなげて機械翻訳を行う

文章の特徴を取得し、別の言語で組み立て直す

前節でRNNが行ったのは、文章の意味を理解することでしたが、RNNは文章を生成することもできます。その代表的な例が機械翻訳（コンピューターによる自動翻訳）です。本節では、RNNを用いた機械翻訳の仕組みの基礎を解説します。

日本語から英語への翻訳を例とします。翻訳元となる日本語の文章は、前節までと同じく「私は赤い自転車に乗る」です。英語に翻訳すると「I ride a red bicycle」という文章です。

まずは、大まかな構造および処理の流れを紹介します。機械翻訳では、RNNを2つ用います。その2つのRNNを前後につなげた構造です（図8-5-01）。

2つのRNNは役割が異なります。前のRNNは、翻訳元の言語（日本語）で書かれた文章の意味を理解する役割です。つまり、翻訳元の文章の特徴を取得する役割です。そのような役割は専門用語で「エンコーダー」と呼ばれます。

後ろのRNNが「デコーダー」です。エンコーダーから渡された翻訳元の文章の意味（特徴）を、目的の言語（英語）に置き換えて文章を組み立てる役割を担います。

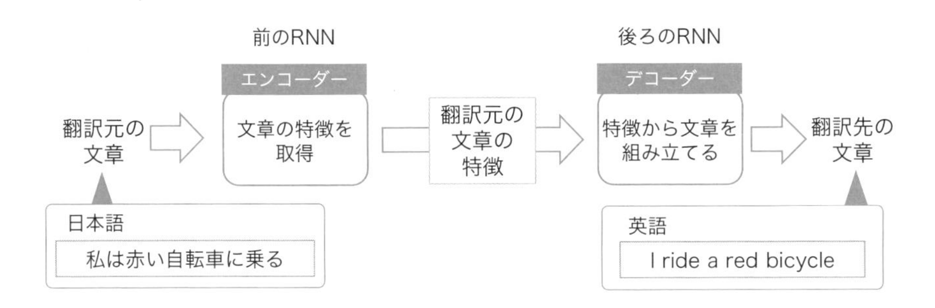

図 8-5-01　機械翻訳の大まかな構造

このように2つのRNNを連結して、データを変換する手法を専門用語で「seq2seq」と呼びます。

人間が翻訳する際も、日本語の文章を一度読んで、意味を理解したうえで英語に言い換えるというプロセスをたどるでしょう。まさにseq2seqでも、本質的には同じことをエンコーダーとデコーダーで行っています。

前の単語から、次に出現する単語を推論

各RNN（エンコーダーとデコーダー）は、どのような仕組みになっているのでしょうか。

まずは、前のRNN（エンコーダー）の仕組みを解説します。

エンコーダーが翻訳元文章「私は赤い自転車に乗る」の特徴を取得する仕組みは、まさに前節の図8-4-04です。先頭の単語「私」から順にRNNへ入力していくことで、最終的に、翻訳元文章全体の特徴を得るのです。

次に、後ろのRNN（デコーダー）の仕組みを詳しく解説します。

デコーダーは先述のとおり、エンコーダーから渡された文章の特徴から、翻訳先の文章を組み立てるのですが、エンコーダーと同じく単語単位で処理します。翻訳したらどのような文章になるのか、文章の先頭から順に、単語を1つずつ推論していきます。最後まで推論し終わり、すべての単語を順につなぎ合

わせれば、翻訳された文章ができあがります。

単語の推論は、ザックリ言えば、「次に出現する単語は何？」のように予測する方針で行います。翻訳元文章の特徴を元に、「次にどのような単語が続くのか」を推論するのです。

日本語の文章「私は赤い自転車に乗る」を英語の文章「I ride a red bicycle」に翻訳する例ならば、「先頭の単語『I』の次に出現する単語は『ride』であろう」と推論します。こういった推論を最後の単語まで繰り返すことで、翻訳先の文章を組み立てます（図 8-5-02）。

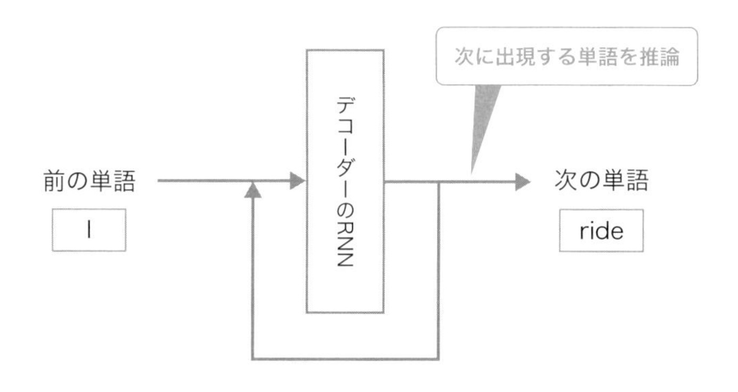

図 8-5-02　前の単語から次の単語を推論

デコーダーでは、次に出現する単語は、“ボキャブラリー一覧表”から選ぶことで推論します。この“ボキャブラリー一覧表”とは 8-3 節で解説したように、分散表現のかたちで事前にそろえた単語の特徴です。

ここでは例として、ボキャブラリーは「I」「ride」「a」「red」「bicycle」の 5 つの単語のみに限定します。推論の際は、これら 5 つの単語について、次に出現する確率をそれぞれ数値で求めます。単語は 5 つなので、出力層のノード数も 5 つにします。さらには確率なので、すべて足したら 1 になる小数として求めます。デコーダーでは、この確率の数値を求めるため、RNN の次に全結合層を設けます。RNN の出力結果をもとに、次に出現する単語を全結合層で推論するのです（図 8-5-03）。

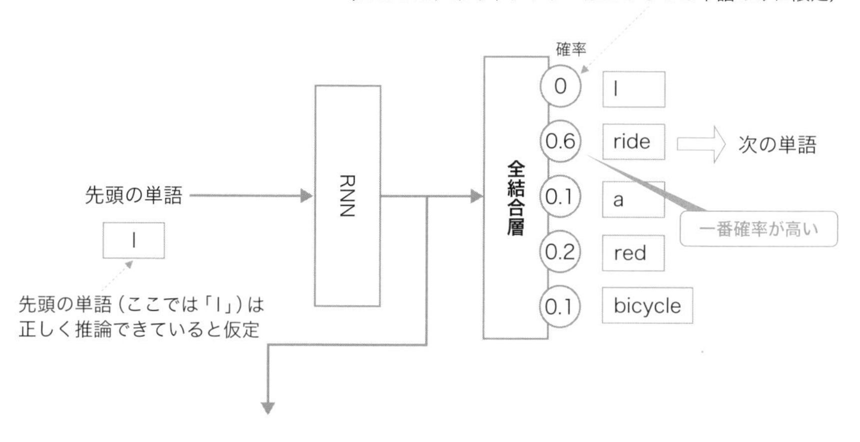

図 8-5-03　先頭の単語から、2 番目の単語を推論

さて、図 8-5-03 では例として、翻訳先の文章で、先頭の単語は「I」と正しく推論できたと仮定したうえで、次に出現する単語（2 番目の単語）の確率を求めています。全結合層の出力結果は「ride」の確率が一番高くなっていますが、これはあくまでも、“期待する結果”です。適切な翻訳をするには、「ride」が出現してほしいので、「ride」の確率が高くなるように学習をしなくてはなりません。もちろん、学習の際は教師データとして「I ride a red bicycle」を与え、「I」の次は「ride」が出現するのが正解である、というかたちでラベルを用意します。

2 番目の単語が推論できたら、次は 3 番目の単語を推論します。循環における次の繰り返しでの処理です。この際、RNN には、先ほど推論した 2 番目の単語「ride」を入力します（図 8-5-04）。2 番目の単語「ride」と同時に、前回の RNN の出力結果（「I」）も同時に入力します。それらの入力から、全結合層で 3 番目の単語「a」を推論します。

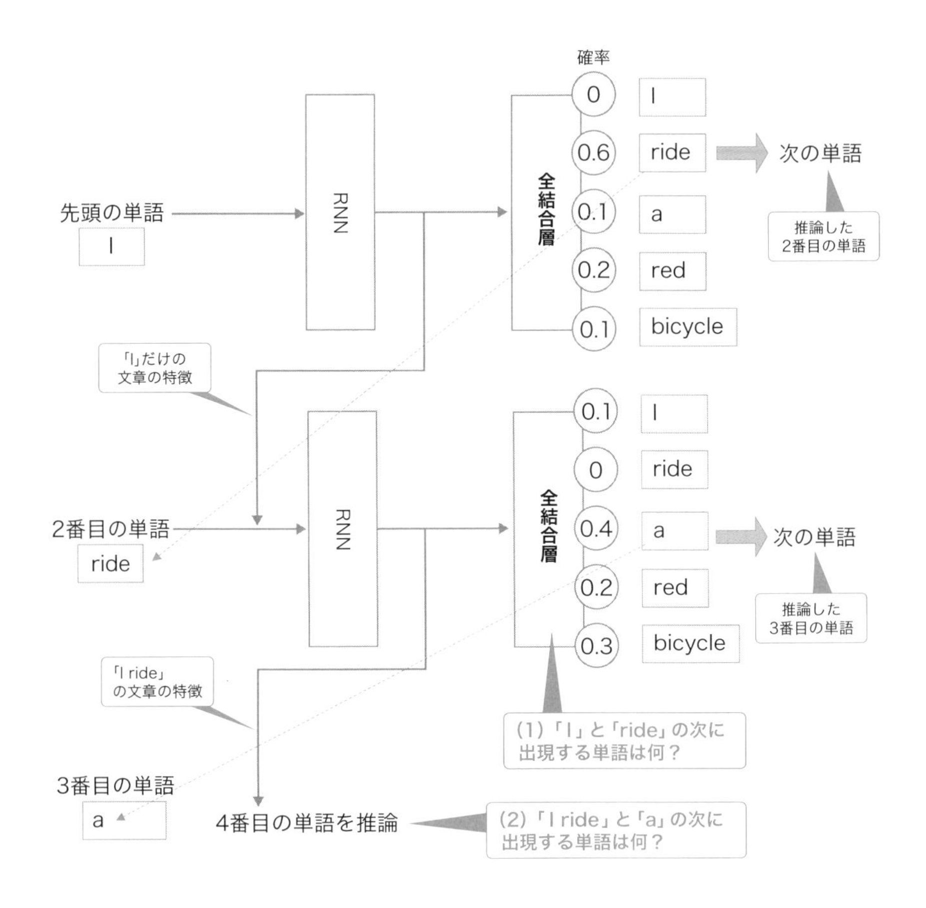

図 8-5-04　2 番目の単語から、3 番目の単語を推論

このRNNの出力結果は、ザックリ言えば、“翻訳先文章の特徴”です。2番目の単語「ride」まで推論した状態ならば、先頭の単語「I」とあわせ、「I ride」という文章の特徴を表しています。この「I ride」の特徴から、3番目に出現する単語「a」を推論します（図8-5-04の（1））。

さらに、この「I ride」の特徴は4番目の単語の推論にも、3番目の単語「a」と一緒に用います（図8-5-04の（2））。「I ride」と「a」の次に出現する、4番目の単語を推論するのです。

5番目の単語も同様に推論していきます（図8-5-05）。

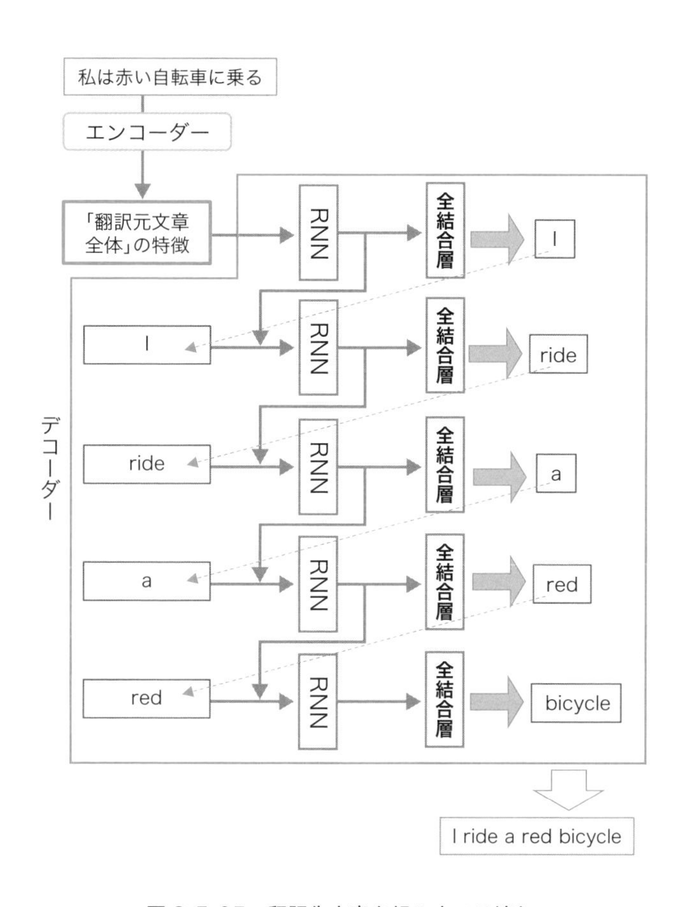

図 8-5-05　翻訳先文章を組み立てる流れ

ここで一つ、疑問に思いませんか。

前の出力結果を入力に用いて、次の出力結果を得るのであれば、文章の先頭の単語はどのようにして出力したのだろうか、と。

実は、翻訳先の先頭の単語は他と少し異なり、エンコーダーから渡された「翻訳元文章全体の特徴」を入力して、そこから翻訳先の文章で先頭に出現する単語を推論しているのです。先頭の単語なので前の単語が存在しません。そこで、翻訳元文章全体の特徴から推論するのです。

デコーダーの仕組みは以上です。

以上が、エンコーダーとデコーダーという2つのRNNを連結してデータを変換する seq2seq を用いた機械翻訳の仕組みの基礎です。実際の機械翻訳プログラムの構造や処理の流れはもっと複雑ですが、そこで使われているエッセンスはこのとおりです。

8-6 自然言語処理の精度UPの立役者「Attention」の仕組み

特定の部分のみ“注意”して精度 UP

本節では、自然言語処理の精度を向上する「Attention」という技術の仕組みの基本を解説します。近年のディープラーニングによる自然言語処理の中でも、精度向上の立役者と言える技術です。

Attention は日本語に直訳すると「注意」です。この言葉どおり、Attention はまさに“注意”することで、文章の意味の理解をはじめ、自然言語処理の精度向上を図ります。Attention は直訳すると「注意」ですが、ここでのニュアンスとしては、「注目」の方が近いと思います。以降の解説では、「注目」という言葉を用います。

まずは Attention の考え方を把握するため、自然言語処理ではなく、画像認識のケースで考えてみます。実際に Attention は自然言語処理のみならず、画像認識でも使われています。

人間は画像を見て、何が写っているのかを認識する際、画像の特定の箇所に注目しています。たとえば、風景の中に 1 匹の動物が写っている写真があり、何の動物なのかを知りたければ、背景ではなく、動物が写っている箇所だけに注目するのはごく自然でしょう。

コンピューターが画像認識を行う際でも、画像の中で動物が写っている箇所（つまり、認識する際に重要となる箇所）に注目することで、より高い精度で効率よく認識できるのです（図 8-6-01）。

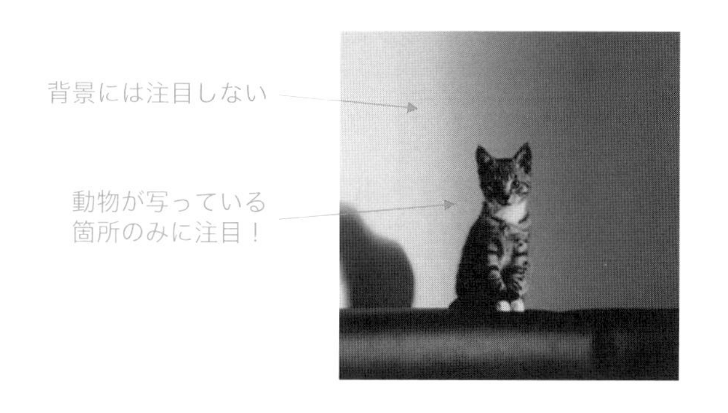

図 8-6-01　動物の箇所のみに注目して画像認識

そして、画像のどこに注目するのかは、人間が決めて指定するのではなく、ニューラルネットワークに学習させることで決まるのです。

このAttentionの考え方を自然言語処理にも用います。文章の中の特定の単語に注目することで、文章の意味の理解などがより高い精度で効率よく行えます。

対応する単語に注目して翻訳

それでは、Attentionの仕組みの基本を解説します。

ここでは、前節で解説したseq2seqによる機械翻訳を例に用います。日本語の文章「私は赤い自転車に乗る」を英語の「I ride a red bicycle」に翻訳するのに、Attentionを利用するとします。前節で解説したのは、Attentionなしのseq2seqでした。本節で解説するのは、Attentionありseq2seqです。

まずは、Attentionの考え方と概要を解説します。

人間が日本語から英語に翻訳する際、対応する単語（日本語のどの単語と英語のどの単語が対応しているのか）の関係性を把握していると、より高い精度で効率よく翻訳できます。これは見方を変えると、「翻訳元の単語から、対応する翻訳先の単語に注目した」と言えます（図 8-6-02）。

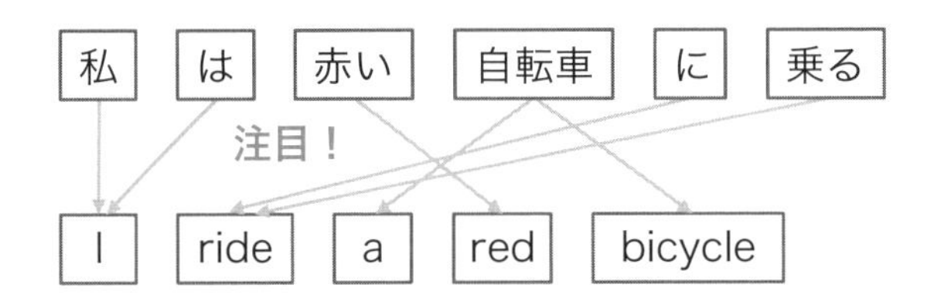

図 8-6-02　対応する翻訳先の単語に注目

機械翻訳における Attention でも、根本的には同じ発想で、翻訳元の単語から、対応する翻訳先の単語に注目します。

まず、seq2seq による機械翻訳の中に Attention を組み込みます。そして、デコーダーが次に出現する単語を推論する際に“正解”の単語により注目できるよう、ひと工夫を加えてやります。

その処理には、翻訳元の文章の単語の特徴を利用します。前節の「Attention なし seq2seq」では、デコーダーは翻訳元文章全体の特徴を、次に出現する単語の推論に使いました。つまり、エンコーダーが最後に出力した特徴（翻訳元文章全体の特徴）のみを使うかたちです。

一方、「Attention あり seq2seq」のデコーダーは、エンコーダーが文章の途中で出力した特徴をすべて使うのです（図 8-6-03）。

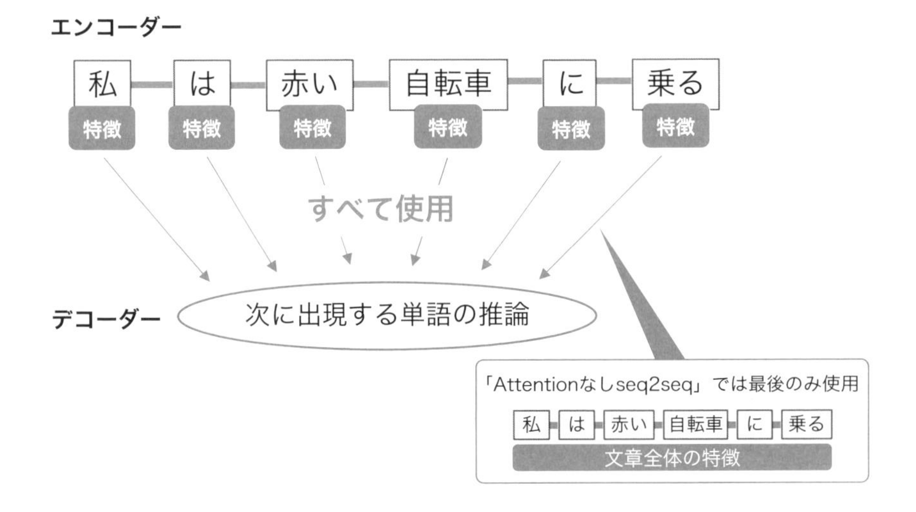

図 8-6-03　翻訳元文章の各単語の特徴をすべて使用

エンコーダーが途中に出力した特徴には、たとえば「私」「は」「赤い」まで出力した段階ならば、「私」と「は」の意味も含めていますが、「赤い」の意味がより強く反映されます。そのため、「赤い」の特徴としても扱えます。Attentionは途中に出力した特徴を、それぞれの単語の特徴として用います。

注目する単語は「類似度」から判別

次に、Attentionの仕組みと処理の流れを解説します。

前節で述べたように、デコーダーが翻訳先の文章を組み立てる処理では、前の単語から、次に出現する単語を推論します。その推論には、前の単語の特徴を用います。ただし、翻訳先文章の先頭の単語だけは、「翻訳元文章全体」の特徴（エンコーダーが繰り返しの最後に出力した特徴）を用いるのでした。

Attentionでもそこまでは同じですが、次の単語を推論する際、「翻訳元文章のこの単語に注目」という情報も加えてやるのがミソです。図8-6-04のとおり、RNNと全結合層の間にこの情報を加えます（この図では、RNNは展開していない形式で示しています）。

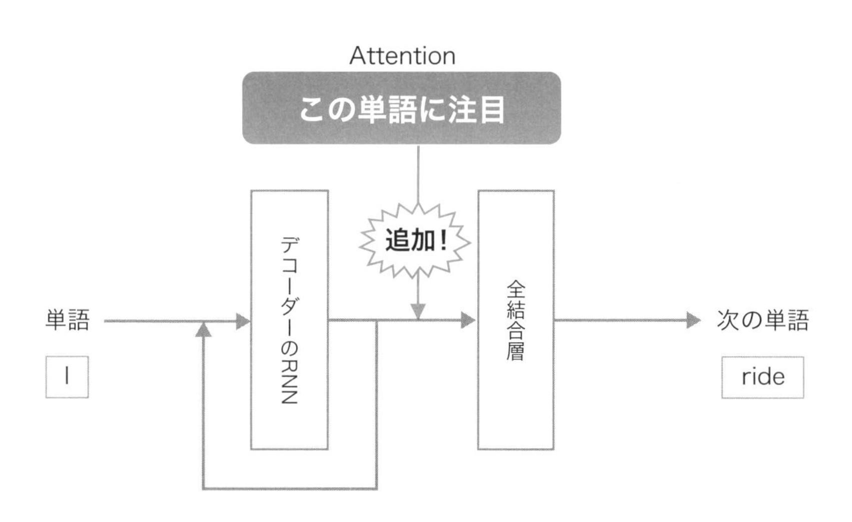

図8-6-04 「翻訳元文章のこの単語に注目」も加えて推論

それでは、「翻訳元文章のこの単語に注目」という情報を求める方法の原理を解説します。引き続き、「私は赤い自転車に乗る」から「I ride a red bicycle」

への翻訳を例に用います。翻訳先文章の先頭の単語「I」まで推論できた状態で、これから2番目の単語を推論する、という状況で解説します。つまり、ここでやりたいことは、「翻訳先の2番目の単語は何なのか」という推論です。

図8-6-05を見てください。

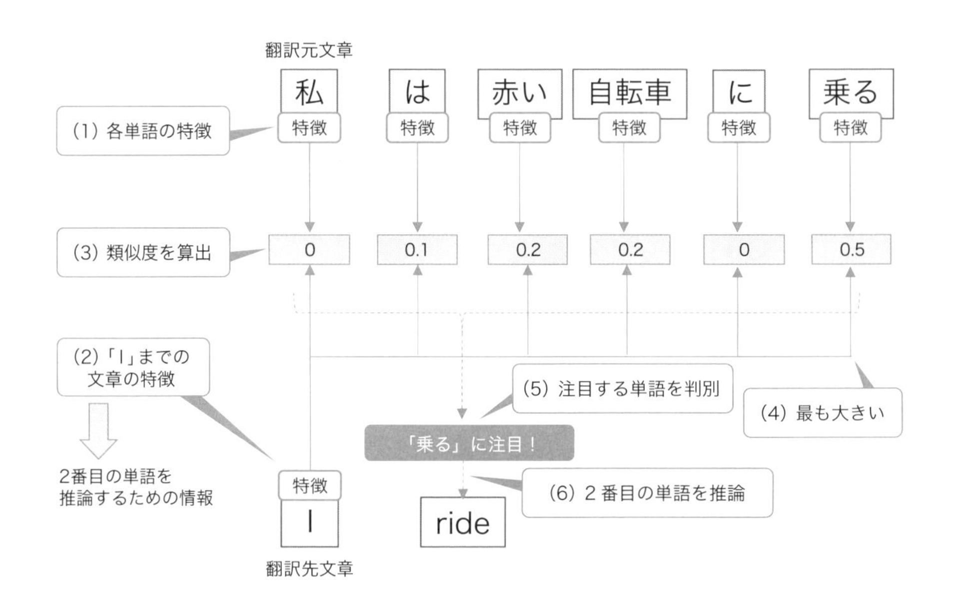

図8-6-05 「類似度」から注目する単語を特定して推論

まずは、翻訳元文章の単語ごとの特徴を使い、翻訳先文章との「類似度」を求めます。類似度とは、単語の意味の関係の強さを表す数値です。翻訳元文章の単語の中で、翻訳先文章の単語との類似度が高いものがあれば、対応する単語である可能性が高いと判断できます。

図8-6-05を見ながら、流れを整理します。

類似度は、翻訳元文章の各単語の特徴(1)と、翻訳先文章(2)(先頭の単語「I」まで推論済み)の特徴から計算して、翻訳元文章の単語ごとにそれぞれ求めます(3)。翻訳先文章の先頭の単語「I」までの文章の特徴には、翻訳先文章の2番目の単語を推論するための情報が含まれているため、その情報をもとに、2番目の単語と翻訳元文章の各単語との類似度を求めるイメージです。ここでは例として、(3)のように類似度の数値が求められたと仮定します。

次に、求めた類似度が最も大きい単語から、注目する単語を判別します。ここでは「乗る」の類似度が0.5で最も大きいため、注目する単語は「乗る」だとわかります（4)。つまり、翻訳先文章で「I」の次に出現する単語は、翻訳元文章では単語「乗る」である可能性が高いとわかります(5)。この情報をもとに、「乗る」に対応する英単語「ride」を推論するのです（6)。

なお、図8-6-05の（5）の「『乗る』に注目！」の情報の正体は、単語「乗る」の特徴の数値という理解でかまいません（厳密には、他の単語の特徴も含みますが、「乗る」の特徴が大半を占める数値です)。

Attentionの仕組みの基本は以上です。Attentionありseq2seqによる機械翻訳では、翻訳先文章で次の単語を新たに推論するたびに、注目する単語を毎回調べ、それを推論にいかすことで、より高い精度で効率よく翻訳することを可能としています。

さらに、Attentionはより高度な方法として、翻訳元の各単語の特徴を探索用情報と特徴本体の情報に分割して用います。一般的に単語は、同じ単語であっても、他のどの単語とどういった順でどう組み合わせるかによって、意味や使われ方などが微妙に変化するものです。この高度な方法だと、そのような微妙な変化にも対応でき、特に多義語などではより的確に意味を理解できます。

8-7 自分自身の中で注目する「Self-Attention」

同じ文章内の単語同士に注目

本節では、Attentionの発展形である「Self-Attention」を解説します。

Self-Attentionは、機械翻訳の日本語（翻訳元）の文章と英語（翻訳先）の文章のように、2つの異なる文章の単語の対応関係を把握するのではありません。1つの文章に含まれている各単語について、その他すべての単語との依存関係を把握します（図8-7-01)。

つまり、Self-Attentionは、文章の意味をより正確に理解するために用いられます。

例として図8-7-01のように、「私は赤い自転車に乗る」という文章の単語「赤い」に着目してみます。

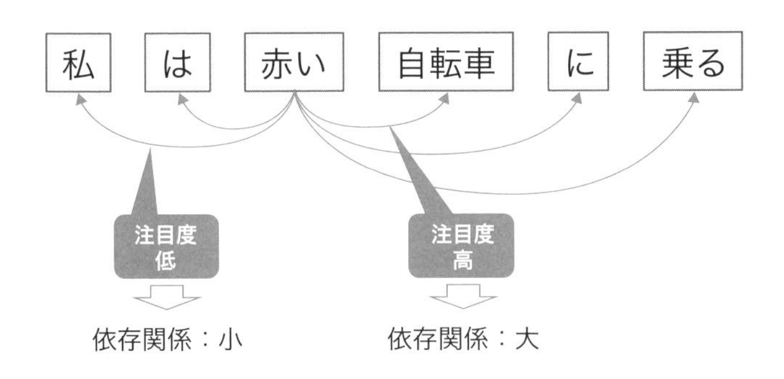

図 8-7-01　同じ文章内の単語に注目する Self-Attention

「赤い」は「自転車」の状態（色）を表す単語であるため、「自転車」との注目度が高くなり、依存関係は大きいと言えます。

一方、赤いのは自転車であるため、「赤い」は「私」の状態を表す言葉ではありません。よって、「私」との注目度は低くなり、依存関係は小さいと言えます。

他の単語も同様に「この単語に注目！」を調べ、依存関係を把握します。

文章の意味とは、どのような単語がどう並んでいるかで決まるものであり、単語同士がどういった関係にあるかが意味に大きな影響を与えます。図 8-7-01 のように文章内すべての単語同士の依存関係を把握することで、その文章内における各単語の意味がより理解でき、文章全体の意味もより正確に理解できるのです。

word2vec は「単語の意味は周囲の単語で決まる」という考え方でした。Self-Attention も出発点は同じですが、周囲だけでなく、文章全体で単語の依存関係を把握するのです。これによって、図 8-7-02 の例のように、同じ「それ」という代名詞も、どの単語を示しているのか、文脈に応じて理解できます。

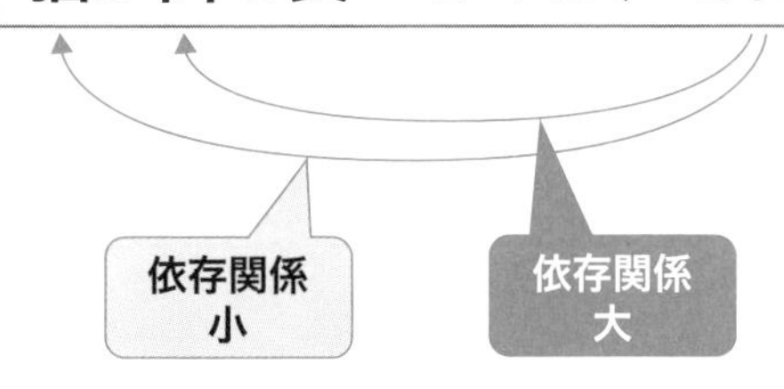

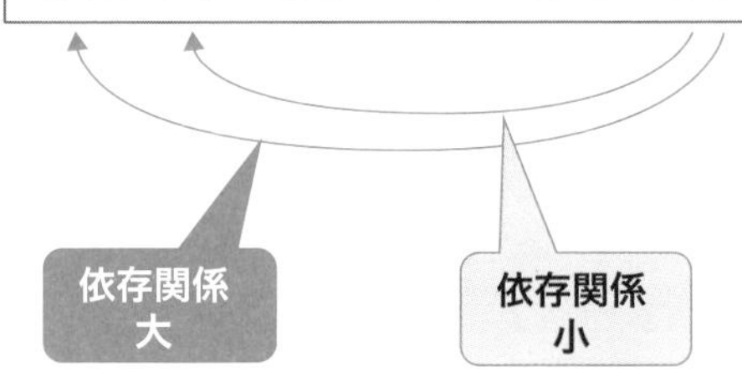

図 8-7-02　代名詞が示す単語を文脈から判別できる

8章

他にも、多義語の意味も文脈に応じて正しく理解できます。また、「好きではない」のように、否定の単語が使われる文章でも、「『好きではない』イコール『嫌い』」のように理解することもできます。

なお、前節のような、2つの異なる文章で単語同士の対応関係を把握するタイプのAttentionを「Source-Target型Attention」などと呼び、Self-Attentionと区別することがあります。

Self-Attentionで依存関係を求める方法

Self-Attentionで単語同士の依存関係を求める方法は、基本的にはSource-Target型と同じです。Self-Attentionでも、1つの文章における各単語について類似度を求めるのです。

図8-7-03は、単語「赤い」とその他の単語との類似度を求める例です。

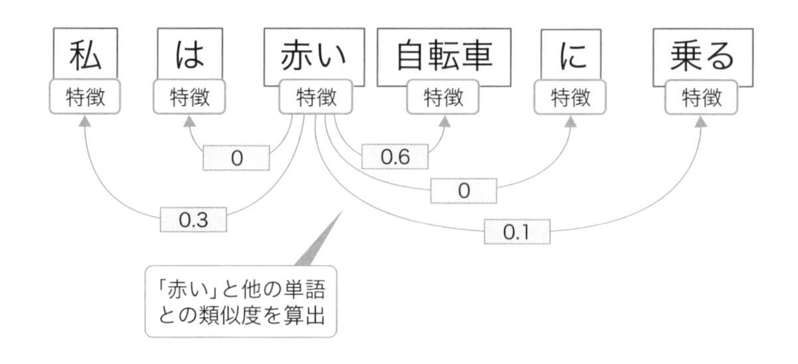

図 8-7-03　他の単語との類似度を算出して依存関係を求める

「赤い」の特徴と、その他の各単語の特徴から、それぞれ類似度を算出します(図 8-7-03)。そして、類似度の大きい単語に注目するようにします。

図 8-7-03 では、「赤い」は「自転車」との類似度が最も大きいという結果が得られたと仮定しています。よって、「赤い」は「自転車」との依存関係が大きいとわかり、「『赤い』は『自転車』の状態（色）を表す」のように、文章の意味を正しく理解できます。

「自転車」以外の単語についても同様に、その他の単語との類似度を算出します。それによって、文章内のすべての単語同士の依存関係が把握でき、文章の意味をより高い精度で効率よく理解できるのです。

8-8 精度向上の立役者「Transformer」を知ろう

RNN は使わず Attention のみで構成

本節では、Attention をフル活用した仕組みである「Transformer」について、特徴や大まかな構造などを紹介します。

Transformer は、画像認識などにも利用されている汎用性の高い仕組みです。もともとは機械翻訳のために考案されました。そのため、構造は seq2seq と似ており、大まかにはエンコーダーとデコーダーで構成されますが、エンコーダーだけのケースもあります。もちろん、エンコーダーの前には、入力された文章に含まれる単語を分散表現に変換する処理があります。

Transformerがseq2seqと決定的に違うのは、RNNを一切使っていない点です。

seq2seqでは、エンコーダーとデコーダーそれぞれでRNNを使うのでした（実際には、RNNの発展版であるLSTMが用いられます）。Transformerはエンコーダーとデコーダーに RNNではなく、Self-Attentionを用います。これがTransformerの大きな特徴です（図8-8-01）。

▼従来のseq2seq

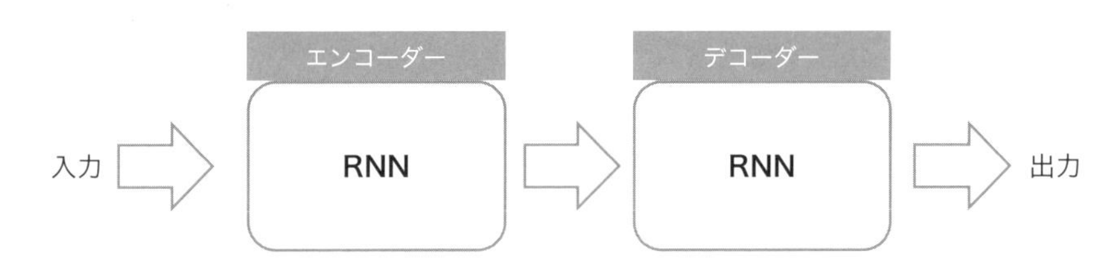

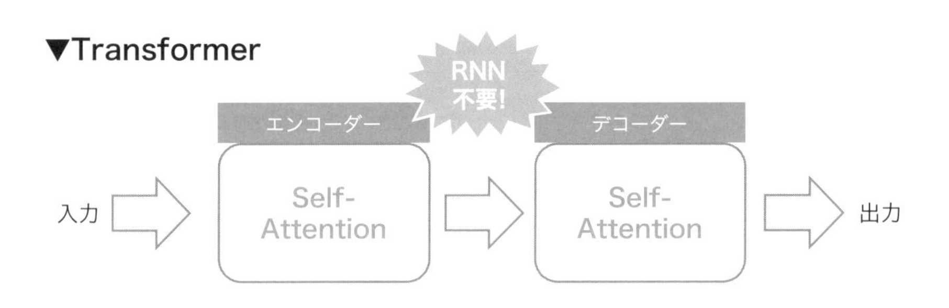

図8-8-01　RNNの代わりにSelf-Attentionを使う

seq2seqのエンコーダーでRNNを使った理由を思い出してみましょう。

seq2seqのエンコーダーでRNNを使った理由は、単語を文章の先頭から順に処理し、特徴を求めていくことで、文章の意味を理解させたいからでした。一方、デコーダーは文章の特徴をもとに、前の単語から次に出現する単語を推論することで、文章を組み立てていくのでした。これらの処理はザックリ言えば、文章における各単語の組み合わせと並び（順番）から、文章の理解や組み立てを行っていると見なせます。

一方、前節で解説したSelf-Attentionはどうでしょうか。

同じ文章の中で、1つの単語について、他のどの単語に注目するのかを求めることで、単語同士の依存関係を把握していました。これは文章における各単語の組み合わせから意味を理解することと同じです。そして、文章の組み立てでも、単語同士の依存関係がわかっていれば、次に出現する単語の推論も可能になるでしょう。

文章の意味が理解でき、かつ、次に出現する単語の推論ができるということは、Self-AttentionはRNNの役割を果たせるのです。

ただし、Self-Attentionはその仕組み上、文章内の各単語の「意味的な依存関係」は把握できますが、文章における「位置的な依存関係」は把握できません。その理由は本質には、8-4節で解説したword2vecが単語の並び（順序）が考慮されない理由とほぼ同じです。

そこで、Transformerでは、単語の位置的な依存関係を把握するための機能の層をSelf-Attentionとは別に用意します。この層を専門用語で「Positional Encoding層」と呼びます。

構造としては、Positional Encoding層をSelf-Attention層の手前に配置します（図8-8-02）。

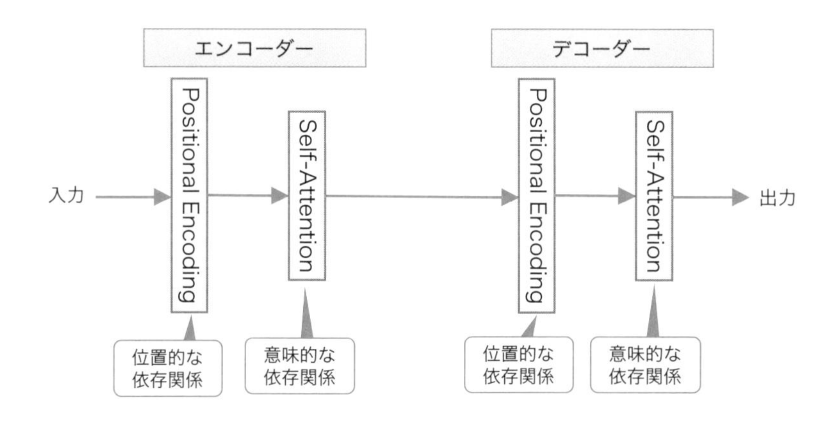

図8-8-02　Positional Encoding層で位置的な依存関係を把握

なお、図 8-8-02 は簡略化した構造であり、実際には他にも、入力後に単語を分散表現に変換する層や、Self-Attention 層の後ろの全結合層などがあります。

Self-Attention で学習を高速化

さて、Transformer はなぜ、そこまでして RNN の代わりに Self-Attention を使うのでしょうか？

それは処理速度の問題に起因します。RNN は循環するニューラルネットワークであると説明しました。つまり、前の循環の繰り返しの処理が終わるまで、次の繰り返しの処理ができません。単語ごとに処理していくので、単語が多く含まれる文章ほど処理に多くの時間がかかってしまうのです。

一方、Self-Attention はその仕組み上、循環は必要なく、すべての単語を一度に処理できるので高速です。つまり、単語数が多くて複雑な文章を大量に学習するのに向いています（図 8-8-03）。

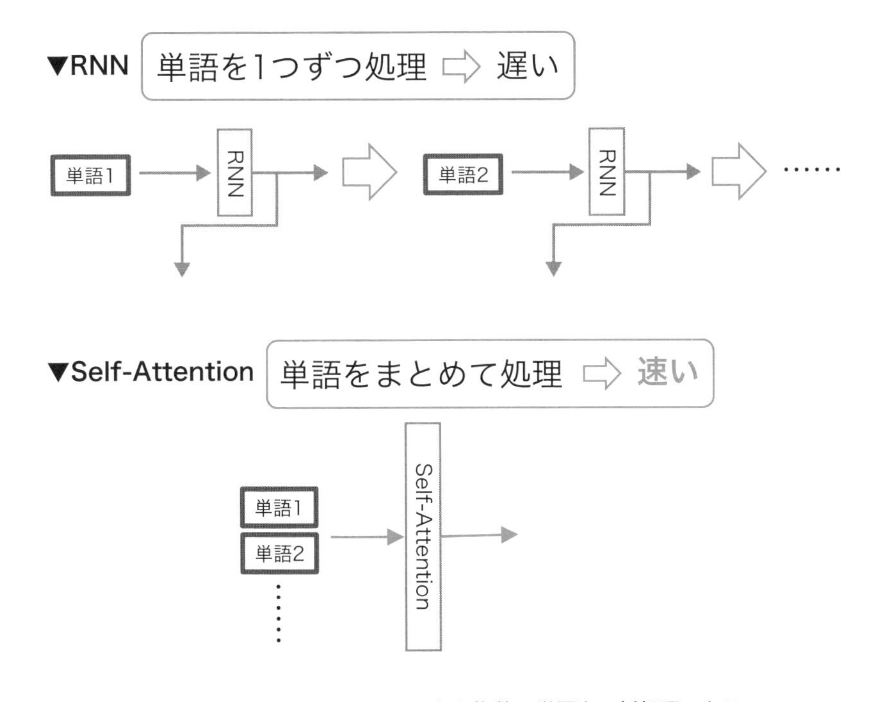

図 8-8-03　Self-Attention なら複数の単語を一括処理できる

ということで、RNNの代わりにSelf-Attentionを使うメリットがわかりました。

しかし、RNNのメリットを忘れてはいませんか？

そう、RNNでは、長さが変わる文章（可変長の文章）に対応できると解説しましたね。

しかし、Self-Attentionは循環しないので、可変長に対応できません。

では、そのあたりについて、Transformerはどうしているのか。

Transformerでは、割り切って、たとえば「単語は最大256個」など、上限が固定された長さ（固定長）の文章を扱うようにしているのです。

なんだか使い勝手が悪いように思えますが、一般的には、1つの文章が何百もの単語で構成されるケースはほぼありません。「最大256個の単語数を使った固定長の文章までの対応」と割り切っても、実用的には問題ないのです。

Transformerには、ここまで紹介してきた以外にも、精度向上などのためにさまざまな工夫が施されています。主なものを簡単に紹介します。

“多数決”のSelf-Attention

複数のSelf-Attentionを並列に配置し、“多数決”を取ることで、1つのSelf-Attentionだけの構成よりも精度を向上させます。

次の単語はあえて隠す

先述のとおり、TransformerはSelf-Attentionの他に、単語の位置関係を把握する機能（Positional Encoding層）を備えており、単語の並びを把握します。デコーダー側で次に出現する単語を推論する際、この把握済みの位置関係は、前の単語より先のぶんはあえて隠すようにします。そうしないと“カンニング”することになり、推論を適切に行えず、精度を向上できなくなってしまうからです。

他にも、層を途中で“ショートカット”することで、学習を進みやすくするなどの工夫が施されています。

以上がTransformerの特徴と大まかな仕組みです。特にAttentionの全面採用は大きな変革をもたらしました。機械翻訳の方法はかつてRNNベースが主流でしたが、Transformerの登場後は、Attentionベースが主流になっています。

8-9 自然言語処理の歴史を変えた「BERT」

複数のTransformerを連結した構造

Transformerを中心に構成した自然言語処理の仕組みが、「BERT」(Bidirectional Encoder Representations from Transformers) です。Googleが2018年に発表しました。従来の仕組みに比べて精度が飛躍的に高く、ディープラーニングによる自然言語処理にブレークスルーをもたらしました。本節では、BERTの仕組みの基本を紹介します。

まずは、BERTの基本的な構造を解説します。BERTはTransformerをベースにしており、複数のTransformerで構成されます。このことは、BERTの正式名称の最後が「Transformers」であることからも推察できます。

BERTは、Transformerのエンコーダーの部分を多段に連結した構造になっています(図8-9-01)。

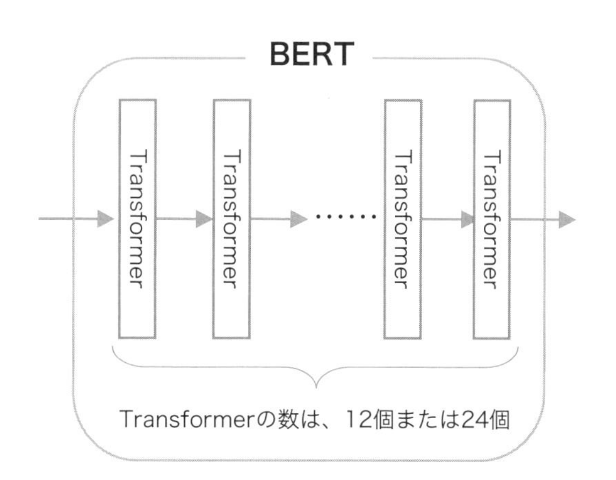

図8-9-01　BERTの基本構造はTransformerの多段連結

連結されるTransformerの数が、12個のタイプと24個のタイプの、2タイプがあります。この多段のTransformerの役割は「単語の意味の精緻化」までであり、その後ろに翻訳や分類（文章の内容がネガティブかポジティブかどうかを判定するetc.）など目的に応じて、全結合のニューラルネットワークなどによる機能を追加で設けます。実際には、多段のTransformerの前に、入力された文章に含まれる単語を分散表現に変換する層も設けます。

ポイントは2種類の事前学習

BERTは多段のTransformerによる構造とともに、独特とも言える事前学習も特徴です。BERTが高い精度を発揮できるのは、この事前学習による単語の意味の精緻化によるところが大きいです。その仕組みを紹介します。

これまで何度か述べてきたように、単語の意味は同じ文章内に含まれる他の単語や並びによって変わるものです。BERTはTransformerを軸とする事前学習を行うことで、より高いレベルで単語の意味を精緻化します。多義語や代名詞などがあっても、文脈に応じて適切に理解できるのです。

事前学習は2種類あります。

1つ目は、一言で表すなら、文章の“穴埋め問題”です。学習データとして与えられた文章で一部の単語をいくつか隠し（マスク）、それを推論することで学習します（図8-9-02）。隠した単語をラベル（正解）として、より正解できるよう、重みとバイアスを最適化して学習します。

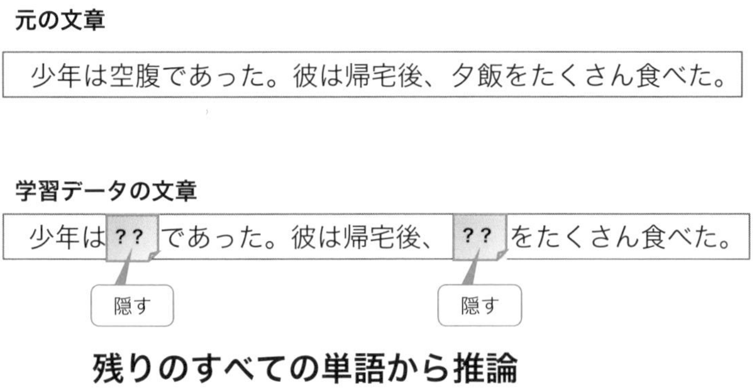

図8-9-02　BERTの事前学習1　文章の“穴埋め問題”

隠した単語は、同じ文章の残りの単語だけから推論して学習します。

1つの文章しかなければ、推論は難しいでしょう。しかし、学習データとして大量の文章を用意し、学習を重ねて「単語の意味の精緻化」を進めることで、より適切に推論できます。その結果、2つの文章全体で単語の依存関係を適切に捉え、文脈に応じて単語を理解できるのです。

事前学習の2つ目は、2つの文章の意味的なつながりの学習です。学習データとして、異なる2つの文章を同時に入力し、意味的につながるかどうかを推論します（図8-9-03）。

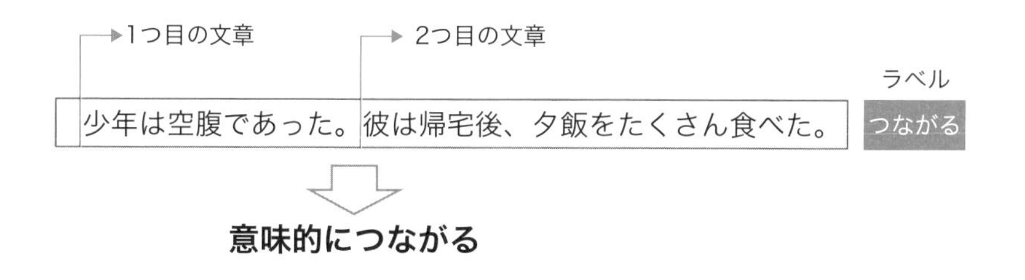

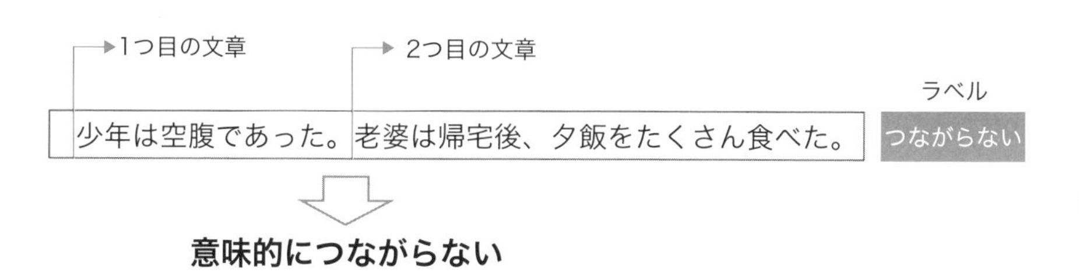

図8-9-03　BERTの事前学習2　2つの文章の意味的なつながり

学習データとして、2つの文章をあらかじめ用意します。文章は、意味的につながる組み合わせとつながらない組み合わせの2パターンを用意します。つながらない組み合わせも、あえて用意するのです。そして、それぞれの文章に対して、ラベルとして「つながる」「つながらない」という情報もあわせて用意します。このデータセットを用いて、2つの文章から意味的につながるかどうかを推論し、ラベルの正解をより導き出せるよう学習するのです。

これにより、複数の文章をまたいだ文脈での意味も理解できます。特に、2つの文章のうちの後ろの文章にある代名詞が、前の文章の単語を示す場合などに効果を発揮します（図 8-9-04）。

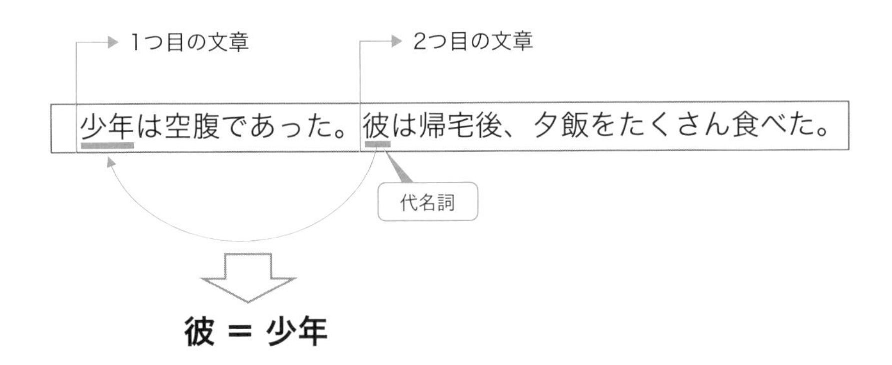

図 8-9-04　2 つの文章をまたいで、代名詞が示す単語を理解

後ろの文章 1 つだけでは、「彼」という代名詞が誰を示しているのかの情報がそもそも含まれていないので、学習は不可能です。前の文章も同時に使うことで、代名詞が示す単語が何か理解できるのです。

BERT では、これら 2 種類の事前学習によって、単語の意味を精緻化します。内部的には、各単語の分散表現の数値の組み合わせをブラッシュアップします。事前学習を終えたら、その精緻化した " 単語集 " を使い、本節冒頭でも述べたように、翻訳や分類など目的に応じた機能を追加して利用します。

以上が、BERT の特徴と大まかな仕組みです。Transformer をいかし、2 種類の事前学習によって高い精度を実現していることがおわかりいただけたかと思います。

本章のまとめ

- 文章を理解するためには、まずは文章を単語ごとに分割する。
- 単語の意味は「分散表現」によって、複数の数値の組み合わせとして扱う。
- 「単語の意味は周囲の単語から決まる」という考え方に基づいた学習で、分散表現の特徴の項目と数値を得て、単語の意味を理解する。
- 「RNN」を使うと、単語の並びも考慮して文章全体の特徴を取得し、意味を理解できる。かつ、文章の長さの変化にも対応できる。
- 2つのRNNをつなげたものが「seq2seq」であり、主に機械翻訳に用いられる。エンコーダー（1つ目のRNN）で翻訳元文章の特徴を取得。その特徴をもとにデコーダー（2つ目のRNN）で、次に出現する単語を予測して翻訳先文章を組み立てる。
- 「注目」することで、精度を向上する技術が「Attention」。翻訳元と翻訳先で対応する単語に注目する。どの単語に注目するのかは「類似度」を算出して決める。
- 「Self-Attention」は、同じ文章内の単語同士の依存関係を把握する技術。文章全体の意味をより正確に理解できる。
- 翻訳精度と処理速度を大幅に向上した仕組みが「Transformer」。RNNの代わりにSelf-Attentionを用いる。
- Transformerを多段に連結したものが「BERT」。文章の“穴埋め問題”や“2つの文章の意味的なつながり”を事前学習する。

9章

自然言語処理のプログラミングを体験しよう

9章 自然言語処理のプログラミングを体験しよう

前章では、自然言語処理の理論として、単語の分散表現などを解説しました。本章では実践として、自然言語処理のちょっとしたプログラミングを体験します。ライブラリのおかげで、ほんの数行程度のコードを書くだけで済みます。気軽にチャレンジしてみましょう。

9-1 文章の内容を理解して分類する

BERTによる分類と単語穴埋めを体験

本章で自然言語処理のプログラミングを体験しましょう。7章と同じく、プログラミング言語はPython、開発環境はColab（Google Colaboratory）を使います。Colabの基本的な使い方を忘れているようでしたら、2章を復習しておきましょう。

本章ではBERTを使い、「文章の分類」と「文章の“穴埋め”」を体験します。分類では、SNSの投稿のような何かしらの文章に対し、その内容を理解して、良い評価（ポジティブ）なのか、または悪い評価（ネガティブ）なのか、に分類します。文章の穴埋めは、前章のBERTの事前学習の1つとして紹介した「隠した単語を推論する」を体験します。

自然言語処理の分野で言えば、前者は「文章の理解」、後者は「文章の生成」にあたります。

なお、本章のコードおよび実行結果の画面はすべて、本書執筆時点のものです。今後ライブラリのバージョンアップなどによって、変更される可能性があります。あらかじめご了承ください。

TransformersでBERTを簡単に使う

ここでの体験プログラムには、「Hugging Face Transformers」（以下、Transformers）というライブラリを利用します（https://github.com/huggingface/

transformers)。BERTなどがごく短いコードで利用できるライブラリです。米Hugging Face社から無料で提供されており、ライブラリ名から想像できるように、Transformerが核となっています。

また、Transformersでは、BERTの学習済みモデルが多数提供されています。本来は学習データをそろえて適切な形式に整え、学習用プログラムを書いて学習を行うのですが、学習済みモデルがあればその必要はありません。本節の体験では、BERTの学習済みモデルを利用します。

それでは、体験を始めます。最初にTransformersを準備します。Transformersは Colabには最初からは入っていないので、別途インストールする必要があります。インストール作業は、Colabのセルに以下の1行のコマンドを入力して実行するだけです。

```
!pip install transformers[ja]
```

インストールのコマンド名は「pip」です。コマンドはPythonのプログラムのコードとは違うのですが、Colabのセルではコマンド名の前に「!」を付けることで実行できます。

Colabで新規セルを追加し、上記コマンドを入力・実行してください。すると、Transformersのインストールが始まります（図9-1-01）。必要なデータがインターネットからダウンロードされ、インストールが行われるので、少し待ちます。

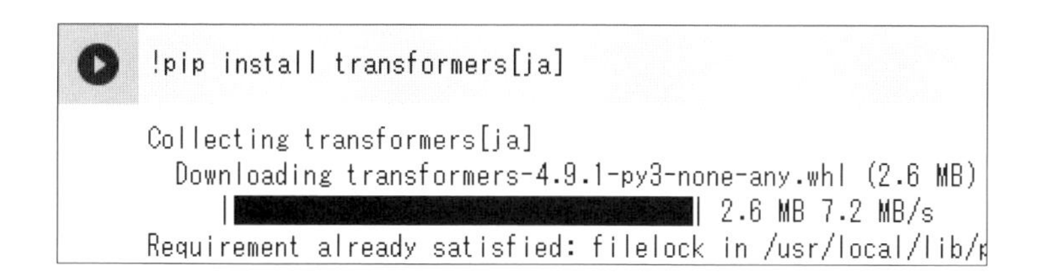

図9-1-01　Transformersのインストール

インストールが終われば、これで準備完了です。英語はもちろん日本語でも、BERTによる分類や文章生成などの自然言語処理が行えます。なお、操作から

12時間が経過すると、Colabが強制的にリセットされるため、インストールしたライブラリを再度インストールする必要があります。注意してください。

文章を良い評価／悪い評価に分類

準備ができたら、さっそくプログラミングにとりかかりましょう。

まずは文章の分類です。最初に英語の文章を分類します。以下の（A）と（B）の2つの英文を例に見てみましょう。

（A） I love you

（B） I hate you

意味は、前者が「あなたを愛しています」、後者が「あなたが嫌いです」です。SNSへ投稿するような文章としてはあまりそぐわないですが、わかりやすさを優先し、文章内の単語で動詞だけが異なり、（A）と（B）で正反対の動詞を使うという体裁の文章にしました。

では、(A)と(B)の2つの文章を、良い評価と悪い評価（ポジティブとネガティブ）に分類します。そのコードがリスト1です。

```
# 感情分析 英語
from transformers import pipeline ―――――――――――――――――――――― (1)

nlp = pipeline("sentiment-analysis") ――――――――――――――――――― (2)

print(nlp("I love you")) ――――――――――――――――――――――――――――― (3)
print(nlp("I hate you")) ――――――――――――――――――――――――――――― (4)
```

リスト1　英語の文章をポジティブ／ネガティブに分類

（1）はインポートです。ここでは、Transformersの中の「pipeline」だけを使うとします。pipelineを使うと、分類や穴埋めをはじめ、自然言語処理の主な処理が容易に実装できます。

（2）は分類の準備です。pipeline関数（厳密にはpipelineクラスの初期化のメソッド）の引数に文字列「sentiment-analysis」を指定することで、「分類器」を生成します。分類器は、文章を内容によって分けるための仕組みです。

この分類器を変数nlpに代入し、以降の処理に用います。変数nlpは関数のかたちで利用できます。引数に目的の文章を指定すると、ポジティブなら「POSITIVE」、ネガティブなら「NEGATIVE」と分類結果を返します。

（3）では、引数に文章（A）を指定し、その分類結果をprint関数で出力しています。

（4）は同様に、文章（B）を指定しています。

コードの解説は以上です。では、Colabに新規セルを追加したら、リスト1のコードを入力して実行してください。実行直後、分類に必要なデータのダウンロードが行われたあと、分類結果が「label」の後ろに表示されます。

分類結果は図9-1-02です。文章（A）は「POSITIVE」、文章（B）は「NEGATIVE」と表示されました。

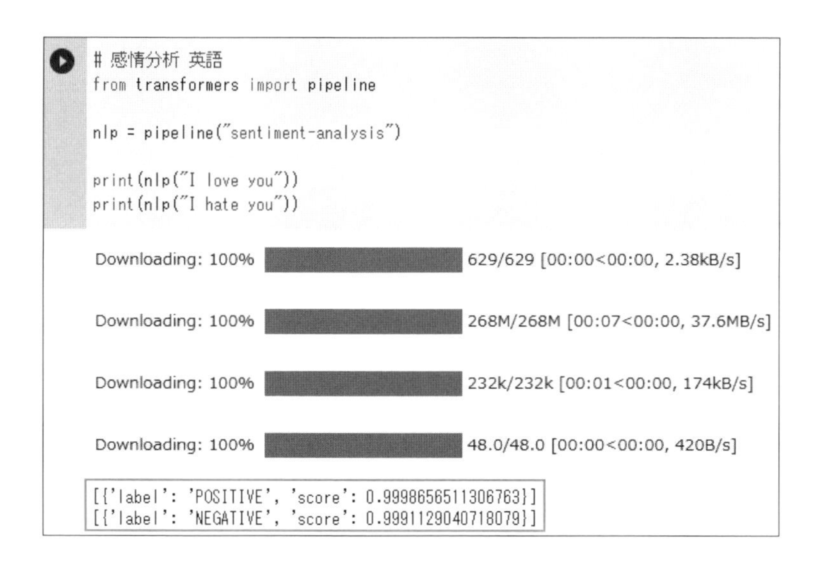

図9-1-02　英語の文章（A）と（B）の分類結果

文章の内容（動詞が「love」か「hate」かの違い）に応じて、正しく分類されたことがわかります。

さらに「score」の後ろに数値が表示されますが、これはPOSITIVEとNEGATIVEの確率です。今回の場合、確率はPOSITIVEが約99%、NEGATIVEも99%でした。

なお、この分類結果および確率の数値は、読者の皆さんのお手元では異なる場合があります。提供されている学習済みモデルが更新されたことなどが原因のようです。

このようにTransformersを使うと、ほんの数行に満たないコードで、BERTによる文章の分類が行えます。

日本語の文章を分類してみる

次に、日本語の文章でポジティブ／ネガティブの分類（感情分析）をしましょう。文章は以下の（C）と（D）とします。

(C)　この商品を買ってよかった。
(D)　この商品は買って失敗した。

（C）と（D）は、商品レビューのSNS投稿を想定した文章です。これら日本語の２つの文章をポジティブ／ネガティブに分類します。そのコードがリスト2です。

```
# 感情分析 日本語
nlp = pipeline("sentiment-analysis",
               model="daigo/bert-base-japanese-sentiment",
               tokenizer="daigo/bert-base-japanese-sentiment")  (1)

print(nlp("この商品を買ってよかった。"))
print(nlp("この商品は買って失敗した。"))
```

リスト２　日本語の文章で感情分析

リスト２の（1）の部分は、１行目の「nlp = pipeline～」から始まる３行分を指しています。紙面の都合で、本来は１行のコードを３行に改行しているのです。（1）では、pipeline関数にご覧のような第２引数と第３引数を追加することで、「日本語の分類器」を生成しています。あとはリスト１と同じで、文章に日本語の（C）と（D）を指定しただけです。

では、Colabに新規セルを追加し、リスト２のコードを入力・実行してください。分類結果は図9-1-03のように、文章（C）は「ポジティブ」、文章（D）は「ネガティブ」と日本語で表示されました。

```
[{'label': 'ポジティブ', 'score': 0.9898484945297241}]
[{'label': 'ネガティブ', 'score': 0.8169395923614502}]
```

図9-1-03　日本語の文章（C）と（D）の分類結果

ここで試しに、文章（C）と（D）を以下のように変更してみましょう。リスト２の最後の２行を、以下のように変更します。

▼変更前

```
  .
  .
  .
print(nlp("この商品を買ってよかった。"))
print(nlp("この商品は買って失敗した。"))
```

▼変更後

```
  .
  .
  .
print(nlp("このラーメンは好き。"))
print(nlp("このラーメンは好きではない。"))
```

「このラーメンは好き」までは同じですが、文章（D）はそのあとに否定の「ではない」が付いています。

変更できたら実行してください。その際、リスト2による日本語の文章の分類は2回目の実行になるので、1回目のように必要なデータのダウンロードは行われません。

実行した結果、図9-1-04のとおり分類されました。

```
[{'label': 'ポジティブ', 'score': 0.9830439090072876}]
[{'label': 'ポジティブ', 'score': 0.5454377532005310}]
```

図9-1-04 (C)も(D)もポジティブだが、確率は大きく異なる

ともに結果は「ポジティブ」です。そしてscore(確率の数値)をよく見ると、文章(C)が約98%であるのに対し、文章(D)は約55%となりました。

なぜ、(D)が「ポジティブで約55%」という結果になったのでしょうか。(D)の文章から期待すべき結果は、「ネガティブで高いパーセンテージ」だと思います。

なぜ「ポジティブで約55%」になったのかは、Transformersの中身に依存することなので、正確な理由はわかりません。想像するに、(D)は「このラーメンは好き」まででポジティブ度が高くなっていて、そこから「ではない」のネガティブ度を引いた結果、約55%になったのかもしれません。

もしもこのプログラムをもっと本格的に作るのであれば、scoreの値で分類するような処理手順にすれば、より正確にポジティブ/ネガティブを分類できるでしょう。

文章の分類のプログラムの体験は、ここまでです。

9-2 文章の穴埋めを体験

英語の文章で穴埋め

次に、文章の穴埋めに挑戦しましょう。文章の一部の単語を推論します。

まずは、英語の文章で穴埋めを行います。ここでは、以下の文章(E)を用いるとします。

(E)　I eat ？？？ everyday.

日本語では「私は？？？を毎日食べる」という文章であり、この「？？？」の部分を穴埋めします。

この文章（E）の穴埋めを行うコードがリスト3です。

```
# 穴埋め 英語
nlp = pipeline("fill-mask") ――――――――――――――――――――――――――――――― (1)

results = nlp(f"I eat {nlp.tokenizer.mask_token} everyday.") ― (2)
for result in results: ――――――――――――――――――――――――――――――――――― (3)
  print(result)
```

リスト3　英語の文章で穴埋め

最初に(1)で、pipeline関数の引数に文字列「fill-mask」を指定して、「穴埋め器」を生成します。「分類器」と同様に変数nlpに代入し、以降は関数のように使います。

実際に穴埋めを行う処理のコードが（2）です。nlpの引数に目的の英文を指定します。その際、穴埋めしたい箇所には「{nlp.tokenizer.mask_token}」を指定します。実行すると、穴埋めされる単語は1つだけでなく、候補として計5つの単語が得られます。

（3）のコードでは、（2）で得られた候補の5つの単語をfor文とprint関数で順に出力しています。

リスト3の概要は以上です。では、Colabに新規セルを追加し、リスト3のコードを入力・実行してください。実行直後、分類に必要なデータのダウンロードが行われたあと、穴埋めの単語の候補が図9-2-01のように表示されます。

```
{'sequence': 'I eat pizza everyday.', 'score': 0.08785708248615265, 'token': 9366, 'token_str': ' pizza'}
{'sequence': 'I eat yogurt everyday.', 'score': 0.04193376004695892, 'token': 24351, 'token_str': ' yogurt'}
{'sequence': 'I eat sushi everyday.', 'score': 0.04071260988712311, 'token': 28287, 'token_str': ' sushi'}
{'sequence': 'I eat tacos everyday.', 'score': 0.0365636982023716, 'token': 29965, 'token_str': ' tacos'}
{'sequence': 'I eat meat everyday.', 'score': 0.0334707573056221, 'token': 4884, 'token_str': ' meat'}
```

図 9-2-01　英語の文章（E）の穴埋めの単語の候補

出力された実行結果の「sequence」の後ろに、穴埋めが行われた状態の文章が表示されます。

図 9-2-01 の場合、一番上の第 1 候補は「pizza」（ピザ）と推論されました。第 2 候補は「yogurt」（ヨーグルト）、第 3 候補は「sushi」（寿司）、第 4 候補は「tacos」（タコス）、第 5 候補は「meat」（肉）と推論されました。

いずれも異論はあるかもしれませんが、毎日食べてもおかしくない食べ物と言えるでしょう。「book」や「car」など食べ物以外は推論されておらず、文脈から適切に推論して穴埋めできています。

また、出力結果の「score」には、その単語である確率が表示されます。さらにその後の「token_str」には、推論した単語だけが表示されます。

日本語の文章でも穴埋めしてみよう

日本語の文章でも、穴埋めのプログラミングを体験しましょう。ここでは、東北大学 乾研究室が公開している学習済み日本語 BERT モデル（https://github.com/cl-tohoku/bert-japanese）を利用します。Transformers から直接読み込んで利用可能になっています。そのコードがリスト 4 です。

```
# 穴埋め 日本語
from transformers import BertConfig, AutoTokenizer, BertForMaskedLM

config = BertConfig.from_pretrained(
    'cl-tohoku/bert-base-japanese-whole-word-masking')
tokenizer = AutoTokenizer.from_pretrained(
    'cl-tohoku/bert-base-japanese-whole-word-masking')
model = BertForMaskedLM.from_pretrained(
    'cl-tohoku/bert-base-japanese-whole-word-masking')
```
(1)

```
nlp = pipeline('fill-mask', model=model,
               tokenizer=tokenizer, config=config) ——— (2)
results = nlp('朝食に[MASK]を食べる。') ——— (3)

for result in results:
  print(result)
```

リスト4　日本語の文章で穴埋め

(1) は東北大学の日本語BERTモデルを読み込む処理です。計3つの処理のコードです（途中で改行しています）。3つとも「～.from_pretrained」という形式の関数（メソッド）を使っていますが、学習済みモデルを読み込む処理です。1つ目の処理はBERTモデルの設定、2つ目の処理は単語を分割する機能、3つ目の処理はモデル本体を読み込んでいます。

(2) は穴埋め器を生成する処理です。pipeline関数の第2～4引数に、(1)で読み込んだ日本語BERTモデルを渡しています。

(3) が実際に穴埋めを行う処理です。nlpの引数に目的の日本語文章を指定します。穴埋めしたい部分には「[MASK]」を指定します。あとはリスト3と同様に結果を出力します。

9章

実行結果が図9-2-02です。第1候補から順に「パン」「米」「朝食」「カレー」「ワイン」と推論されました。第3候補と第5候補が文脈的におかしいですが、残りは食べ物を推論できています。

```
{'sequence': '朝食 に パン を 食べる 。', 'score': 0.09675188362598419, 'token': 3469, 'token_str': 'パ ン'}
{'sequence': '朝食 に 米 を 食べる 。', 'score': 0.0734599307179451, 'token': 885, 'token_str': '米'}
{'sequence': '朝食 に 朝食 を 食べる 。', 'score': 0.06376340985298157, 'token': 25965, 'token_str': '朝 食'}
{'sequence': '朝食 に カレー を 食べる 。', 'score': 0.05316410958766937, 'token': 12396, 'token_str': 'カ レ ー'}
{'sequence': '朝食 に ワイン を 食べる 。', 'score': 0.05232280492782593, 'token': 5299, 'token_str': 'ワ イ ン'}
```

図9-2-02　東北大学の日本語BERTモデルによる穴埋めの例

試しに、文章内の単語「朝食」を「夕飯」に変更し、リスト4を実行した結果が図9-2-03です。今度は第4候補まで文脈的に正しく推論できています。

```
{'sequence': '夕飯 に 野菜 を 食べる 。', 'score': 0.21508944034576416, 'token': 8845, 'token_str': '野 菜'}
{'sequence': '夕飯 に ご飯 を 食べる 。', 'score': 0.15173347294330597, 'token': 27073, 'token_str': 'ご 飯'}
{'sequence': '夕飯 に 米 を 食べる 。', 'score': 0.08984313905239105, 'token': 885, 'token_str': '米'}
{'sequence': '夕飯 に 魚 を 食べる 。', 'score': 0.05041661486029625, 'token': 2171, 'token_str': '魚'}
{'sequence': '夕飯 に を 食べる 。', 'score': 0.040655866265296936, 'token': 1, 'token_str': '[ U N K ]'}
```

図9-2-03 「朝食」を「夕飯」に変更して穴埋めを行った結果

さらに文章を、

```
猫が餌を食べないのは、それが[MASK]だから。
```

という少し長めの文章に変更して試してみましょう。「食べない」ことの理由を推測したい目的があり、かつ、「それ」という代名詞も用いています。その実行結果が図9-2-04です。

```
{'sequence': '猫 が 餌 を 食べ ないの は 、 それ が 原因 だから 。', 'score': 0.3335151672363281, 'token': 2424, 'token_str': '原 因'}
{'sequence': '猫 が 餌 を 食べ ないの は 、 それ が 理由 だから 。', 'score': 0.11930163949728012, 'token': 1515, 'token_str': '理 由'}
{'sequence': '猫 が 餌 を 食べ ないの は 、 それ が 嫌い だから 。', 'score': 0.038153503090143204, 'token': 12844, 'token_str': '嫌 い'}
{'sequence': '猫 が 餌 を 食べ ないの は 、 それ が 悪い だから 。', 'score': 0.027832569554448128, 'token': 6981, 'token_str': '悪 い'}
{'sequence': '猫 が 餌 を 食べ ないの は 、 それ が 大きい だから 。', 'score': 0.018004897981882095, 'token': 3370, 'token_str': '大 き い'}
```

図9-2-04 代名詞を使った少し長めの文章で穴埋めを行った結果

第3候補は文脈的にも問題なさそうな単語が推測できています。第1、2、4、5候補は、文章としてはおかしな単語を推測してしまいました。

BERTによる自然言語処理のプログラミングの体験は以上です。リスト1～4の文章を他にも変えてみるなど、いろいろ試してみるとよいでしょう。

Column BERTにおける単語の分割

リスト4の（1）では、「AutoTokenizer」というモジュールを読み込んでいます。これは単語の分割（分かち書き）を行うための処理です。専門用語では「Tokenizer」と呼ぶ種類のプログラムの部品です。

このAutoTokenizer（変数tokenizerに格納）を使い、文章の単語を分割するプログラムの例がリスト5です。日本語の文章「猫が餌を食べない。」を分割しています。

```
text1 = '猫が餌を食べない。'
ids = tokenizer.encode(text1, return_tensors='pt')

print(tokenizer.convert_ids_to_tokens(ids[0].tolist()))
```

リスト5 BERTで単語を分割

実行結果が図9-2-05です。各単語に分割されたことがわかるかと思います。なお、先頭の「[CLS]」や末尾の「[SEP]」はBERTの内部的な処理に使う特殊な単語です。前者は分類の情報を格納する役割、後者は文章の区切りを示す役割を担います。

```
['[CLS]', '猫', 'が', '餌', 'を', '食べ', 'ない', '。', '[SEP]']
```

図9-2-05 「猫が餌を食べない。」を単語に分割

本章のまとめ

- BERTは「Hugging Face Transformers」などのライブラリならば学習済みモデルを利用でき、数行程度のコードで使える。日本語にも対応。
- 文章のポジティブ／ネガティブ分類では、最初に「分類器」を生成し、文章を渡せば、分類結果とその確率が得られる。
- 文章の穴埋めでは、最初に「穴埋め器」を生成し、穴埋めしたい箇所を指定した文章を渡せば、穴埋めの単語の候補とその確率が得られる。

講座

巻末のこの講座では、７章と９章のコードで登場するPython の文法・ルールの基礎について紹介します。
プログラミングに詳しくない方に向けた、本書籍を理解するために必要な最低限の基礎知識です。
コードへの理解を深めるために、お役立てください。

Python 基礎1 データの操作方法

数値と文字列

Python で扱うデータの種類は、主に「数値」と「文字列」です。数値は、整数や小数をコードにそのまま記述すれば使えます。文字列は「'」(シングルクォーテーション) で囲って記述します。

たとえば、「こんにちは」という文字列ならば、以下のように記述します。

```
'こんにちは'
```

「'」の代わりに「"」(ダブルクォーテーション) も使えます。その場合、「"こんにちは"」と記述します。シングルクォーテーションやダブルクォーテーションといった記号や演算子は、半角で記述します。

ブール値

数値と文字列のほかに、「ブール値」と呼ばれる特殊なデータの種類もあります。具体的には「True」と「False」の2種類です。

大まかな意味は、True が「YES」、False が「NO」と捉えれば、実用上は問題ありません。プログラミングの専門用語では、True は「真」、False は「偽」という意味です。

変数と代入

数値や文字列などのデータは、「変数」に入れて処理に使うことができます。変数とは、プログラミングでの処理において、データを入れる"箱"のようなものです。数値や文字列を"箱"に入れておき、その"箱"に入れたデータを計算などの処理に用いるのです。

変数は、プログラムの中にいくつも作ることができます。それぞれの変数には個別の名前を付けて管理します。

変数の名前 (以下、「変数名」) をコードに書くと、その名前の"箱"が用意されます。変数にデータを入れる書式は以下です。

```
変数名 = 値
```

代入演算子の「=」を使い、左辺に変数名、右辺にデータの値 (数値や文字列など) を記述します。こうすることで、右辺のデータの値を、左辺の変数 (箱) に入れて使えるようになります。データを入れることを「代入」と呼びます。

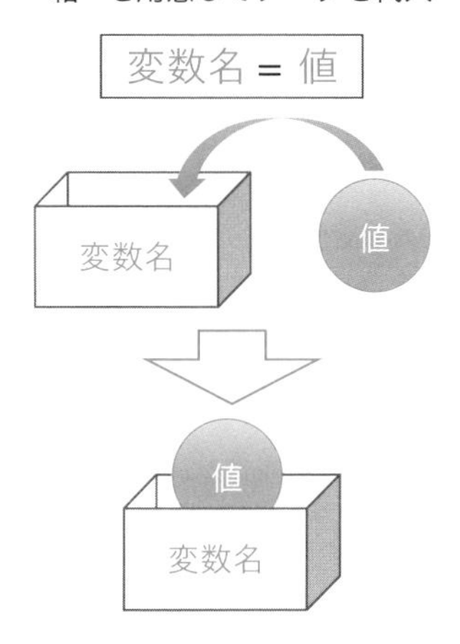

図　Python基礎 1-01　変数の概念と使い方

一度代入すれば、以降はその変数名を記述することで、代入されているデータをプログラムで使うことができます。データが入っている変数に別のデータを代入すれば、変数の中のデータを変えられます。また、変数を別の変数に代入することもできます。

変数名は原則自由に付けられますが、ルールに従う必要があります。主なルールは以下です。

- 大文字小文字のアルファベットと数字、「_」（アンダースコア）のみが使える。
- 数字は先頭には使えない。
- 「True」や「print」や「if」など、Pythonの文法等ですでに使われているものと同じ名前は付けられない。

演算子

数値などは、各種の「演算子」によって計算ができます。主な演算子には、以下のものがあります。

演算子	意味
+	足し算
-	引き算
*	掛け算
/	割り算
%	割り算の余り

表　Python基礎 1-01　主な演算子

複数の演算子を使う場合、コード内の該当箇所をカッコでくくることで、演算の優先度を上げることもできます。

この表以外にも演算子はあります。

講座

たとえば、「+=」は「累算代入演算子」と呼ばれる種類の演算子です。左辺の変数の現在の値に、右辺の値を足した結果を代入して更新します。その一例が以下です。

```
a = 1
a += 2
```

「a += 2」は変数aの現在の値である「1」に対して、2を足して、その結果を変数aに代入して更新します。このコードを実行すると、その結果、変数aの値は3になります。

演算子は、数値以外でも使えます。文字列も、+演算子で連結できます。たとえば2つの文字列「ディープ」と「ラーニング」を連結するコードは以下になります。

```
'ディープ' + 'ラーニング'
```

リスト

「リスト」は、複数のデータをまとめて扱うデータ構造です。「変数が複数集まったもの」というイメージです。リスト内の1つひとつのデータを、「要素」と呼びます。リストを作成する書式は以下です。

```
リスト名 = [ 値1, 値2,……]
```

代入演算子「=」の左辺にリスト名を記述します。右辺は「[ ]」の中に、データを必要な数だけ「,」(カンマ) 区切りで指定します。

作成したリストは、以下の書式によって個々の要素を取り出せます。

```
リスト名[ インデックス ]
```

「インデックス」とは、リスト内の要素の順番を示すものです。インデックスには、リストの先頭から何番目の要素を取り出すのかを数値で指定します。先頭の要素 (1番目) のインデックスは「0」です。2番目の要素のインデックスが「1」です。プログラミング言語の多くで、インデックスは0から始まります。1から始まるのではないので、間違えないように注意しましょう。

▼要素数が3のリストの例

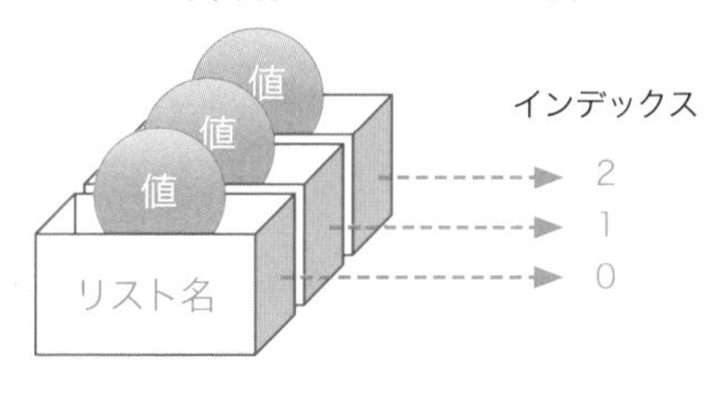

図　Python基礎1-02　インデックス

例として、「fruits」という名前のリストを作ってみましょう。リスト fruits の要素は３つで、文字列の「みかん」「リンゴ」「バナナ」とします。
このリスト fruits の２番目の要素を print 関数で出力するコードは、以下になります。

```
fruits = ['みかん', 'リンゴ', 'バナナ']
print(fruits[1])
```

２番目の要素を取り出すので、インデックスには１を指定しています。実行すると、「リンゴ」と出力されます。
また、リストの要素の値を変更するには、「リスト名[インデックス]」に「=」で新たな値を代入します。

タプル

リストと似たようなデータ構造に、「タプル」があります。タプルを作成する書式は以下です。

```
タプル名 = (値1, 値2……)
```

リストと同様に、個々の要素はインデックスを使って、「タプル名[インデックス]」で取り出せます。
リストと異なるのは、要素の値を変更できない点です。作成済みのタプルに、新しい要素の値を代入しようとすると、エラーになります。値を変更できないなんて使い勝手が悪そうに思えますが、そうでもありません。たとえば、勝手に値をいじられては困るようなデータを扱うのであれば、タプルを使う方がよかったりするのです。

同時に複数の値を複数の変数に代入

代入演算子「=」は、同時に複数の値を複数の変数に代入することもできます。「=」の左辺には、変数を「,」区切りで並べます。右辺にはリスト名などを記述します。
先述のリスト fruits を変数 a、b、c に代入するなら、コードは以下になります。

```
fruits = ['みかん', 'リンゴ', 'バナナ']
a, b, c = fruits
```

実行すると、リスト fruits の先頭の要素「みかん」が変数 a、2 番目の要素「リンゴ」が変数 b、3 番目の要素「バナナ」が変数 c にそれぞれ代入されます。リスト以外に、タプルなどの値も代入できます。

Python 基礎 2　関数

関数の基本

関数とは、あるまとまった処理を実行するための仕組みです。Python には、豊富な種類の関数が用意されています。

関数を呼び出して実行するコードの書式は、以下です。

```
関数名 ( 引数 1, 引数 2……)
```

「引数」とは、関数の処理の内容を細かく設定するための仕組みです。引数に渡す値をカッコ内に、「,」区切りで決められた順に並べて指定します。引数の種類と数、並び順は、関数ごとに異なります。

たとえば、データを出力する「print」関数に、引数として文字列「Hello」を渡すコードは以下になります。

```
print('Hello')
```

実行すると、引数に渡した文字列「Hello」が出力されます。

引数を渡す方法には別のパターンもあります。引数名も一緒に指定する書式です。

```
関数名 ( 引数名 1= 引数 1, 引数名 2= 引数 2……)
```

引数に渡す値の前に「引数名 =」を記述します。引数名は関数ごとに異なります。この書式なら、引数を決められた順以外でも並べて指定できます。

また、関数によっては、省略可能な引数を用意しているものもあります。省略可能な引数を省略すると、その関数で決められた「既定値」が自動で指定されます。省略可能な引数の種類や既定値は、関数ごとに異なります。

関数によっては、実行すると処理の結果が「戻り値」（返り値）として得られます。戻り値は通常、同じプログラム内で変数に代入するなどし、以降の処理に用います。どのような戻り値を返すのかは、関数ごとに異なります。

関数のインポート

Python の関数は、大きくは「組み込み関数」と「ライブラリ関数」に分類されます。組み込み関数とは、プログラミング言語にあらかじめ用意されている関数のことです。たとえば、先述の print 関数などがそうです。特別な操作なしに使えます。

一方のライブラリ関数を使うには、事前にインポートという操作をしておく必要があります。ライブラリ関数は「モジュール」と呼ばれる単位で管理されています。そのモジュールをインポートすることで、ライブラリ関数が使えるようになるのです。インポートは、「import」文を使い、以下の書式で行います。

```
import モジュール名
```

たとえば、「NumPy」というライブラリをインポートするコードは、以下になります。NumPyのモジュール名は「numpy」です。

```
import numpy
```

ライブラリ関数は原則、関数名の前に「モジュール名.」を付けて記述します。NumPyの「transpose」という関数なら、「numpy.transpose」と記述します。

import文は「as」キーワードと組み合わせることで、モジュール名を任意の名前で扱えるようにできます。NumPyを「np」という名前で使えるようにするならば、以下のようにします。

```
import numpy as np
```

npという名前でNumPyが使えることで、コードを短く簡潔にできます。Numpyの「transpose」関数をコードで使う場合、「np.transpose」と短く記述できます。

import文に「from」キーワードを組み合わせると、モジュールの中から指定した関数のみをインポートできます（厳密には、オブジェクトごとにインポートします）。

```
from モジュール名 import 関数名
```

たとえば、「Transformers」というライブラリ（モジュール名は「transformers」）から、「pipeline」関数のみをインポートするコードは、以下になります。

```
from transformers import pipeline
```

このようにインポートすると、関数名の前の「モジュール名.」の記述が不要になります。

講座

オリジナルの関数

プログラマーがオリジナルの関数を定義して使うこともできます。定義は「def」文で行います。基本的な書式は以下です。

```
def 関数名(引数名1, 引数名2…):
    処理
    return 戻り値
```

「関数名」の命名ルールは、基本的には変数と同じです。関数名に続けて「(引数名1, 引数名2…)」と引数を必要な数だけ並べます。その後ろの「:」（コロン）を書き忘れがちなので注意しましょう。

「処理」の部分には、関数の中身となる処理のコードを記述します。この部分は、必ずインデントして記述します。インデントとは、字下げのことです。ここでは、半角4文字ぶんのスペースで字下げしています。インデントしないと、関数の処理ではなく、関数とは別の処理と見なされてしまうので、注意してください。

処理の最後に、「return」文で戻り値を指定します。戻り値なしの関数なら、return文は不要です。

例として、以下のような関数を定義してみましょう。

```
機能　：　2つの商品の価格の合計値に消費税10%を加えた金額を求める
関数名：　get_tax_price
引数　：　price1　1つ目の商品の価格
　　　　　price2　2つ目の商品の価格
戻り値：　2つの商品の価格の合計値に消費税10%を加えた金額
```

このget_tax_price関数を定義するコードの例は、以下になります。

```
def get_tax_price(price1, price2):
    sum = price1 + price2
    return sum * 1.1
```

このようにget_tax_price関数をあらかじめ定義しておき、この関数を呼び出すことで、定義した機能（処理）を実行できるわけです。1つ目の商品を600円、2つ目の商品を400円とするなら、次のように記述します。

```
get_tax_price(600, 400)
```

実行すると、戻り値として消費税10%を加えた1100.0という金額の数値が得られます。

Python基礎3　反復と分岐

反復のfor文

指定した処理を繰り返し実行する「反復」（ループ、繰り返し）。Pythonでは反復のための文が何種類か用意されています。ここでは、その代表である「for」文を解説します。基本的な書式は以下になります。

```
for 変数 in 集まり：
    処理
```

inの後ろの「集まり」に指定したものの数だけ、処理を繰り返します。たとえば、要素数が3つのリストを指定したら、3回繰り返されます。

「変数」には、処理を繰り返すたびに、「集まり」の中の要素が先頭から順に格納されます。「処理」の部分には、繰り返したい処理を必ずインデントして記述します。この「変数」は、繰り返す処理の中で使えます。上記書式でいうと、「処理」のコードに記述して利用できます。

コードの例を紹介します。先述のリストfruitsを「集まり」に指定します。「変数」には、「a」という変数を指定し、「処理」ではその変数aをprint関数で出力するとします。そのコードは、以下になります。

```
fruits = ['みかん', 'リンゴ', 'バナナ']
for a in fruits:
    print(a)
```

リストfruitsの要素数は3なので、3回繰り返されます。そのたびにリストfruitsの要素が、先頭から順に変数aに格納されます。そして、このfor文で繰り返す処理はprint関数であり、その引数に変数aを指定しています。そのため、繰り返すたびにリストfruitsの要素が順にprint関数で出力されます。

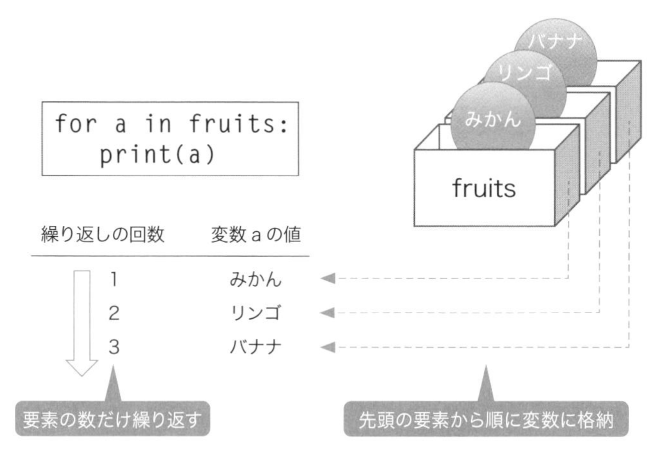

図　Python基礎3-01　for文の例

実行結果は、以下のとおりです。

```
みかん
リンゴ
バナナ
```

単純に指定した回数だけ繰り返したければ、「集まり」には「range」関数を使います。

range関数の引数に、目的の回数を指定します。5回繰り返すなら、「range(5)」と記述します。その場合、range関数は0～4の5つの整数を生成するため、5回繰り返すのです。変数には繰り返しのたびに、0～4の整数が順に格納されます。range関数で生成される整数は、0から始まり、引数に指定した値より1少ない数までである点に注意しましょう。

繰り返しを行う方法には、for文のほかに、「while」文もあります。指定した条件が成立している間、処理を繰り返す文です。

分岐のif文

指定した条件が成立する/しないに応じて処理を実行できる「分岐」。分岐の文の代表が「if」文です。基本的な書式は以下になります。

```
if 条件式:
    処理
```

条件は式のかたちで、「条件式」の部分に指定します。条件式が成立（True）なら、「処理」が実行されます。「処理」は必ずインデントして記述します。条件式が不成立（False）なら、何も実行されません。

条件式は通常、「比較演算子」を使って記述します。比較演算子は左辺と右辺を比較し、成立するならTrue、不成立ならFalseを返します。主な比較演算子は表のとおりです。

比較演算子	意味
==	等しい
!=	等しくない
>	大きい
>=	以上
<	小さい
<=	以下

表　Python基礎3-01　主な比較演算子

たとえば、変数aの値が10以上なら文字列「Yes」と出力するコードは以下になります。

```
a = 20
if a >= 10:
    print('Yes')
```

このコードでは、if文の前で変数aに20を代入しており、値が10以上なので、条件式は成立します。よって、「Yes」と出力されます。もし10より小さい値を代入したら、条件式は成立せず、何も出力されません。

if文には発展形があります。上記書式は条件が成立する場合のみに処理を実行しますが、成立しない場合にも指定した処理を実行することができます。

```
if 条件式：
    処理1
else:
    処理2
```

条件式が成立しない場合に実行したい処理を、「else:」の下の「処理2」の部分に記述します。この部分もインデントして記述します。

さらに「elif」を加えると、複数の条件式で分岐できます。

Python基礎4 オブジェクトとクラス

オブジェクトとクラスの関係

Pythonには、「オブジェクト」という仕組みがあります。大まかに言えば、変数と関数をまとめて扱える仕組みです。オブジェクトの変数は「属性」と呼び、関数は「メソッド」と呼びます。属性とメソッドをまとめて扱えることで、「どのような値（変数）を、どのように処理するか（関数を使うか）」をセットにできるのです。

オブジェクトにどのような属性やメソッドを含めるのかは、基本的にプログラマーが指定して使います。オブジェクトを使うための手順は、次のとおりです。

クラスを定義
↓
オブジェクトを生成

「クラス」とは、オブジェクトの"設計図"のようなものです。クラスを定義すると、そのオブジェクトの"実体"を生成できます。これで、そのオブジェクトに含まれる属性やメソッドが使用可能になります。

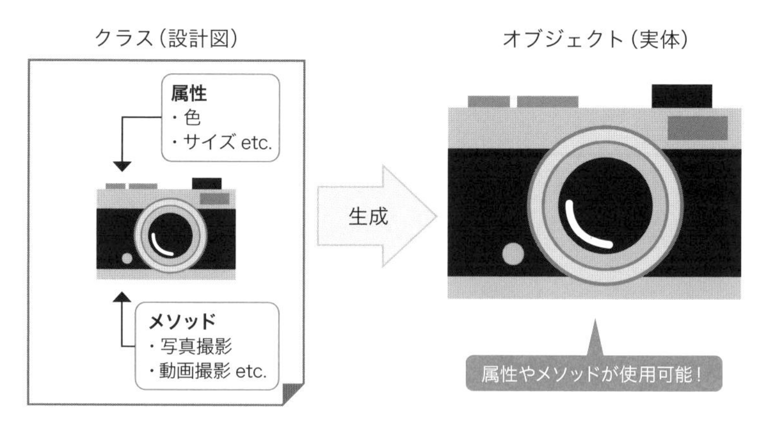

図　Python 基礎 4-01　クラスが“設計図”、オブジェクトが“実体”

なお、厳密にはこの“実体”は「インスタンス」と呼びます。しかし、「オブジェクトとインスタンスは同じもの」という認識で、実用上は問題ありません。

クラスの定義

クラスの定義は「class」で行います。基本的な書式は以下になります。

```
class クラス名:
    def __init__(self, 引数名1, 引数名2……):
        self.属性名 = 初期値

    def メソッド名(self, 引数名1, 引数名2……):
        メソッドの処理
        return 戻り値
```

最初に「class クラス名 :」を記述し、その下にインデントして、メソッドや属性を定義していきます。

メソッドは、関数と同じようにdef文で定義します。「self」はクラスの自分自身を意味する特別な引数です。戻り値なしのメソッドならば、return文は省略します。

「__init__」は初期化のための特殊なメソッドで、オブジェクト（実体）を生成する際に必ず実行されます。ここで、初期化に用いる引数を適宜指定します。

属性は基本的に、この__init__の中に定義します。「self.」に続けて属性名を指定し、初期値を「=」で代入します。

属性は1つのみならず、必要な数だけ定義できます。メソッドも同様ですが、__init__は1つだけしか定義できません。

オブジェクトを生成して使う

クラスが定義できました。今度は、そのクラスからオブジェクトを生成するコードを説明します。書式は以下になります。

```
変数名 = クラス名 ( 引数 1, 引数 2……)
```

「クラス名 (引数 1, 引数 2……)」によって、オブジェクトを生成します。この引数は __init__ メソッドによる初期化で、必要なら適宜指定します。

生成したオブジェクトは通常、変数に代入し、以降の処理に用います。

メソッドの実行は、以下の書式になります。

```
変数名 . メソッド名 ( 引数 1, 引数 2……)
```

上記の「変数名」には、オブジェクトが代入された変数の名前を指定します。

属性は、以下の書式で取得できます。初期値から変更したければ、別の値を代入します。

```
変数名 . 属性名
```

クラスの定義とオブジェクトの生成・使用の例

例として、下記のクラスを定義します。定義するのは、人間のデータを扱う「Person」クラスです。

```
クラス名 :  Person
属性     :  name
            名前を格納。初期値は引数で受け取って設定。
メソッド :  show_name
            name 属性を print 関数で出力。引数、戻り値なし。
```

この Person クラスを定義するコードは以下になります。

```
class Person:
    def __init__(self, name):
        self.name = name

    def show_name(self):
        print(self.name)
```

__init__ メソッドに引数「name」を用意します。この引数 name に渡された値が初期値として、オブジェクト生成時に name 属性に代入されます。name 属性は「self.」を頭に付けて「self.name」と記述します。属性名と引数名が同じなので、混乱してしまうかもしれませんが、

Pythonではよくある書き方です。name属性をshow_nameメソッドで出力する際も、「self.」を頭に付けて、print関数の引数に指定します。

Personクラスのオブジェクトを生成するコードは以下になります。ここではname属性の初期値として、文字列「Mike」を指定しています。生成したオブジェクトを格納する変数は、ここでは「guest」とします。

```
guest = Person('Mike')
```

これでPersonオブジェクトが生成され、変数guestに格納されました。以降、変数guestをPersonオブジェクトとして使えます。生成の際、引数に文字列「Mike」を指定しているため、__init__メソッドに渡され、属性nameに代入されます。

たとえば、show_nameメソッドを実行するなら、以下のように記述します。

```
guest.show_name()
```

show_nameメソッドはname属性を出力するよう定義しているので、実行すると「Mike」が出力されます。

クラスはプログラマーが自分で定義するだけでなく、ライブラリなどにあらかじめ用意されたものも多々あります。それらはいちいちクラスを定義しなくても、決められた書式に従ってオブジェクトを生成すればすぐに使えます。

クラスの「継承」

クラスを定義する際、別のクラスの属性やメソッドを引き継ぐこともできます。既存のクラスをもとに、新たなクラスを定義できるのです。これを「継承」と呼びます。継承する場合は、クラス名の後ろに「(親クラス名)」を追加します。この「親クラス」は、もとになるクラスです。

```
class クラス名(親クラス名):
        .
        .
        .
```

これで、親クラスの属性やメソッドを継承した、新しいクラスが定義できます。さらに、このクラス独自の属性やメソッドを追加していきます。「super」を使うと、親クラスの__init__メソッドで初期化できます。また、親クラスのメソッドの中身を上書きして変更することもできます。

あとがき

いかがでしたでしょうか？　ディープラーニングの仕組み、ニューラルネットワークの構造や構成要素、推論や学習の方法などについて、理解できたかと思います。ノードの計算は思いのほか単純であったり、学習における勾配降下法はシンプルな発想だが、よく考えられた仕組みであったりするなど、さまざまな発見があったことでしょう。

さらには、CNNによる画像認識、単語の分散表現をはじめとする自然言語処理の仕組みも学んだことで、普段利用しているスマートフォンの顔認証や翻訳サイトなどがどう動いているのか、なぜ高い精度なのかが把握できたかと思います。

本書で解説したのは、あくまでもディープラーニングの基礎であり、文系の方でも理解できるレベルにとどめています。誤差逆伝播法における勾配の計算方法などは、実際にはもっと高度で複雑な仕組みです。もし、興味があれば、より深く学ぶとよいでしょう。

読者の皆さんのディープラーニングに対する知的好奇心を満たしたり、自分の仕事へのAI活用を促進したりすることに、本書が少しでもお役に立てれば幸いです。

索　引

本書の活用にあたって

本書のサポートサイトから、本書の後半で利用するプログラム（コード）をダウンロードできます。こちらを使いながら、本書の内容の理解を深めるとよいでしょう。

またサポートサイトにて、訂正・補足情報も更新してまいります。

サポートサイト
https://nkbp.jp/nsoft_books

- 本書の内容は、2021 年 10 月時点のものです。その後のソフトウエアのバージョンアップなどにより、想定した動作をしない可能性があります。また、すべてのパソコンでの動作を保証するものではありません。
- 日経 BP および著者は、コードなどのデータを使用することによって生じるいかなる損害にも責任を負いません。ご了承ください。

ディープラーニング AI は どのように学習し、推論しているのか

2021年 11 月22日　第 1 版第 1 刷発行

著　　者　立山 秀利
発 行 者　中野 淳
編　　集　久保田 浩
発　　行　日経 BP
発　　売　日経 BP マーケティング
　　　　　〒 105-8308　東京都港区虎ノ門 4-3-12
装丁・制作　JMC インターナショナル
表 紙 写 真　Getty Images
印刷・製本　図書印刷

ISBN　978-4-296-11037-7

●本書籍に関するお問い合わせ、ご連絡は下記にて承ります。なお、本書の範囲を超えるご質問にはお答えできませんので、あらかじめご了承ください。ソフトウエアの機能や操作方法に関する一般的なご質問については、ソフトウエアの発売元または提供元の製品サポート窓口へお問い合わせいただくか、インターネットなどでお調べください。
https://nkbp.jp/booksQA